Cynnwys / *Content*

Rhagair

Bwriad y llyfr hwn ydy eich helpu i adolygu'n effeithiol ar gyfer asesiad TGAU, Cymraeg ail iaith.

Mae'r llyfr yn cynnwys ystod eang o ymarferion i ymarfer y sgiliau iaith sydd eu hangen arnoch i gyrraedd eich potensial. Mae'r ymarferion hyn yn gysylltiedig â phedair uned y fanyleb (y ddogfen sy'n amlinellu gofynion y cwrs). Mae'r llyfr yn gyhoeddiad dwyieithog er mwyn sicrhau eich bod yn deall pob gair sydd ynddo. Fe'ch anogir fodd bynnag, i wneud defnydd o'r adrannau cyfrwng Cymraeg; bydd hyn yn codi safon eich dealltwriaeth o'r iaith.

Mae'r llyfr yn cynnwys arweiniad defnyddiol ar sut i adolygu. Pwysleisir technegau deall iaith a'r sgiliau holl bwysig o lithrddarllen a chraffddarllen. Fe'ch anogir drwyddi draw i ddefnyddio'r sgiliau hyn pan rydych yn mynd i'r afael â'r ymarferion. Bydd hyn yn talu ar ei ganfed pan fyddwch yn sefyll yr arholiadau.

Gwnewch pob ymdrech i ddefnyddio'r dolenni cyswllt sydd yn y llyfr i wefanau CBAC ac Illuminate Publishing lle mae ymarferion pellach, geirfa a phatrymau iaith angenrheidiol a sgriptiau a chlipiau ffilm sy'n perthyn iddyn nhw.

I orffen, achubwch ar bob cyfle yn y dosbarth a thu hwnt i furiau'r ysgol i ymarfer siarad a gwrando ar y Gymraeg.

Nódyn: gallwch lwytho i lawr fanyleb y pwnc a'r deunyddiau asesu enghreifftiol o wefan CBAC: http://www.wjec.co.uk/qualifications/qualification-resources.html?subject=WelshSecondLanguage&level=gcsefrom2017.

Cymraeg Ail Iaith

Welsh Second Language

Revision Guide

Enfys Thomas
Richard Roberts
Tina Thomas

Published in 2017 by Illuminate Publishing Ltd, P.O. Box 1160, Cheltenham, Gloucestershire GL50 9RW

Orders: Please visit www.illuminatepublishing.com or email sales@illuminatepublishing.com

British Library Cataloguing in Publication Data

A catalogue record for this book is available from the British Library.

ISBN 978-1-911208-47-1

Printed by Orchard Press Cheltenham Ltd.

11.17

The publisher's policy is to use papers that are natural, renewable and recyclable products made from wood grown in sustainable forests. The logging and manufacturing processes are expected to conform to the environmental regulations of the country of origin.

Design and layout by Neil Sutton, Cambridge Design Consultants

Cydnabyddiaeth / Acknowledgements

Hoffai 'r awduron a'r cyhoeddwr ddiolch yn ddiffuant i'r canlynol am eu caniatâd i ddefnyddio lluniau a delweddau:

The authors and publisher would like to express their sincere thanks to the following for the use of photographs and images:

t/p3, tl, Shutterstock/Ivan Josifovic, t&mr, Shutterstock/pathdoc, ml, Shutterstock/pathdoc, bl, Shutterstock/Likoper, br, Shutterstock/Peshkova; **t/p6**, m, Shutterstock/Andrey_Popov, b, Shutterstock/Sergey Didenko; **t/p8**, t, Shutterstock/bibiphoto; **t/p14**, Shutterstock/Ivan Josifovic; **t/p16**, Shutterstock/Natykach Nataliia; **t/p18**, l, Shutterstock/Denys Prykhodov, r, Shutterstock/Arcady; **t/p26**, Shutterstock/Denis Rozhnovsky, Shutterstock/antb; **t/p36**, Shutterstock/Vgstockstudio; **t/p38**, Shutterstock/Konstantin Chagin; **t/p44**, t&b, Shutterstock/Milosz Maslanka, t, Shutterstock/Veronica Louro; **t/p48**, Shutterstock/OPOLJA; **t/p54**, t, Shutterstock/Studio_G, m, Shutterstock/Yayayoyo, b, Shutterstock/BeRad; **t/p64**, Shutterstock/pathdoc; tl, razorpix / Alamy Stock Photo, tr, Shutterstock/Ba dins, ml, Shutterstock/sirtravelalot, mr, Shutterstock/muzsy, bl, AR archive / Alamy Stock Photo, br, Denise Maxwell / Alamy Stock Photo; **t/p72**, t, l–r, Shutterstock/Fer Gregory, Shutterstock/Mitch Gunn, Shutterstock/Iakov Filimonov, Shutterstock/Antonio Guillem, Shutterstock/Pressmaster, m, tl–br, Shutterstock/Szekeres Szaboics, Shutterstock/Sorbis, Shutterstock/Monkey Business Images, Shutterstock/Lukovskii Andrei, b, Shutterstock/oliveromg; **t/p74**, tl, Shutterstock/Diana Mower, tr, Shutterstock/Dmitri Ogleznev, bl, Shutterstock/VikaGeyder, br, Shutterstock/Timolina; **t/p76**, see **t/p72**; **t/p80**, Shutterstock/Daboost; **t/p82**, t, l&r, Shutterstock/Pao Laroid, m, l–r, Shutterstock/Ba Dins, CBW / Alamy Stock Photo, courtesy IAW, courtesy y Lolfa, courtesy Gwasg Carreg Gwalch, courtesy gwales.com, courtesy atebol, courtesy y Lolfa, afgof.co / Alamy Stock Photo, Shutterstock/Alexander Raths, b, l–r, courtesy y Selar, Shutterstock/zeber, courtesy Oh My Vlog, Shutterstock/SGM; **t/p84**, Shutterstock/Vgstockstudio; **t/p88**, courtesy of CAA; **t/p90**, courtesy of CAA; **t/p92**, t–b, Shutterstock/i viewfinder, Shutterstock/urbanbuzz, Shutterstock/Anatoly Vartanov; **t/p94**, t–b, courtesy of CAA, Shutterstock/travelview, Shutterstock/Jaroslav Moravcik; **t/p98**, tl–br, Shutterstock/HE6YHIGH, Shutterstock/ronstik, Shutterstock/Chiyacat, Shutterstock/Fotofermer, Shutterstock/Featureflash Photo Agency, Shutterstock/Featureflash Photo Agency, Shutterstock/Art Konovalov, Shutterstock/Sean Locke Photography; **t/p100**, t–b, Shutterstock/Likoper, Shutterstock/kata43, Shutterstock/Ollyy; **t/p102**, Shutterstock/Johan Larson; **t/p104**, t, courtesy IAW, b, Shutterstock/Tommy Alven; **t/p106**, Shutterstock/Tommy Alven; **t/p108**, t–b, courtesy Clwb Mynydda Cymru, © 2016 Eryl Owain, Copaon Cymru, Gwasg Carreg Gwalch, courtesy Clwb Mynydda Cymru; **t/p112**, Shutterstock/Billy Stock; **t/p114**, t–b, Shutterstock/OozaeL, Shutterstock/Pixel 4 Images, Shutterstock/Natursports; **t/p118**, courtesy S4C; **t/p122**, Shutterstock/phildaint, courtesy Clwb Mymydda Cymru; **t/p126**, Shutterstock/MorganStudio, Shutterstock/stockcreations; **t/p128**, Shutterstock/Mike Flippo; **t/p130**, Shutterstock/John Schwegel; **t/p132**, © y Lolfa; **t/p136**, t, courtesy Rhys Ifans, bl, Moviestore Collection Ltd / Alamy Stock Photo, br, AF archive / Alamy Stock Photo; **t/p140** and **t/p142**, both, courtesy Bryn Williams; **t/p144**, t–b, Shutterstock/Likoper, Shutterstock/kata43, courtesy Gomer, Shutterstock/Ollyy; **t/p146**, Shutterstock/RossHelen; **t/p148**, Shutterstock/Sasha Balazh; **t/p152**, David Venni; **t/p154**, courtesy S4C; **t/p156**, Shutterstock/Pal2iyawit; **t/p160**, t, Shutterstock/Featureflash Photo Agency, b, courtesy S4C; **t/p162**, t, as for **t/p156**, b, l–r, courtesy IAW; **t/p164**, t, courtesy IAW, m, l–r, Shutterstock/Dimedrol68, Shutterstock/SnvvSnvvSnvv, Shutterstock/mama_mia, Shutterstock/Nata-Lia, Shutterstock/MaszaS; **t/p166**, Shutterstock/Elesey, Shutterstock/Phonlamai Photo; **t/p168**, courtesy IAW; **t/p170**, l, courtesy IAW, t&r, courtesy cip; **t/p172**, l, Shutterstock/Andrey Lobachev, r, Shutterstock/paintings; **t/p174**, t, courtesy Chwarae Plant, b, Shutterstock/Daboost; **t/p176**, Shutterstock/Zilu8; **t/p182**, l, courtesy of Boom, r, courtesy IAW; **t/p186**, Shutterstock/Thomas Quack; **t/p188**, Keith Morris / Alamy Stock Photo; **t/p190**, tl, Shutterstock/Thomas Quack, tr, Keith Morris / Alamy Stock Photo, b, Shutterstock/Joe Goug; **t/p192**, t–b, Shutterstock/PunkbarbyO, Shutterstock/Barbara Wheeler, Shutterstock/Elena Larina, Shutterstock/tothzoli001, Shutterstock/MAHATHIR MOHD YASIN, courtesy y Lolfa; **t/p194**, Shutterstock/Filip Bjorkman, courtesy atebol.

ac hefyd i'r cyhoeddwyr isod am eu caniatâd i atgynhyrchu rhannau o'u gwaith:

and to the following publishers for their permission to reproduce parts of their work:

Cyhoeddwr Adnoddau Addysgol (CAA), Gwasg Carreg Gwalch, Adran Cylchgronau Urdd Gobaith Cymru, Y Lolfa.

Preface

The purpose of this book is to help you revise effectively for the GCSE Welsh second language assessment.

This book provides a wide range of exercises to help you practise the language skills needed to reach your potential. These exercises are aligned to the four main units of the specification (the document that outlines the requirements of the course). You will notice that the book is presented in a bilingual format so as to ensure that you are able to understand every word. You are encouraged, however, to use the Welsh language sections; this will raise the standard of your understanding of the language.

The book includes useful tips to advise you on how to revise. Language comprehension techniques and the highly important reading skills of skimming and scanning are emphasised. You are encouraged throughout to make use of these skills when completing the exercises. They will prove invaluable when you are actually sitting the exams.

Do make use of the various links in the book to the WJEC and Illuminate Publishing websites where there are further exercises, essential vocabulary and language patterns, scripts and associated film clips.

Finally, use every possible opportunity in class and beyond the school boundaries to practise using and listening to Welsh.

Note: you can download the subject specification and the sample assessment material from the WJEC website: http://www.wjec.co.uk/qualifications/qualification-resources.html?subject=WelshSecondLanguage&level=gcsefrom2017.

Cymorth adolygu

- Rhowch ddigon o amser i adolygu – peidiwch â dechrau ychydig ddyddiau cyn yr arholiadau.
- Ewch i wefan CBAC i gael copi o'r fanyleb a chopi o'r deunyddiau asesu enghreifftiol. Edrychwch arnyn nhw'n rheolaidd a gofynnwch i'ch athrawon am help gyda'r agweddau sy'n anodd i chi.
- Lluniwch amserlen adolygu realistig i chi eich hun.
- Adolygwch ychydig ar y tro. Wrth adolygu, ewch i'r afael â thasgau go iawn yn hytrach nag edrych ar lyfr.
  Er enghraifft:
  - ✔ atebwch gwestiwn mewn hen bapur arholiad (gofynnwch i'ch athro eich helpu i gael hyd i un tebyg o ran gofynion y cwrs newydd)
  - ✔ defnyddiwch y cynllun marcio sydd yn y fanyleb, i farcio eich gwaith eich hun
  - ✔ ystyriwch sut y gallwch chi wella eich gwaith

  … mae adolygu fel hyn yn effeithiol dros ben.
- Defnyddiwch fapiau meddwl – mae rhain yn gallu eich helpu i strwythuro tasgau ysgrifennu, e.e. ysgrifennu erthygl am fwyta'n iach.
- Wrth adolygu, holwch eich hun: 'Beth ydw i eisiau ddysgu?' Rhowch darged i chi eich hun.
- Adolygwch gyda ffrind – helpwch eich gilydd i wella eich Cymraeg llafar ac ysgrifenedig. Darllenwch yn uchel i'ch gilydd.
- Wrth edrych ar eich llyfrau/ffeiliau, tanlinellwch pob gair rydych yn eu deall. Defnyddiwch eiriadur i gael hyd i ystyr y lleill a dysgwch nhw.
- Gwyliwch raglenni Cymraeg ar y teledu. Cofiwch does dim rhaid deall pob gair.
- Sylwch ar y ffordd mae Cymry Cymraeg yn ynganu rhai llythrennau, e.e. rhoi pwyslais ar y lythyren 'R'.
- Recordiwch eich hun yn siarad Cymraeg a gofynnwch i ffrindiau os ydyn nhw'n eich deall.

AWGRYMIADAU ADOLYGU

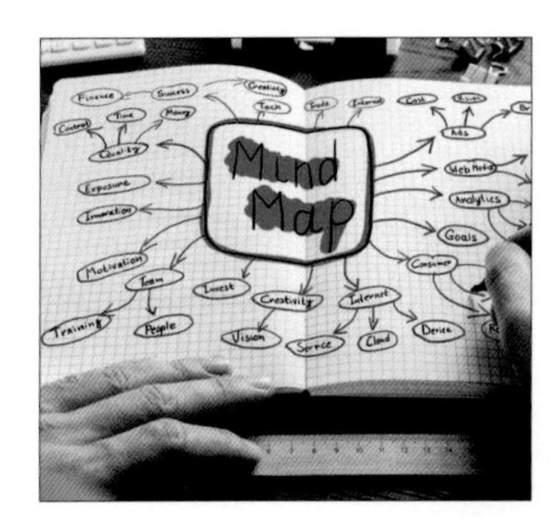

Revision aid

REVISION TIPS
AWGRYMIADAU ADOLYGU

- Give yourself plenty of time for revision – don't start a few days before the exams start.
- Visit the WJEC website and download a copy of the specification and the sample assessment materials. Look at them regularly throughout the duration of the course and ask your teacher/s for help with those aspects that are proving difficult for you.
- Create your own realistic revision timetable.
- Revise a little bit at the time. Whilst revising, try to tackle a 'real' task rather than simply looking at a book or file.
  For example:
  - ✔ answer a question from a past exam paper (ask your teacher to help you find one which is similar to the demands of the revised course)
  - ✔ use the marking scheme, which is found in the specification, to assess your own work
  - ✔ consider how you could improve your work

  … this approach to revision is highly effective.
- Use mind maps – they can help you to structure written tasks, e.g. writing an article on healthy eating.

- When revising, ask yourself: 'What do I want to learn?' Set a clear target for yourself.
- Revise with a friend – help each other to improve your oral and written Welsh. Read aloud to each other.
- When reading your books/files, underline every word that you understand. Use a dictionary to find the meaning of the others and learn them.
- Watch Welsh language programmes on the television. Remember that you don't have to understand every word.
- Notice the way that Welsh speakers pronounce some letters, e.g. emphasis on the letter 'R'.
- Record yourself speaking Welsh and ask your friends whether they understand you.

Yn ystod yr Asesiad neu'r Arholiad

Yn yr arholiad/au, darllenwch y papur/au arholiad i gyd cyn dechrau ateb cwestiynau. Efallai y byddwch yn gallu defnyddio rhai geiriau/ymadroddion sydd yn y cwestiynau yn eich atebion. Edrychwch yn ofalus ar luniau, penawdau ac is-benawdau.

Yn yr arholiadau llafar ac ysgrifenedig, defnyddiwch amrywiaeth o ferfau/patrymau iaith yn eich atebion, e.e.

Dw i'n …

Roedd …

Aethon ni …

Hoffwn i …

Rhedais i …

Wrth fynegi barn, rhowch dri rheswm gan roi trefn ar eich ateb, e.e.

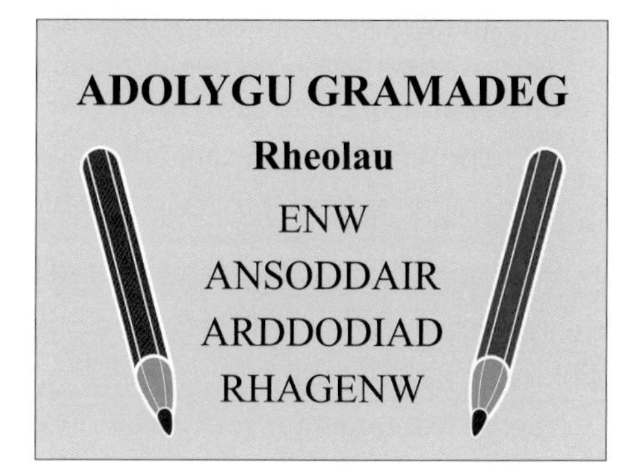

Mae … yn well na …

Yn gyntaf, mae …

Yn ail, roedden nhw'n …

Yn drydydd, bydd …

Defnyddiwch ansoddeiriau a chofiwch eu bod yn dilyn enwau yn Gymraeg, e.e.

Mae Abertawe yn dîm gwych.

Bachgen drwg ydy Dafydd.

Amserwch eich hun yn ofalus; peidiwch â threulio gormod o amser ar un cwestiwn fel nad oes gennych amser i ateb y lleill.

Peidiwch â mynd i gors – os nad ydych chi'n gallu ateb cwestiwn, ewch ymlaen at y nesaf a dychwelwch ato'n hwyrach ymlaen.

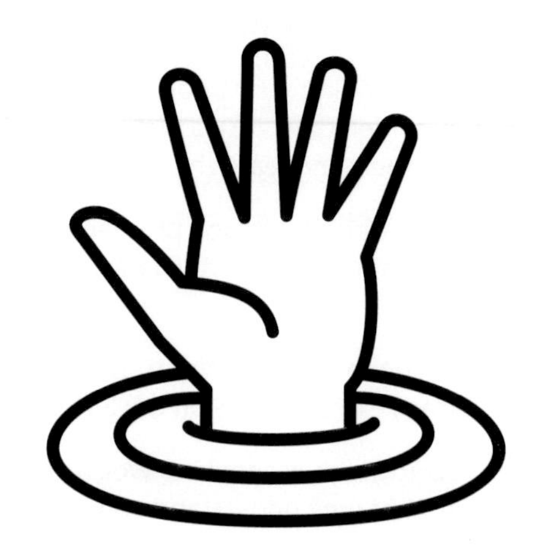

During the Assessment or Exam

In the exam/s, read all the paper/s before you start answering any questions. Perhaps you'll be able to use some of the words/phrases that are included in the questions in your own answers. Pay particular attention to pictures, headings and sub-headings.

In the oral and written exams, use a variety of verbs/language patterns in your answers, e.g.

Dw i'n …

Roedd …

Aethon ni …

Hoffwn i …

Rhedais i …

When expressing an opinion, give three reasons and organise your answer, e.g.

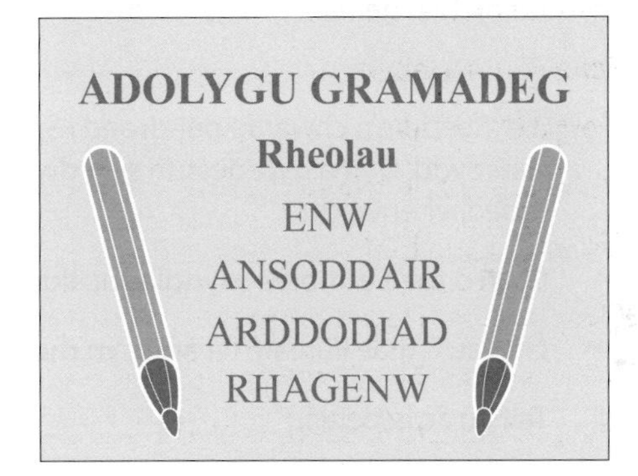

Mae … yn well na …

Yn gyntaf, mae …

Yn ail, roedden nhw'n …

Yn drydydd, bydd …

Use adjectives and remember that they follow the noun in Welsh, e.g.

Mae Abertawe yn dîm gwych.

Bachgen drwg ydy Dafydd.

Time yourself carefully; don't spend so much time on one question to the detriment of the others.

Don't get bogged down – if you are having difficulty with a particular question, leave it for the time being, answer the others and return to it later.

Strategaethau deall iaith

- Gwybodaeth flaenorol. Hynny yw, beth ydych chi'n ddeall yn y darn.

  Weithiau, mae pobl yn edrych ar destun Cymraeg ac yn meddwl *'I can't understand any of that'*! Darllenwch y darn i chi eich hun a thanlinellwch pob gair rydych chi'n deall. Bydd hyn yn gwneud i chi sylweddoli eich bod yn deall llawer mwy na beth rydych chi'n feddwl.

- Gwybodaeth gyffredinol

  e.e. Caerdydd ydy prifddinas Cymru. Dylech chi fod yn gyfarwydd â 'Caerdydd' ac os ydy'r gair 'prifddinas' yn anghyfarwydd i chi, gallwch ganfod ei ystyr oherwydd eich bod yn gwybod mai Caerdydd ydy Prifddinas Cymru. Roedd Elisabeth 1 yn frenhines Prydain. Efallai eich bod yn anghyfarwydd â 'frenhines' ond rydych yn gwybod bod Elizabeth 1 wedi bod yn frenhines Prydain.

- Gwybodaeth am ieithoedd eraill, e.e. pont, eglise (Ffrangeg), garej, ffrind, siop (Saesneg). Weithiau, mae ystyr y geiriau hyn yn dod yn fwy amlwg wrth i chi eu darllen yn uchel i chi eich hun.

- Geiriau Cymraeg sy'n debyg i'r Saesneg, e.e. technoleg, trên, bws, platfform. Mae pob iaith yn defnyddio geiriau sy'n gyffredin i'w gilydd ac nid yw'r Gymraeg yn eithriad.

- Cyd-destun

  e.e. 'Roedd e'n chwarae pêl-droed i Spurs cyn symud i Real Madrid ac mae e'n dod o Gaerdydd.' Dyma gyd-destun sy'n dweud wrthon ni bod y darn darllen yma'n sôn am bêl-droediwr enwog.

- Rhan o air, e.e. **mor**wr, **dydd**iadur, **llun**iau

- Lluniau – mae lluniau, fel arfer, yn rhoi syniad da am gynnwys darnau darllen

- Teitlau ac is-deitlau

- Dyfalu, cymryd risg *'if all else fails'*!

- Cipddarllen (sgimio), sef darllen y darn i gyd er mwyn adnabod y prif syniadau'n gyflym mewn testun.

- Llithrddarllen (sganio), sef chwilio am fanylion, weithiau er mwyn ateb cwestiynau.

Strategies for understanding language

- Prior knowledge. That is, what in the text do you understand.

  Sometimes people look at a piece of text in Welsh (or any other language) and think: '*I can't understand any of that*'! Read the piece silently to yourself and underline every word you understand. This will make you realise that you understand far more than you initially thought.

- General information

  e.g. 'Caerdydd ydy prifddinas Cymru'. You should be conversant with 'Caerdydd' and if the word 'prifddinas' is not known to you, you should be able to find the meaning because you know that Cardiff is the capital of Wales. 'Roedd Elisabeth 1 yn frenhines Prydain'. Perhaps you are unfamiliar with the word 'frenhines' but you know that Elizabeth 1 has been Queen of Britain.

- Knowledge of other languages, e.g. pont, eglise (French), garej, ffrind, siop (English). Sometimes, the meaning of these words becomes clearer when you read them out loud.

- Welsh words which are similar to English, e.g. technoleg, trên, bws, platfform. Every language uses words which are common and the Welsh language is no exception.

- Context

  e.g. 'Roedd e'n chwarae pêl-droed i Spurs cyn symud i Real Madrid ac mae e'n dod o Gaerdydd.' This context tells us that this text is referring to a famous footballer.

- Part of a word, e.g. **mo**rwr, **dydd**iadur, **llun**iau

- Pictures – usually pictures give the reader, a good idea regarding the context and content of the text

- Titles and sub-titles

- Guessing, risk taking '*if all else fails*'!

- Skimming, i.e. reading the entire text in order to identify the main ideas quickly in a text.

- Scanning, i.e. looking for details, sometimes in order to answer questions.

SGIMIO a SGANIO i helpu gyda DARLLEN

Cipddarllen neu ... sgimio

Beth sy'n rhaid gwneud?

- Darllen y teitl, penawdau ac is-benawdau
- Edrych ar luniau, teitl, is-deitlau, paragraffau
- Darllen brawddegau cyntaf ac olaf paragraffau
- Meddwl am ystyr cyffredinol y testun
- Peidio darllen pob gair a phob brawddeg

Sgimio a sganio
Sgiliau darllen allweddol

Llithrddarllen neu ... sganio

Beth sy'n rhaid gwneud?

- Gwybod pa gwestiynau sydd angen eu hateb.
  Hynny yw, am beth rydych chi'n chwilio?
- Peidio darllen pob gair
- Darllen yn fertigol yn hytrach na'n llorweddol
- Edrych am gliwiau, e.e. priflythrennau, rhifau, siapiau geiriau
- Defnyddio arwyddion, e.e. penawdau, is-deitlau

Ateb cwestiynau.

Pwy ...?
Chwiliwch am:
priflythrennau
enwau pobl
sôn am bobl, e.e. y dyn drws nesa, tafarnwr
Mr./Mrs.
gwaith pobl, e.e. pennaeth/doctor.

Pwy ddywedodd ...?
dyfynodau (pan mae rhywun yn/wedi dweud rhywbeth, e.e. " Es i allan i'r ..." meddai Siôn)

Pam ...?
Chwiliwch am: achos ...

Ble?
yn/yn y, ar/ar y ...
enw lle

Pryd? – chwiliwch am:
blwyddyn, e.e. 2018 (dwy fil un deg wyth)
tymor, e.e. yr haf
mis, e.e. mis Ionawr
diwrnod, e.e. dydd Llun
amser, e.e. chwech o'r gloch
cyfnod, e.e. bore/prynhawn/ddoe/heddiw/fory.

Sut ...?
Chwiliwch am:
yn gyflym/yn araf
yn hapus
yn drist
yn y ... , e.e. yn y car
ar ... , e.e. ar fws, ar y bws
mewn ... , e.e. mewn awyren.

Defnyddiwch y cyswllt i gael mwy o help gyda'r amser, treigladau, ansoddeiriau, arddodiaid etc
http://adnoddau.cbac.co.uk/Pages/ResourceByArgs.aspx?subId=31&lvlId=2

SKIMMING and SCANNING to help with READING

Skimming

What are the requirements?

- Read the title, headings and sub-headings
- Look at the pictures, title, sub-titles, paragraphs
- Read the first and last lines in a paragraph
- Think about the general meaning of the passage
- Don't read every word and every sentence

Skimming and scanning
Key Reading Skills

Scanning

What needs to be done?

- Knowing which questions that need answering. That is, what are you looking for?
- Don't read every word
- Read vertically rather than horizontally
- Look for clues, e.g. capital letters, numbers, shape of word
- Use signs, e.g. headings, sub-headings

Questions that need to be answered.

Pwy ...?
Look for:
capital letters
names of people
talking about people, e.g. the man next door, publican
Mr./Mrs.
People's work, e.g. headteacher/doctor

Pwy ddywedodd ...?
Inverted commas (when somebody is/has said something, e.g. " Es i allan i'r ..." meddai Siôn)

Pam ...?
Look for: achos ...

Ble?
yn/yn y, ar/ar y ...
enw lle

Pryd? – look for:
year, e.g. 2018
term, e.g. yr haf
month, e.g. mis Ionawr
day, e.g. dydd Llun
time, e.g. chwech o'r gloch
period of time, e.g. bore/prynhawn/ddoe/heddiw.

Sut ...?
Look for:
yn gyflym/yn araf
yn hapus
yn drist
yn y ... , e.e. yn y car
ar ... , e.e. ar fws, ar y bws
mewn ... , e.e. mewn awyren.

Use the link to get more help with the time, mutations, verbs, prepositions etc
http://adnoddau.cbac.co.uk/Pages/ResourceByArgs.aspx?subId=31&lvlId=2

A: YR ASESIAD

1 Hyd yr asesiad: 06 – 08 munud (pâr)
08 – 10 munud (grŵp)

2 Sawl tasg: **1**

3 Sawl marc: **50**

4 **Y sgiliau**
Siarad: 10%
Gwrando: 15%

Felly, mae'r **pwyslais** yn Uned 1 ar y **Gwrando/Gwylio**

Y Dasg

Gwylio clip gweledol ac yna trafod y **cynnwys** a'r **thema**.

Hynny ydy: (i) barn y cymeriadau
(ii) ymateb a barn gennych chi

Bydd 2 ran i'r asesiad:

(a) gwylio clip (tua 2 funud) dwywaith a llenwi taflen a fydd yn cydfynd â'r clip
(b) trafodaeth rhwng pâr neu grŵp o dri yn seiliedig ar **gynnwys** a **thema'r** clip (gan ddefnyddio'r daflen nodiadau i helpu gyda'r manylion).

Yn yr asesiad diarholiad disgwylir i chi ddangos eich bod yn gallu cymryd rhan mewn trafodaeth pâr/grŵp o dri gan:

- ymateb i sbardun gweledol
- cyfathrebu a rhyngweithio'n ddigymell ag eraill
- gwrando ac ymateb i gyfraniadau gan eraill
- mynegi barn am bynciau amrywiol a chyfiawnhau barn.

(*Manyleb TGAU Cymraeg Ail Iaith tud.10*)

A: The assessment

1 Duration of assessment: 06 – 08 minute (pair)
08 – 10 minute (group)

2 Number of tasks: 1

3 How many marks: **50**

4 **The skills**
Speaking: 10%
Listening: 15%

Therefore the **emphasis** in Unit 1 is on **Listening/Viewing**

The task

View a visual clip and then discuss the **content** and the **theme**.

That is: (i) the characters' opinion
(ii) your own reaction and opinion

The assessment will be in 2 parts:

(a) viewing a clip (about 2 minutes) twice and completing a worksheet that will coincide with the clip

(b) discussion between a pair or a group of three based on the clip's **content** and **theme** (using the notes sheet to help you with the detail).

In the non-examination assessment, you will be expected to show that you can take part in a pair/group of three discussion by:

- responding to a visual stimulus
- communicating and interacting spontaneously with others
- listening and responding to contributions from others
- expressing opinions on various topics and justifying those views.

(*GCSE Specification Welsh Second Language pg.10*)

B: Ymarfer cyn yr asesiad

Mae'n rhaid i chi sicrhau eich bod yn cael digon o gyfle i ymarfer a datblygu eich sgiliau siarad a gwrando yn ystod y cwrs. Bydd eich athrawon yn rhoi cyfleoedd i chi, ond gallwch ymarfer gyda ffrind/ffrindiau hefyd.

1 **Chwarae rôl i ymarfer sgiliau siarad a gwrando mewn grwpiau.**

I ymarfer y sgìl o **siarad a gwrando** dylai:

- pob aelod gymryd rôl yr 'Arweinydd', yr 'Ysgrifennydd' neu'r 'Siaradwr'
- pob aelod wisgo 'cerdyn chwarae rôl'
- pawb gael y cyfle i fod yn 'Arweinydd', 'Ysgrifennydd' a 'Siaradwr'
- **ochr 1** y cerdyn ddweud beth ydy rôl pob un
- **ochr 2** gynnwys patrymau iaith i helpu gyda'r trafod

Ochr 1 y cerdyn 'chwarae rôl'

Arweinydd

Rhaid i ti wneud yn siŵr bod pawb yn:

- gwybod beth ydy'r dasg
- cael cyfle i gymryd rhan
- gwneud eu gorau glas
- trafod yn dda
- crynhoi

Ysgrifennydd

Rhaid i ti gadw nodiadau.

Pwy oedd yn:

- trafod yn dda
- cynnig syniadau
- gofyn cwestiynau
- cytuno/anghytuno
- gwrando'n ofalus
- mynegi barn
- cynnig rhesymau
- dilyn y meini prawf

Siaradwr

Rhaid i ti adrodd yn ôl i weddill y grŵp gan ddweud pwy oedd yn:

- trafod yn dda
- cytuno/anghytuno
- gwrando'n ofalus
- mynegi barn
- cynnig rhesymau

Hefyd rhaid i ti grynhoi (*summarise*) barn y grŵp.

Ochr 2 y cerdyn 'chwarae rôl' (*Enghraifft o batrymau)

Beth wyt ti'n feddwl o ...?
Wyt ti'n cytuno ...?
Pam wyt ti'n anghytuno?
Beth ydy dy farn di ...?
Pam wyt ti'n dweud hynny?
Pam wyt ti'n meddwl bod ...?
Wyt ti'n meddwl bod ...?
Faset ti'n dweud bod ...?

Yn fy marn i mae ...
Dw i o'r farn bod ...
Dw i'n meddwl bod ...
Dw i'n credu mai ... ydy ...
Dw i'n dweud hyn achos ...
Dw i'n cytuno gyda ... achos ...
Dw i'n anghytuno'n llwyr achos ...
Baswn i byth yn dweud bod ...

*Mae'n bwysig bod y pâr/grŵp yn dewis eu patrymau iaith eu hunain.

Beth am greu rhywbeth fel hyn? Rôl ar un ochr a phatrymau iaith ar yr ochr arall.

B: Practise before the assessment

You must ensure that you have plenty of opportunities to practise and develop your speaking and listening skills during the course. Your teachers will provide you with these opportunities, but you could also practise with a friend/friends.

1 **Using role play to practise speaking and listening skills in groups**.

To practise the skill of **speaking and listening**:

- every member to play the role of 'Arweinydd' (*Leader*), 'Ysgrifennydd' (*Secretary*) or 'Siaradwr' (*Speaker*)
- every member to wear 'cerdyn chwarae rôl' (*role play card*)
- everyone to have the opportunity to be 'Arweinydd', 'Ysgrifennydd' and 'Siaradwr'
- **ochr (*side*) 1 of the card** will explain the role of each one
- **ochr (*side*) 2 of the card** will include language patterns to help with the discussion

Ochr 1 y cerdyn 'chwarae rôl'

Arweinydd

You must make sure that everyone:

- knows what is the task
- gets a chance to take part
- does their level best
- discuss matters well
- summarise

Ysgrifennydd

You must write notes.
Who:

- discussed well
- contributed ideas
- asked questions
- agreed/disagreed
- listened carefully
- expressed opinion
- contributed reasons
- followed success criteria

Siaradwr

You must feed back to the rest of the group and say who:

- discussed well
- agreed/disagreed
- listened carefully
- expressed opinion
- contributed reasons

You must also summarise the group's opinion.

Ochr 2 y cerdyn 'chwarae rôl' (*Examples of language patterns)

Beth wyt ti'n feddwl o …?
Wyt ti'n cytuno …?
Pam wyt ti'n anghytuno?
Beth ydy dy farn di …?
Pam wyt ti'n dweud hynny?
Pam wyt ti'n meddwl bod …?
Wyt ti'n meddwl bod …?
Faset ti'n dweud bod …?

Yn fy marn i mae …
Dw i o'r farn bod …
Dw i'n meddwl bod …
Dw i'n credu mai … ydy …
Dw i'n dweud hyn achos …
Dw i'n cytuno gyda … achos …
Dw i'n anghytuno'n llwyr achos …
Baswn i byth yn dweud bod …

How about producing something like this? Role on one side and language patterns on the othe side.

***It is important that the pair/group choose its own language patterns.**

2 Trafod ffonau symudol

Ar dudalen 26 byddwch yn darllen sgwrs rhwng Anna, Bethan a Connor. Byddan nhw'n trafod rheol newydd yn yr ysgol. Mae'r Pennaeth wedi penderfynu **banio ffonau symudol** o'r ysgol.

Er mwyn eich helpu i ddeall ac ymateb i'r sgwrs mae'n syniad trafod ffonau symudol mewn parau, grwpiau neu fel dosbarth cyfan yn gyntaf.

GWAITH PÂR

A: Oes gen ti ffôn symudol?
B: Oes, wrth gwrs.
A: Pa fath?
B: iPhone 7pinc, newydd sbon.
A: Ti'n lwcus! Dim ond iPhone 6S sy gen i.

(i) DARLLENWCH y sgwrs mewn parau.
(ii) Caewch y llyfr ac yna defnyddiwch y patrymau i gynnal sgwrs debyg gyda phartner.
(iii) Defnyddiwch y trydydd person i adrodd yn ôl i weddill y grŵp.

e.e. Mae gan Anna ffôn symudol. iPhone 7 pinc, newydd sbon ydy e. Mae hi'n lwcus.

Sut fyddi di'n defnyddio dy ffôn symudol? Rhowch ✓/x yn 'Colofn 2' i ateb y cwestiwn yn 'Colofn 1' ac yna brawddeg yn 'Colofn 3' i roi mwy o wybodaeth/mynegi barn.

Yna gweithiwch gyda phartner. Defnyddiwch eich atebion i holi ac ateb, cytuno ac anghytuno a mynegi barn.

Bydda i'n defnyddio fy ffôn-ar-y-lôn i:	✓/x	Mwy o wybodaeth/mynegi barn
ffonio	✓	e.e. Mae'n handi i ffonio adre.
tecstio		
chwarae gemau		
llwytho i lawr		
anfon/derbyn ebost	✓	e.e. Dw i wrth fy modd yn derbyn ebost gan fy ffrindiau.
tynnu lluniau		
mynd ar gweplyfr		
trydaru		
defnyddio 'app'		
helpu gyda gwaith ysgol neu gwaith cartref		

2 Discuss mobile phones

On page 27 you will read a conversation between Anna, Bethan and Connor. They will be discussing a new rule in school. The headteacher has decided to **ban mobile phones** from the school.

In order to help you to understand and respond to the conversation it's a good idea to discuss mobile phones in pairs, groups or as a whole class first.

PAIR WORK

A: Oes gen ti ffôn symudol?
B: Oes, wrth gwrs.
A: Pa fath?
B: iPhone 7pinc, newydd sbon.
A: Ti'n lwcus! Dim ond iPhone 6S sy gen i.

(i) READ the conversation in pairs.
(ii) Close the book and then use the language to hold a similar conversation with your partner.
(iii) Use the third person to report back to the rest of the group.

e.e. Mae gan Anna ffôn symudol. iPhone 7 pinc, newydd sbon ydy e. Mae hi'n lwcus.

Sut fyddi di'n defnyddio dy ffôn symudol? Rhowch ✓/x yn 'Colofn 2' i ateb y cwestiwn yn 'Colofn 1' ac yna brawddeg yn 'Colofn 3' i roi mwy o wybodaeth/mynegi barn (*more information/express opinion*).

Yna gweithiwch gyda phartner. Defnyddiwch eich atebion i holi ac ateb, cytuno ac anghytuno a mynegi barn. (*Use your answers to ask and answer questions, agree and disagree and express opinion*).

Bydda i'n defnyddio fy ffôn-ar-y-lôn i:	✓/x	Mwy o wybodaeth/mynegi barn
ffonio	✓	e.e. Mae'n handi i ffonio adre.
tecstio		
chwarae gemau		
llwytho i lawr		
anfon/derbyn ebost	✓	e.e. Dw i wrth fy modd yn derbyn ebost gan fy ffrindiau.
tynnu lluniau		
mynd ar gweplyfr		
trydaru		
defnyddio 'app'		
helpu gyda gwaith ysgol neu gwaith cartref		

Siart tali  trydaru  mynd ar gweplyfr  tynnu lluniau

Mae grŵp o ddysgwyr Blwyddyn 11 yn Ysgol Penybryn wedi cwblhau'r tabl isod ac wedi creu siart tali.

Beth ar y ffôn symudol sy mwyaf defnyddiol?	Tali	Nifer mewn rhifau
ffonio	𝍸	5
tecstio	𝍸 𝍸 II	12
trydaru	𝍸 III	8
tynnu lluniau	IIII	4
defnyddio gweplyfr	𝍸 IIII	9
defnyddio 'app'	𝍸 𝍸 I	11
cael help yn yr ysgol	𝍸 III	8
chwarae gemau	𝍸 𝍸 𝍸	15
Canlyniadau Ysgol Penybryn		72

Edrychwch ar siart tali Ysgol Penybryn ac atebwch y cwestiynau canlynol.

1 Ar y ffôn symudol beth sy mwyaf defnyddiol (*useful*)?
2 Ydych chi'n synnu?
3 Beth sy lleiaf defnyddiol?
4 Beth sy yr un (*just as*) mor ddefnyddiol â 'trydaru'?
5 Ydy tecstio'n fwy poblogaidd na defnyddio 'app'?
6 Beth, yn **eich barn chi**, ydy'r mwyaf defnyddiol?
7 Ydy tecstio'n fwy poblogaidd na mynd ar gweplyfr?
8 Pa **ddau** beth sy'n fwy defnyddiol na defnyddio 'app'?

Ydych chi'n gallu meddwl am fwy o gwestiynau?

Beth am greu siart tali i ddangos atebion i'r cwestiwn **Beth ar y ffôn symudol sy mwyaf defnyddiol**? yn eich dosbarth chi? Yna atebwch yr wyth cwestiwn uchod.

Beth ar y ffôn symudol sy mwyaf defnyddiol?	Tali	Nifer mewn rhifau
ffonio		
tecstio		
trydaru		
tynnu lluniau		
defnyddio gweplyfr		
defnyddio 'app'		
cael help yn yr ysgol		
chwarae gemau		
Canlyniadau Ysgol ____________		

Siart tali (*Tally chart*) 

 tynnu lluniau

A group of learners in Year 11 at Ysgol Penybryn have completed the table below and created a tally chart of the results.

Beth ar y ffôn symudol sy mwyaf defnyddiol?	Tali	Nifer mewn rhifau
ffonio	𝍸	5
tecstio	𝍸 𝍸 II	12
trydaru	𝍸 III	8
tynnu lluniau	IIII	4
defnyddio gweplyfr	𝍸 IIII	9
defnyddio 'app'	𝍸 𝍸 I	11
cael help yn yr ysgol	𝍸 III	8
chwarae gemau	𝍸 𝍸 𝍸	15
Canlyniadau Ysgol Penybryn		72

Look at Ysgol Penybryn tally chart and answer the following questions.

1. Ar y ffôn symudol beth sy mwyaf defnyddiol (*useful*)?
2. Ydych chi'n synnu?
3. Beth sy lleiaf defnyddiol?
4. Beth sy yr un (*just as*) mor ddefnyddiol â 'trydaru'?
5. Ydy tecstio'n fwy poblogaidd na defnyddio 'app'?
6. Beth, yn **eich barn chi**, ydy'r mwyaf defnyddiol?
7. Ydy tecstio'n fwy poblogaidd na mynd ar gweplyfr?
8. Pa **ddau** beth sy'n fwy defnyddiol na defnyddio 'app'?

Can you think of more questions?

How about creating a tally chart to show the answers to the question **Beth ar y ffôn symudol sy mwyaf defnyddiol**? in your class? Then answer the above eight questions.

Beth ar y ffôn symudol sy mwyaf defnyddiol?	Tali	Nifer mewn rhifau
ffonio		
tecstio		
trydaru		
tynnu lluniau		
defnyddio gweplyfr		
defnyddio 'app'		
cael help yn yr ysgol		
chwarae gemau		
Canlyniadau Ysgol ______________		

Cyn i chi ddarllen y sgwrs rhwng Anna, Bethan a Connor darllenwch y brawddegau isod, 'o blaid' ac 'yn erbyn' banio ffonau symudol, ar eich pen eich hun neu gyda phartner.

O blaid?	Yn erbyn?
Banio ffonau symudol	
Mae'r plant yn chwarae gyda'r ffôn yn y dosbarth	Mae ffôn symudol yn helpu gyda gwaith ysgol
Mae banio ffôn symudol yn dwp	Mae bil ffôn symudol yn anferth (*huge*), weithiau
Mae'n handi i dynnu lluniau yn yr ysgol, ar wyliau, mewn parti …	Banio ffôn symudol o'r ysgol? No wê. Dydy hynny jyst ddim yn deg
Mae defnyddio ffôn symudol yn beryglus weithiau	Mae pobl yn trio dwyn (*steal*) ffôn symudol gan blant
Mae'n bwysig cael ffôn symudol i siarad gyda ffrindiau	Dydy rhai plant ddim yn gallu fforddio ffôn symudol
Mae ffôn symudol trendi, 'up-to-date' yn costio llawer o arian	Mae ffôn symudol yn handi pan dw i angen lifft gan Dad
Does dim angen tecstio neu ffonio yn yr ysgol	Mae miwsig ar fy ffôn a gemau. Mae'n rhaid cael miwsig a gemau i ymlacio
Mae gan fy ffrindiau i gyd ffôn symudol a dw i ddim eisiau bod yn wahanol	Mae gormod o blant yn tecstio yn y yn dosbarth

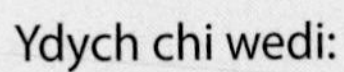

Rhestr wirio

Ydych chi wedi:

(i) darllen y brawddegau i gyd? ☐
(ii) **ynganu**'r geiriau'n gywir? ☐
(iii) *deall y brawddegau i gyd? ☐
(iv) dysgu 'o blaid' ac 'yn erbyn' ☐

ynganu = *to pronounce*

*defnyddiwch strategaethau deall iaith (tud. 10)

Nawr, mae'n rhaid i chi:

(i) ddewis dwy frawddeg
(ii) dysgu'r ddwy frawddeg
(iii) ymarfer ysgrifennu'r ddwy
(iv) dysgu'r ddwy i'ch partner
(v) dysgu'r ddwy frawddeg mae eich partner wedi dewis
(vi) gosod y brawddegau yn y golofn **O blaid** neu **Yn erbyn** ar y dudalen nesaf.

Before reading the conversation between Anna, Bethan and Connor read the sentences below, 'o blaid' and 'yn erbyn' banning mobile phones, on your own or with a partner.

O blaid?

Banio ffonau symudol

Yn erbyn?

Mae'r plant yn chwarae gyda'r ffôn yn y dosbarth

Mae ffôn symudol yn helpu gyda gwaith ysgol

Mae banio ffôn symudol yn dwp

Mae bil ffôn symudol yn anferth (*huge*), weithiau

Mae'n handi i dynnu lluniau yn yr ysgol, ar wyliau, mewn parti …

Banio ffôn symudol o'r ysgol? No wê. Dydy hynny jyst ddim yn deg

Mae defnyddio ffôn symudol yn beryglus weithiau

Mae pobl yn trio dwyn (*steal*) ffôn symudol gan blant

Mae'n bwysig cael ffôn symudol i siarad gyda ffrindiau

Dydy rhai plant ddim yn gallu fforddio ffôn symudol

Mae ffôn symudol trendi, 'up-to-date' yn costio llawer o arian

Mae ffôn symudol yn handi pan dw i angen lifft gan Dad

Does dim angen tecstio neu ffonio yn yr ysgol

Mae miwsig ar fy ffôn a gemau. Mae'n rhaid cael miwsig a gemau i ymlacio

Mae gan fy ffrindiau i gyd ffôn symudol a dw i ddim eisiau bod yn wahanol

Mae gormod o blant yn tecstio yn y yn dosbarth

Check list

Ydych chi wedi/Have you:

(i) darllen y brawddegau i gyd? ☐
(ii) **ynganu**'r geiriau'n gywir? ☐
(iii) *deall y brawddegau i gyd? ☐
(iv) dysgu 'o blaid' ac 'yn erbyn' ☐

ynganu = *to pronounce*

*use strategies for understanding language (page 11)

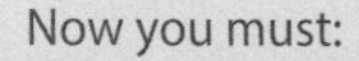

Now you must:

(i) choose two sentences
(ii) learn the two sentences
(iii) practise writing the two
(iv) teach the two to your partner
(v) learn the two sentences your partner chose
(vi) place the sentences in the **O blaid** or **Yn erbyn** column on the next page.

Dw i **o blaid** banio ffonau symudol achos …

Dw i **yn erbyn** banio ffonau symudol achos …

GWAITH PÂR: Chwarae rôl

(i) Dewiswch pwy ydy '**Partner 1**' a phwy ydy '**Partner 2**'.

(ii) Mae 'Partner 1' **o blaid** banio ffonau symudol ac felly mae 'Partner 2' **yn erbyn** banio ffonau symudol.

(iii) 'Partner 1' sy'n mynd gyntaf ac yn dweud ei fod e/ei bod hi **o blaid** banio ffonau symudol ac yn dweud pam.

(iv) Bydd 'Partner 2' yn dweud ei fod e/ei bod hi'n anghytuno (ddim yn cytuno) a'i fod e/ei bod hi **yn erbyn** banio ffonau symudol ac yn dweud pam.

Rhywbeth fel hyn:

Partner 1: Yn sicr, dw i o blaid banio ffonau symudol achos dydy rhai plant ddim yn gallu fforddio ffôn symudol.

Partner 2: Dw i'n anghytuno'n llwyr (*totally*). Dw i yn erbyn banio ffonau symudol achos mae ffôn symudol yn handi pan dw i angen lifft gan Dad.

Darllenwch y sgript ond peidiwch â defnyddio'r sgript i chwarae rôl.

Asesiad llafar ydy UNED 1

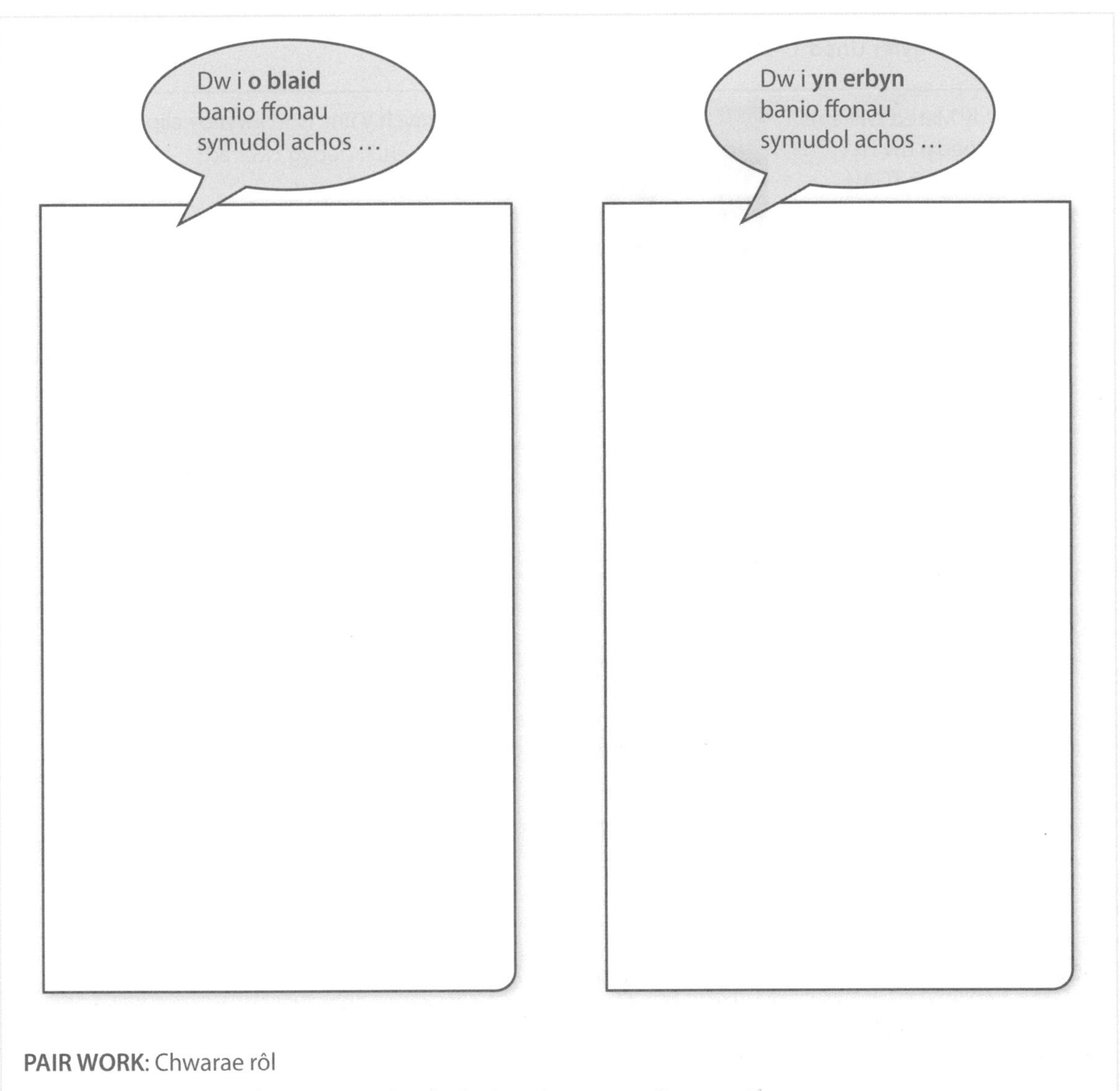

PAIR WORK: Chwarae rôl

(i) Choose who is to be '**Partner 1**' and who is to be partner '**Partner 2**'.
(ii) 'Partner 1' is **in favour** of banning mobile phones and therefore 'Partner 2' **is against** banning them.
(iii) 'Partner 1' goes first, saying that he/she is **in favour** of banning mobile phones and why.
(iv) 'Partner 2' saying that he/she doesn't agree and that he/she **is against** banning mobile phones and why.

Something like this: 

Partner 1: Yn sicr, dw i o blaid banio ffonau symudol achos dydy rhai plant ddim yn gallu fforddio ffôn symudol.

Partner 2: Dw i'n anghytuno'n llwyr (*totally*). Dw i yn erbyn banio ffonau symudol achos mae ffôn symudol yn handi pan dw i angen lifft gan Dad.

Read the script but don't use the script for the role play.

UNIT 1 is an oral assessment

3 Ymarfer ar gyfer Uned 1 – 'Ymateb i sbardun gweledol'

Fy enw ydy Mared Williams. Dw i'n 16 oed a dw i'n astudio 10 pwnc TGAU.

Fy hoff bwnc ydy hanes achos mae'n ddiddorol ac yn gyffrous ond dw i'n hoffi drama hefyd.

Hoffwn i astudio drama, hanes a Saesneg yn y coleg ym mis Medi.

Wedyn, hoffwn i fynd i brifysgol Caerdydd i astudio hanes.

Yn ôl Mam baswn i'n athrawes dda ond dydw i ddim yn siŵr eto.

Hoffwn i deithio'r byd yn gyntaf, yn enwedig Seland Newydd ac Awstralia.

Bydd yn brofiad anhygoel.

(i) Dilynwch y linc isod i wylio'r clip.
Ydych chi'n debyg i Mared?
Sut?
Ydych chi'n cytuno gyda barn Mared – pynciau, teithio, dyfodol.
*Cofiwch ddweud pam.

(ii) Siaradwch mewn pâr/ grŵp o dri.
Trafodwch beth mae Mared yn dweud.

http://adnoddau.cbac.co.uk/Pages/ResourceByArgs.aspx?subId=31&lvlId=2

4 Nawr, rydych chi'n barod i wylio'r clip: Banio ffonau symudol a rheolau twp eraill. Dyma enghraifft o'r math o sbardun gweledol fydd yn Uned 1.

Gallwch chi:

(i) ddarllen y sgript ac yna mynd ar wefan 'Illuminate' www.illuminatepublishing.com/wsl/videos

(ii) gwylio'r clip

(iii) gwrando ar y clip a dilyn y sgript:

SGRIPT **Banio ffonau symudol a rheolau twp eraill …**

(Cyd-destun: Criw o bobl ifanc yn clywed am reol newydd yr ysgol, sef banio ffonau symudol. Yn y coridor neu ar iard yr ysgol)

Anna:	Wel, dyna ni! Rheol dwp arall!
Bethan:	Beth nawr?
Anna:	Y rheol newydd wrth gwrs.
Bethan:	Pa reol newydd?
Anna:	Dim ffonau symudol yn yr ysgol. Mae'r Pennaeth wedi banio ffonau symudol. Yn dechrau yfory!
Bethan:	Banio ffonau symudol? No wê ! Dydy hynny jyst ddim yn deg.
Anna:	Y Pennaeth sy'n gwneud y rheolau yn anffodus.
Bethan:	Ond, mae ffonau symudol yn bwysig i siarad efo fy ffrindiau.
Anna:	Dyna'r broblem. Mae gormod o bobl yn tecstio yn ystod y gwersi.
Bethan:	Efallai, ond weithiau maen nhw'n ddefnyddiol, er enghraifft yn y gwersi celf a cherddoriaeth. Rydyn ni'n gwrando ar fiwsig ar ein ffonau i helpu gyda'r gwaith.

3 Ymarfer ar gyfer Uned 1 – 'Ymateb i sbardun gweledol'

Fy enw ydy Mared Williams. Dw i'n 16 oed a dw i'n astudio 10 pwnc TGAU.

Fy hoff bwnc ydy hanes achos mae'n ddiddorol ac yn gyffrous ond dw i'n hoffi drama hefyd.

Hoffwn i astudio drama, hanes a Saesneg yn y coleg ym mis Medi.

Wedyn, hoffwn i fynd i brifysgol Caerdydd i astudio hanes.

Yn ôl Mam baswn i'n athrawes dda ond dydw i ddim yn siŵr eto.

Hoffwn i deithio'r byd yn gyntaf, yn enwedig Seland Newydd ac Awstralia.

Bydd yn brofiad anhygoel.

(i) Dilynwch y linc isod i wylio'r clip.
Ydych chi'n debyg i Mared?
Sut?
Ydych chi'n cytuno gyda barn Mared – pynciau, teithio, dyfodol.
*Cofiwch ddweud pam.

(ii) Siaradwch mewn pâr/ grŵp o dri.
Trafodwch beth mae Mared yn dweud.

http://adnoddau.cbac.co.uk/Pages/ResourceByArgs.aspx?subId=31&lvlId=2

4 Now you are ready to view the clip: Banio ffonau symudol a rheolau twp eraill. Here is an example of the type of visual stimulus in Unit 1.

You can:

(i) read the script and then visit the Illuminate website www.illuminatepublishing.com/wsl/videos

(ii) view the clip

(iii) listen to the clip and follow the script:

SGRIPT **Banio ffonau symudol a rheolau twp eraill …**

(*Context: A group of young people hearing the news about a new rule in the school which is imposing a ban on mobile phones. On the corridor or the school yard*)

Anna: Wel, dyna ni! Rheol dwp arall!
Bethan: Beth nawr?
Anna: Y rheol newydd wrth gwrs.
Bethan: Pa reol newydd?
Anna: Dim ffonau symudol yn yr ysgol. Mae'r Pennaeth wedi banio ffonau symudol. Yn dechrau yfory!
Bethan: Banio ffonau symudol? No wê ! Dydy hynny jyst ddim yn deg.
Anna: Y Pennaeth sy'n gwneud y rheolau yn anffodus.
Bethan: Ond, mae ffonau symudol yn bwysig i siarad efo fy ffrindiau.
Anna: Dyna'r broblem. Mae gormod o bobl yn tecstio yn ystod y gwersi.
Bethan: Efallai, ond weithiau maen nhw'n ddefnyddiol, er enghraifft, yn y gwersi celf a cherddoriaeth. Rydyn ni'n gwrando ar fiwsig ar ein ffonau i helpu gyda'r gwaith.

Anna: Pwynt pwysig. Hefyd dw i'n defnyddio fy ffôn i ffonio fy nhad weithiau i gael lifft adref. Mae manteision o blaid ffonau symudol. Ond mae'r Pennaeth yn edrych am y problemau yn unig. (*Ffrind arall yn cyrraedd*)

Connor: Hei, ydych chi wedi clywed y newyddion? Mae'r Pennaeth yn banio ffonau symudol.

Anna: Rydyn ni wedi clywed ond byddan nhw yn ein bagiau neu yn ein pocedi …

Connor: Wel, y rheol ydy dim ffonau symudol o gwbl. Bydd athrawon yn mynd â'r ffonau i'r swyddfa os ydyn nhw'n gweld nhw.

Bethan: Beth ydy problem athrawon? Mae rheolau dwl yn yr ysgol hon.

Anna: Oes, dw i'n cytuno. Fel dim *chewing gum*. Mae pawb yn cnoi gwm i'w helpu i ymlacio. Dim problem. Wedyn mae'r rheol dim logo ar y gôt. Mae logo ar bob côt ffasiynol. Beth ydy'r broblem? Mae'n iawn i'r athrawon a'r Pennaeth achos dydyn nhw ddim yr gorfod gwisgo gwisg ysgol. Maen nhw'n gallu dewis beth i'w wisgo bob bore, dim fel ni.

Connor: Yn union. Mae gwisg ysgol yn hen ffasiwn a does dim problem efo ffonau symudol.

Bethan: Wel, wrth i ni drafod rheolau, hoffwn i weld peiriant creision a siocled wrth ymyl y cantîn. Dim ond bwyd iach sydd yma nawr a dw i ddim yn hoffi ffrwythau a salad.

Anna: Wel, roedd rhai pobl yn bwyta siocled bob dydd.

Bethan: Wyt ti'n hoffi'r bar salad o ddifri? Mae'n ddiflas.

Connor: Ie, a rydyn ni'n cael prynu poteli dŵr ond roeddwn i'n hoffi'r caniau pop.

Anna: Wel, maen nhw'n llawn siwgr. Eto mae dŵr yn well i'r corff.

Bethan: Ond hoffwn i gael y dewis. Yfed pop neu yfed dŵr! Does dim dewis gyda ni nawr.

Anna: A dyna ydy'r peth **does** dim dewis mewn ysgol fel arfer.

Connor: Dyna ateb Mr Huws, Saesneg bob amser.

Anna: Plant ydych chi. Ddylech chi ddim cael dewis. Oedolion sy'n dewis.

Bethan: Mae e'n byw yn Oes Fictoria! Mae llais gan bobl ifanc heddiw.

Connor: Oes, mae llais y disgybl yn bwysig iawn yn ôl y Pennaeth.

Anna: Wel, beth amdani felly? Dw i'n meddwl dylen ni fynd at y Pennaeth a siarad am y rheolau yma.

Bethan: Siarad? Dw i eisiau cwyno!

Anna: Na, fydd e ddim yn gwrando wedyn. Siarad yn gwrtais ydy'r ateb. Mae oedolion yn hoffi hynny.

Connor: Mae hanner awr gyda ni/gynnon ni cyn gwers pump beth bynnag ac mae'r Pennaeth yn ei 'stafell.

Bethan: Beth?

Anna: Heddiw amdani. Brysiwch!

Anna:	Pwynt pwysig. Hefyd dw i'n defnyddio fy ffôn i ffonio fy nhad weithiau i gael lifft adref. Mae manteision o blaid ffonau symudol. Ond mae'r Pennaeth yn edrych am y problemau yn unig. (*Ffrind arall yn cyrraedd*)
Connor:	Hei, ydych chi wedi clywed y newyddion? Mae'r Pennaeth yn banio ffonau symudol.
Anna:	Rydyn ni wedi clywed ond byddan nhw yn ein bagiau neu yn ein pocedi …
Connor:	Wel, y rheol ydy dim ffonau symudol o gwbl. Bydd athrawon yn mynd â'r ffonau i'r swyddfa os ydyn nhw'n gweld nhw.
Bethan:	Beth ydy problem athrawon? Mae rheolau dwl yn yr ysgol hon.
Anna:	Oes, dw i'n cytuno. Fel dim *chewing gum*. Mae pawb yn cnoi gwm i'w helpu i ymlacio. Dim problem. Wedyn mae'r rheol dim logo ar y gôt. Mae logo ar bob côt ffasiynol. Beth ydy'r broblem? Mae'n iawn i'r athrawon a'r Pennaeth achos dydyn nhw ddim yr gorfod gwisgo ysgol. Maen nhw'n gallu dewis beth i'w wisgo bob bore, dim fel ni.
Connor:	Yn union. Mae gwisg ysgol yn hen ffasiwn a does dim problem efo ffonau symudol.
Bethan:	Wel, wrth i ni drafod rheolau, hoffwn i weld y peiriant creision a siocled wrth ymyl y cantîn. Dim ond bwyd iach sydd yma nawr a dw i ddim yn hoffi ffrwythau a salad.
Anna:	Wel, roedd rhai pobl yn bwyta siocled bob dydd.
Bethan:	Wyt ti'n hoffi'r bar salad o ddifri? Mae'n ddiflas.
Connor:	Ie, a rydyn ni'n cael prynu poteli dŵr ond roeddwn i'n hoffi'r caniau pop.
Anna:	Wel, maen nhw'n llawn siwgr. Eto mae dŵr yn well i'r corff.
Bethan:	Ond hoffwn i gael y dewis. Yfed pop neu yfed dŵr! Does dim dewis gyda ni nawr.
Anna:	A dyna ydy'r peth **does** dim dewis mewn ysgol fel arfer.
Connor:	Dyna ateb Mr Huws, Saesneg bob amser.
Anna:	Plant ydych chi. Ddylech chi ddim cael dewis. Oedolion sy'n dewis.
Bethan:	Mae e'n byw yn Oes Fictoria! Mae llais gan bobl ifanc heddiw.
Connor:	Oes, mae llais y disgybl yn bwysig iawn yn ôl y Pennaeth.
Anna:	Wel, beth amdani felly? Dw i'n meddwl dylen ni fynd at y Pennaeth a siarad am y rheolau yma.
Bethan:	Siarad? Dw i eisiau cwyno!
Anna:	Na, fydd e ddim yn gwrando wedyn. Siarad yn gwrtais ydy'r ateb. Mae oedolion yn hoffi hynny.
Connor:	Mae hanner awr gyda ni/gynnon ni cyn gwers pump beth bynnag ac mae'r Pennaeth yn ei 'stafell.
Bethan:	Beth?
Anna:	Heddiw amdani. Brysiwch!

5 **Sut i gwblhau'r daflen** – Edrychwch ar y daflen ar dudalen 32.
Beth ydych chi'n sylwi?
Mae'n siŵr eich bod wedi sylwi bod:

- pob rhan o'r daflen wedi ei llenwi **OND** does dim rhaid i chi lenwi pob blwch
- dim angen ysgrifennu llawer. **DIM OND** yn y blwch olaf, lle rydych chi'n gallu ymateb i (i) Anna, Bethan a Connor (ii) y themâu - banio ffonau symudol, bwyta'n iach, gwisg ysgol etc.
- modd ysgrifennu mewn unrhyw iaith (Cymraeg, Saesneg …) **ACHOS** eich taflen CHI ydy hon a bydd neb yn marcio'r daflen. **HEFYD** peidiwch â stopio **GWRANDO** i ysgrifennu. **GWRANDO** sy'n bwysig.

6 **HELP i fynegi barn a rhoi rhesymau (i ymateb i sbardun gweledol)**

	achos:	**Ansoddeiriau:**
Dw i wrth fy modd yn … ond mae'n well gen i …	mae'n …	mentrus/yn fentrus
Dw i'n hoff iawn o … ond … ydy'r gorau.	dydy e ddim yn …	diddorol/yn ddiddorol
Mae … yn iawn ond yn fy marn i mae … yn well.	yn fy marn i mae … yn …	gwahanol/yn wahanol
Dw i ddim yn mwynhau … cystal â …	i mi, mae'n …	bythgofiadwy /yn fythgofiadwy
Dw i ddim yn or-hoff o … I mi, mae … yn well o lawer.	roedd yn …	anhygoel/yn anhygoel
Mae'n well gen i … na …	doedd e/hi ddim yn …	anturus/yn anturus
Dw i'n dwlu ar … ond a bod yn onest mae'n well 'da fi …		cyffrous/yn gyffrous
Mae fy ffrind yn hoffi … ond dw i ddim yn cytuno o gwbl.		eitha **da**
Dw i'n anghytuno'n llwyr gyda … pan mae e/hi'n dweud bod … yn …		bron cystal â
Mae … yn ffefryn gen i …		gweddol **hapus**
Dw i ddim yn hoffi …		hynod o **braf**
felly byddwn i byth yn …		rhy **boeth** o lawer
		anhygoel o **bell**
		afresymol o **ddrud**
		eithriadol o **oer**
		hollol **blentynaidd**
		mwynhâd pur
		llawn **hwyl**

*Am fwy o help gydag ansoddeiriau ewch i'r linc
(Hefyd i gael help gyda'r treigladau, rhifau etc …)
http://adnoddau.cbac.co.uk/Pages/ResourceByArgs.aspx?subId=31&lvlId=2

5 **How to complete the sheet** – Look at the sheet on page 33.
What do you notice ?
You have probably noticed that:

- every section of the sheet has been filled in BUT you don't have to fill in every box
- you don't have to write that much. ONLY in the last box, where you can respond to (i) Anna, Bethan and Connor (ii) the themes - banio ffonau symudol, bwyta'n iach, gwisg ysgol etc.
- you can write in any language (Welsh, English …) **BECAUSE** this is your sheet and no-one else will be marking on it. ALSO don't stop LISTENING in order to write. It's the LISTENING that is important.

6 **HELP to express opinion and to give reasons (to respond to visual stimulus)**

	achos:	**Ansoddeiriau**:
Dw i wrth fy modd yn … ond mae'n well gen i …	mae'n …	mentrus/yn fentrus
Dw i'n hoff iawn o … ond … ydy'r gorau.	dydy e ddim yn …	diddorol/yn ddiddorol
Mae … yn iawn ond yn fy marn i mae … yn well.	yn fy marn i mae … yn …	gwahanol/yn wahanol
Dw i ddim yn mwynhau … cystal â …	i mi, mae'n …	bythgofiadwy /yn fythgofiadwy
Dw i ddim yn or-hoff o … I mi, mae … yn well o lawer.	roedd yn …	anhygoel/yn anhygoel
Mae'n well gen i … na …	doedd e/hi ddim yn …	anturus/yn anturus
Dw i'n dwlu ar … ond a bod yn onest mae'n well 'da fi …		cyffrous/yn gyffrous
Mae fy ffrind yn hoffi … ond dw i ddim yn cytuno o gwbl.		eitha **da**
Dw i'n anghytuno'n llwyr gyda … pan mae e/hi'n dweud bod … yn …		bron cystal â
Mae … yn ffefryn gen i …		gweddol **hapus**
Dw i ddim yn hoffi …		hynod o **braf**
felly byddwn i byth yn …		rhy **boeth** o lawer
		anhygoel o **bell**
		afresymol o **ddrud**
		eithriadol o **oer**
		hollol **blentynaidd**
		mwynhâd pur
		llawn **hwyl**

*For more help with adjectives follow the link. (Also useful for help with mutations, number etc …)
http://adnoddau.cbac.co.uk/Pages/ResourceByArgs.aspx?subId=31&lvlId=2

Uned 1: Sgript A **Banio ffonau symudol** … a rheolau twp eraill **TAFLEN GOFNODI'R YMGEISYDD**

	Anna	Bethan	Connor	Yn fy marn i
1. Banio ffonau symudol. Barn?				
rheol dwp	✓			*Lots of* reolau twp yma
ddim yn deg		✓		Cytuno
syniad ofnadwy			✓	
2. Banio ffonau symudol. O blaid?				
gormod yn tecstio	✓			*Never txt in lessons*
Pennaeth yn edrych am broblemau	✓			Bob amser
3. Banio ffonau symudol. Yn erbyn?				
pwysig i siarad gyda ffrindiau		✓		Cytuno
defnyddiol yn y gwersi		✓		Cymraeg *as well as Art etc*
defnyddiol i ffonio Dad am lifft	✓			Dim bws
dim problem gyda ffonau symudol			✓	Cytuno
4. Rheolau eraill?				
chewing gum – help i ymlacio	✓			Ddim yn hoffi
logo ar eich côt – ffasiynol	✓			Wrth gwrs
gwisg ysgol – hen ffasiwn			✓	Ddim yn cytuno
5. Peiriant creision, siocled a diod – Barn?				
ddim yn hoffi ffrwythau a salad		✓		Ff. a salad yn flasus
rhai disgyblion yn bwyta gormod	✓			Problem
bar salad yn ddiflas		✓		Hoff iawn o salad
hoffi'r caniau pop			✓	Weithiau. Dŵr
caniau pop llawn siwgr	✓			Cytuno
dŵr yn well i'r corff	✓			
pwysig cael y dewis		✓		Pawb yn hoffi dewis
oedolion sy'n dewis, nid y plant	✓			Pwysig fel arfer
6. Pwy sy eisiau gwneud beth i helpu'r broblem?				
mynd i siarad yn gwrtais gyda'r Pennaeth	✓			
cwyno wrth y Pennaeth		✓		
mynd i weld y Pennaeth HEDDIW			✓	
7. Pwy ydych chi'n meddwl sy'n iawn? Pam?	✓			Mae'n rhaid bod yn gwrtais

Uned 1: Sgript A **Banio ffonau symudol** … a rheolau twp eraill **TAFLEN GOFNODI'R YMGEISYDD**

	Anna	Bethan	Connor	Yn fy marn i
1. Banio ffonau symudol. Barn?				
rheol dwp	✓			*Lots of* reolau twp yma
ddim yn deg		✓		Cytuno
syniad ofnadwy			✓	
2. Banio ffonau symudol. O blaid?				
gormod yn tecstio	✓			*Never txt in lessons*
Pennaeth yn edrych am broblemau	✓			Bob amser
3. Banio ffonau symudol. Yn erbyn?				
pwysig i siarad gyda ffrindiau		✓		Cytuno
defnyddiol yn y gwersi		✓		Cymraeg *as well as Art etc*
defnyddiol i ffonio Dad am lifft	✓			Dim bws
dim problem gyda ffonau symudol			✓	Cytuno
4. Rheolau eraill?				
chewing gum – help i ymlacio	✓			Ddim yn hoffi
logo ar eich côt – ffasiynol	✓			Wrth gwrs
gwisg ysgol – hen ffasiwn			✓	Ddim yn cytuno
5. Peiriant creision, siocled a diod – Barn?				
ddim yn hoffi ffrwythau a salad		✓		Ff. a salad yn flasus
rhai disgyblion yn bwyta gormod	✓			Problem
bar salad yn ddiflas		✓		Hoff iawn o salad
hoffi'r caniau pop			✓	Weithiau. Dŵr
caniau pop llawn siwgr	✓			Cytuno
dŵr yn well i'r corff	✓			
pwysig cael y dewis		✓		Pawb yn hoffi dewis
oedolion sy'n dewis, nid y plant	✓			Pwysig fel arfer
6. Pwy sy eisiau gwneud beth i helpu'r broblem?				
mynd i siarad yn gwrtais gyda'r Pennaeth	✓			
cwyno wrth y Pennaeth		✓		
mynd i weld y Pennaeth HEDDIW			✓	
7. Pwy ydych chi'n meddwl sy'n iawn? Pam?	✓			Mae'n rhaid bod yn gwrtais

7 Dyma grŵp o dri ffrind, Ffion, Chloe a Mark, yn ymateb i'r clip '**Banio ffonau symudol** ...'
(Mae modd gweld y clip ar wefan Illuminate www.illuminatepublishing.com/wsl/videos)

Ffion: Wel, Mark, beth wyt ti'n feddwl o syniad y Pennaeth yn y clip? Banio ffonau symudol!

Mark: Roedd Anna'n dweud yn y clip bod banio ffonau symudol yn rheol dwp a dw i'n cytuno. Beth amdanat ti, Chloe?

Chloe: Dw i'n cytuno gyda Bethan. Dydy banio ffonau symudol ddim yn deg. Mae pawb yn hoffi defnyddio ffôn symudol.

Mark: Wrth gwrs, fel mae Anna'n dweud eto, mae gormod o tecstio yn y wers ac mae'r Pennaeth bob amser yn edrych am broblemau.

Ffion: Problemau wir. Mae Bethan yn iawn pan mae hi'n dweud ei bod hi'n hoffi siarad gyda'i ffrindiau.

Chloe: Ydy, ond yn ystod y dydd tecstio neu siarad gyda Mam neu Dad sy'n bwysig. Does dim bws ar ôl hanner awr wedi pedwar i mi a dw i'n hoffi aros ar ôl ysgol i weithio'n y llyfrgell neu ymarfer hoci weithiau.

Ffion: Wrth gwrs. Mae'n rhaid i mi aros ar ôl ysgol i ymarfer ar gyfer Eisteddfod yr Urdd.

Mark: Rydych chi'n iawn, ferched, does dim problem gyda ffonau symudol yn yr ysgol. Yn wir, fel mae Bethan yn awgrymu, maen nhw'n ddefnyddiol yn y gwersi ambell waith er enghraifft cerdd, celf, Cymraeg, Saesneg ...

Ffion: Yn amlwg, mae ysgol Anna, Bethan a Connor fel yr ysgol yma gyda llawer o reolau ofnadwy.

Chloe: Cytuno'n llwyr. Dim logo ar eich côt. Mae hynny'n hollol dwp. Ond dw i ddim yn cytuno bod gwisg ysgol yn hen ffasiwn. Mae gwisg ysgol yn bwysig dw i'n meddwl. Oes gen ti farn, Ffion?

Ffion: Dw i o'r un farn â ti. Mae gwisg ysgol yn smart ac mae pawb yn edrych yr un fath.

Mark: Mae gwisg ysgol yn iawn ond dim byd sbesial. Roeddwn i'n synnu clywed Bethan yn dweud ei bod hi ddim yn hoffi ffrwythau a salad. I mi, maen nhw'n flasus.

Chloe: Mae bar salad yn ddiflas weithiau mae'n rhaid cyfaddef ond dw i'n cytuno bod dŵr yn well na caniau pop llawn siwgr. Mae Connor yn dwp os ydy o'n yfed gormod o ganiau pop.

Mark: Yn wir. Fodd bynnag, mae'n bwysig cael dewis ond fel mae Anna'n dweud, oedolion sy'n dewis, nid y plant.

Ffion: Yn fy marn i maen nhw'n ddewr iawn yn mynd i weld y Pennaeth i drafod y rheolau.

Chloe: Yn sicr, ond beth sy'n bod gyda Bethan? Dydy mynd i gwyno wrth y Pennaeth ddim yn syniad da. Baswn i'n gwneud fel mae Anna'n awgrymu sef mynd i siarad yn gwrtais gyda fe.

Ffion: Fi hefyd. Wel, well i ni frysio hefyd. Mae hi'n amser mynd i weld Miss James, Cymraeg. Mae hi wedi cynnig helpu gyda'r asesiad llafar.

Mark: Dewch 'te.

Yr iaith sy ar daflen yr ymgeisydd. Mae'n help mawr.

Geiriau ac ymadroddion defnyddiol.
Defnyddiwch strategaethau deall iaith i ffeindio'r ystyr.
Dysgwch nhw!

7 Here's a group of three friends, Ffion, Chloe and Mark, responding to the clip '**Banio ffonau symudol** ...' (You can view the whole clip on the Illuminate website www.illuminatepublishing.com/wsl/videos)

Ffion: Wel, Mark, beth wyt ti'n feddwl o syniad y Pennaeth yn y clip? Banio ffonau symudol!

Mark: Roedd Anna'n dweud yn y clip bod banio ffonau symudol yn rheol dwp a dw i'n cytuno. Beth amdanat ti, Chloe?

Chloe: Dw i'n cytuno gyda Bethan. Dydy banio ffonau symudol ddim yn deg. Mae pawb yn hoffi defnyddio ffôn symudol.

Mark: Wrth gwrs, fel mae Anna'n dweud eto, mae gormod o tecstio yn y wers ac mae'r Pennaeth bob amser yn edrych am broblemau.

Ffion: Problemau wir. Mae Bethan yn iawn pan mae hi'n dweud ei bod hi'n hoffi siarad gyda'i ffrindiau.

Chloe: Ydy, ond yn ystod y dydd tecstio neu siarad gyda Mam neu Dad sy'n bwysig. Does dim bws ar ôl hanner awr wedi pedwar i mi a dw i'n hoffi aros ar ôl ysgol i weithio'n y llyfrgell neu ymarfer hoci weithiau.

Ffion: Wrth gwrs. Mae'n rhaid i mi aros ar ôl ysgol i ymarfer ar gyfer Eisteddfod yr Urdd.

Mark: Rydych chi'n iawn, ferched, does dim problem gyda ffonau symudol yn yr ysgol. Yn wir, fel mae Bethan yn awgrymu, maen nhw'n ddefnyddiol yn y gwersi ambell waith er enghraifft cerdd, celf, Cymraeg, Saesneg ...

Ffion: Yn amlwg, mae ysgol Anna, Bethan a Connor fel yr ysgol yma gyda llawer o reolau ofnadwy.

Chloe: Cytuno'n llwyr. Dim logo ar eich côt. Mae hynny'n hollol dwp. Ond dw i ddim yn cytuno bod gwisg ysgol yn hen ffasiwn. Mae gwisg ysgol yn bwysig dw i'n meddwl. Oes gen ti farn, Ffion?

Ffion: Dw i o'r un farn â ti. Mae gwisg ysgol yn smart ac mae pawb yn edrych yr un fath.

Mark: Mae gwisg ysgol yn iawn ond dim byd sbesial. Roeddwn i'n synnu clywed Bethan yn dweud ei bod hi ddim yn hoffi ffrwythau a salad. I mi, maen nhw'n flasus.

Chloe: Mae bar salad yn ddiflas weithiau mae'n rhaid cyfaddef ond dw i'n cytuno bod dŵr yn well na caniau pop llawn siwgr. Mae Connor yn dwp os ydy o'n yfed gormod o ganiau pop.

Mark: Yn wir. Fodd bynnag, mae'n bwysig cael dewis ond fel mae Anna'n dweud, oedolion sy'n dewis, nid y plant.

Ffion: Yn fy marn i maen nhw'n ddewr iawn yn mynd i weld y Pennaeth i drafod y rheolau.

Chloe: Yn sicr, ond beth sy'n bod gyda Bethan? Dydy mynd i gwyno wrth y Pennaeth ddim yn syniad da. Baswn i'n gwneud fel mae Anna'n awgrymu sef mynd i siarad yn gwrtais gyda fe.

Ffion: Fi hefyd. Wel, well i ni frysio hefyd. Mae hi'n amser mynd i weld Miss James, Cymraeg. Mae hi wedi cynnig helpu gyda'r asesiad llafar.

Mark: Dewch 'te.

	The language which is on the candidates sheet. It's very helpful.

	Useful words and phrases. Use strategies for understanding language to find the meaning. Learn them!

If you are revising with a friend or your teacher, explain to him/her how you got to grips with understanding all of the script.

8 **Asesu ymateb Chloe, Ffion a Mark. Defnyddiwch y Cynllun Marcio UNED 1** AA1 GWRANDO + AA2 SIARAD

- Mae'n bwysig eich bod yn gwybod beth ydy gofynion y Cynllun Marcio.
- Y ffordd orau o ddod i wybod **yn union** beth sydd rhaid i chi wneud mewn asesiad neu arholiad yw marcio atebion enghreifftiol.
- Darllenwch y Cynllun Marcio isod yn ofalus a gwnewch yn siŵr eich bod yn deall y gofynion. Bydd hyn yn eich helpu i gael y marc gorau posibl.

Cyfarwyddiadau

Mewn pâr neu grŵp o dri bydd rhaid i chi:

- ✔ roi a derbyn gwybodaeth
- ✔ gwrando ac ymateb
- ✔ mynegi barn a chynnig rhesymau
- ✔ cytuno ac anghytuno
- ✔ cydweithio

Defnyddiwch *iPad*, *iPhone* neu ddyfais tebyg i ffilmio trafodaeth pâr/grŵp. Wedyn gwerthuswch y perfformiad.

Marc	AA1 – Gwrando
25–30	• Gwando ac ymateb gyda chyfraniadau perthnasol • Deall mewn manylder gwahanol fathau o iaith lafar o'r sbardun gweledol a siaredir gan fwy nag un o'r siaradwyr • Deall yn llawn y brif neges a manylion penodol sy'n cael eu cyfathrebu ar lafar • Ymateb yn llawn i wahanol fathau o iaith lafar gan un neu'n fwy o siaradwyr
19–24	• Gwrando ac ymateb gyda chyfraniadau perthnasol • Deall mewn peth manylder gwahanol fathau o iaith lafar o'r sbardun gweledol a siaredir gan fwy nag un o'r siaradwyr • Deall yn weddol lawn y brif neges a manylion penodol sy'n cael eu cyfathrebu ar lafar • Ymateb yn weddol lawn i wahanol fathau o iaith lafar gan un neu'n fwy o siaradwyr
13-18	• Gwrando ac ymateb gyda chyfraniadau perthnasol • Deall gwahanol fathau o iaith lafar o'r sbardun gweledol a siaredir gan fwy nag un o'r siaradwyr • Deall y brif neges a manylion penodol sy'n cael eu cyfathrebu ar lafar • Ymateb yn syml i wahanol fathau o iaith lafar gan un neu'n fwy o siaradwyr
7–12	• Gwrando ar eraill ac ymateb gyda rhai cyfraniadau • Deall ychydig o wahanol fathau o iaith lafar o'r sbardun gweledol a siaredir gan fwy nag un o'r siaradwyr • Deall y rhan fwyaf o'r brif neges a'r mwyafrif o'r manylion penodol sy'n cael eu cyfathrebu ar lafar • Ymateb yn syml iawn i wahanol fathau o iaith lafar gan un neu'n fwy o siaradwyr
1–6	• Gwrando ar eraill gan wneud ymdrech i ymateb gydag ambell gyfraniad • Deall ychydig iawn o wahanol fathau o iaith lafar o'r sbardun gweledol a siaredir gan fwy nag un o'r siaradwyr • Deall ychydig o'r brif neges a pheth manylion penodol sy'n cael eu cyfathrebu ar lafar • Ymdrech i ymateb i wahanol fathau o iaith lafar gan un neu'n fwy o siaradwyr
0	• Amhriodol neu heb ymateb

8 **Assessing Chloe, Ffion and Mark's response. Use the Marking Scheme UNED 1 AA1 GWRANDO + AA2 SIARAD**

- It is important that you are aware of the requirements of the Marking Scheme.
- The best way to understand **exactly** what you are required to do in an assessment or exam is to mark exemplar answers.
- Read the Marking Scheme below carefully and make sure that you understand the requirements. This will help you to get the best mark possible.

Instructions

In pairs or groups of three, you will have to:

✔ give and receive information
✔ listen and respond
✔ express your opinion and give reasons
✔ agree and disagree
✔ work together

Use an *iPad*, *iPhone* or similar device to film a pair/group discussion. Then evaluate the performance.

Mark	A01 – Listening
25–30	• Listen and respond with relevant contributions • Have a detailed understanding of different types of verbal language spoken by one or more speakers from the visual stimulus • Fully understand the main message and specific details which are communicated verbally • A comprehensive response to different types of verbal language spoken by one or more speakers
19–24	• Listen and respond with relevant contributions • To understand in some detail various forms of verbal language spoken by one or more of the speakers from the visual stimulus • Understand quite fully the main message and specific details which are communicated verbally • Respond fairly comprehensively to different types of verbal language spoken by one or more speakers
13-18	• Listen and respond with relevant contributions • Understand the different types of verbal language spoken by one or more speakers from the visual stimulus • Understand the main message and specific details which are communicated verbally • A simple response to different types of verbal language spoken by one or more speakers
7–12	• Listen to others and respond with some contributions • Understand a couple of different types of verbal language spoken by one or more speakers from the visual stimulus • Understand most of the main message and the most specific details that are communicated verbally • Very simple response to different types of verbal language spoken by one or more speakers
1–6	• Listen to others and make an effort to respond with a contribution now and again • Understand very few of the different types of verbal language spoken by one or more speakers from the visual stimulus • Understand a little of the main message and some specific details that are communicated verbally • An attempt to respond to different types of verbal language spoken by one or more speakers
0	• Inappropriate or no response

Marc	AA2 – Siarad
17–20	• Cyfathrebu a rhyngweithio'n hyderus ac yn ddigymell gan gyfleu gwybodaeth o'r sbardun gweledol, mynegi a chyfiawnhau barn yn llawn • Defnyddio ystod eang o strategaethau i gefnogi a chynnal sgwrs a thrafodaeth yn hynod o lwyddiannus gan sicrhau cyfraniadau cyson • Defnyddio ystod eang o batrymau iaith yn gywir a defnyddio ystod o wahanol amserau'r ferf • Defnyddio cywair priodol, ynganu'n gywir a goslefu'n addas
13–16	• Cyfathrebu a rhyngweithio'n hyderus ac yn ddigymell gan gyfleu gwybodaeth o'r sbardun gweledol, mynegi a chyfiawnhau barn yn llawn • Defnyddio ystod o strategaethau i gefnogi a chynnal sgwrs a thrafodaeth yn hynod o lwyddiannus gan sicrhau cyfraniadau cyson • Defnyddio ystod o batrymau iaith yn gywir a defnyddio gwahanol amserau'r ferf • Defnyddio cywair priodol, ynganu'n gywir a goslefu'n addas
9-12	• Cyfathrebu a rhyngweithio gyda pheth hyder ac ychydig o anogaeth gan gyfleu gwybodaeth o'r sbardun gweledol, mynegi a chyfiawnhau barn yn eitha llawn • Defnyddio strategaethau i gefnogi a chynnal sgwrs a thrafodaeth gan wneud cyfraniadau • Defnyddio patrymau iaith yn gywir ac amrywio ambell amser y ferf • Defnyddio cywair priodol, ynganu eitha cywir a goslefu'n eitha addas
5–8	• Cyfathrebu a rhyngweithio gydag ychydig o anogaeth gan gyfleu peth gwybodaeth o'r sbardun gweledol, mynegi a chyfiawnhau peth barn • Defnyddio rhai strategaethau i gefnogi a chynnal sgwrs a thrafodaeth gan wneud rhai cyfraniadau • Defnyddio patrymau iaith syml yn gywir ac amrywio ambell amser y ferf • Ynganu'r mwyafrif o'r geiriau'n gywir
1–4	• Ymateb i anogaeth uniongyrchol drwy roi ambell ddarn o wybodaeth o'r sbardun gweledol a mynegi ambell farn • Defnyddio ambell strategaeth i gefnogi a chynnal sgwrs gan wneud ambell gyfraniad • Defnyddio ambell batrwm iaith syml yn weddol gywir • Ynganu'r mwyafrif o'r geiriau'n weddol gywir
0	• Amhriodol neu heb ymateb. Nid yw'r wybodaeth ofynnol yn cael ei chyfathrebu o gwbl

Mark	A02 – Speaking
17–20	• Communicate and interact confidently and spontaneously, giving information from the visual stimulus, expressing and justifying opinion fully • Use a wide range of strategies to support and sustain a conversation and discussion very successfully, contributing regularly • Use a wide range of language patterns very accurately and use a range of different tenses • Use appropriate tone, accurate pronunciation and clear intonation
13–16	• Communicate and interact spontaneously and with confidence, giving information from the visual stimulus and expressing and justifying opinion fully • Use a range of strategies to support and sustain a conversation and discussion successfully, contributing regularly • Use a range of language patterns accurately and use different tenses • Use appropriate tone, accurate pronunciation and clear intonation
9-12	• Communicate and interact with a little encouragement and with some confidence, giving information from the visual stimulus, expressing and justifying opinion quite fully • Use strategies to support and sustain a conversation and discussion, making contributions • Use language patterns accurately and some variation of tense • Use appropriate tone, fairly accurate pronunciation and quite clear intonation
5–8	• Communicate and interact with a little encouragement, giving some information from the visual stimulus, expressing and justifying some opinion • Use some strategies to support and sustain a conversation and discussion, making some contributions • Use simple language patterns accurately and an occasional variation of tense • Pronunciation of most words is accurate
1–4	• Respond to direct encouragement by giving occasional pieces of information from the visual stimulus and occasionally expressing opinion • Use occasional strategies to support and sustain a conversation, making occasional contributions • Use occasional simple language patterns fairly accurately • Pronunciation of most words is fairly accurate
0	• Inappropriate or no response. The required information is not communicated at all

9 Sut i werthuso'ch cyfraniad chi a chyfraniad eraill

Yn ogystal ag asesu ymateb i sbardun gweledol mae'n bwysig gwerthuso perfformiad eraill hefyd er mwyn gwybod:

(i) beth yw eich cryfderau, hynny yw, y pethau rydych chi'n gallu'u gwneud yn dda

(ii) beth sy angen i chi wneud er mwyn gwella

Mae defnyddio cardiau hunan asesu fel rhain yn ddefnyddiol er mwyn i chi gael gwybod sut rydych chi ac eraill yn cyfrannu.

Wnes i …
- ✓ gymryd rhan amlwg yn y drafodaeth?
- ✓ gynnig syniadau?
- ✓ holi am eglurhad?
- ✓ holi barn aelodau eraill?
- ✓ ofyn am fwy o wybodaeth/am eglurhad?
- ✓ gytuno â sylwadau aelodau eraill o'r grŵp?
- ✓ anghytuno â sylwadau aelodau eraill o'r grŵp?
- ✓ ddysgu rhywbeth newydd?

Oedd … yn …
- ✓ barod i drafod?
- ✓ cynnig syniadau?
- ✓ holi cwestiynau?
- ✓ rhoi manylion ychwanegol?
- ✓ rhoi cyfle i aelodau eraill siarad?
- ✓ barod i gytuno/anghytuno?
- ✓ gwneud ymdrech i siarad Cymraeg trwy'r amser?

10 Nawr mae'n rhaid i chi:
- **wylio sbardun gweledol**
- **cwblhau'r daflen**
- **cytuno/anghytuno â'r cynnwys**
- **mynegi eich barn**

mewn grŵp o dri

*Am fwy o sbardunau gweledol ewch i:
http://adnoddau.cbac.co.uk/Pages/ResourceByArgs.aspx?subId=31&lvlId=2

9 **How to evaluate your contribution and the contribution of others**

As well as assessing the response to a visual stimulus, it is also important to be able to judge the performance of others in order to know:

(i) what are your strengths, i.e. the things which you can do well

(ii) what you need to do in order to improve

Using self-assessment cards like these is a useful way of identifying how well you and others are doing.

Wnes i … /*Did I* …

✓ take a prominent role in the discussion (note how many contributions you made)?
✓ contribute ideas (Beth am … ? Dylai pawb … etc.)?
✓ ask for an explanation (Beth wyt ti'n feddwl? Wnei di egluro …?)
✓ ask about the opinion of others (beth ydy dy farn di? Ydych chi'n credu bod …?)
✓ ask for more information/for an explanation?
✓ agree with other members of the group (Dw i'n cytuno … A fi hefyd)?
✓ dissagree with other members of the group ideas (Dw i'n anghytuno … Yn bersonol, dw i ddim yn credu y dylai …) ?
✓ learn something new?

Oedd … yn … /*Was* …

✓ ready to discuss?
✓ contributing ideas?
✓ asking questions?
✓ giving further details?
✓ giving others a chance to speak?
✓ ready to agree/dissagree?
✓ making an effort to speak in Welsh all the time?

10 **Now you must:**

- **watch a visual stimulus**
- **complete the sheet**
- **agree/disagree with the content** } **in a group of three**
- **express your opinion** } **in a group of three**

*For more visual stimuli go to:
http://adnoddau.cbac.co.uk/Pages/ResourceByArgs.aspx?subId=31&lvlId=2

Ymateb ar lafar i sbardun gweledol

A: NOSON GYRFAOEDD

Yn y clip ***Noson Gyrfaoedd***, bydd llawer o gyfeiriadau at oed, pynciau TGAU, astudio mewn coleg, byd gwaith a'r dyfodol. Mae'r gweithgareddau canlynol yn cynnig digon o gyfleoedd i chi ymarfer geirfa, patrymau iaith etc. cyn i chi gwblhau'r brif dasg, sef ymateb ar lafar i sbardun gweledol.

Paratoi i ymateb ar lafar (ac yn ysgrifenedig) i sbardun gweledol

GWEITHGAREDDAU

(i) Cwblhewch y grid isod.

Enw	
Oed	
Hobïau	
Pynciau TGAU	
Hoff bwnc/bynciau	
Rheswm (Pam?)	
Pwnc lleiaf diddorol	
Rheswm	
*Y dyfodol	

*Help i sôn am y dyfodol:

Dyma beth mae Natalie eisiau ei wneud yn y dyfodol

Ar ôl gadael yr ysgol dw i eisiau mynd i'r coleg yn y dref i astudio 4 pwnc Safon Uwch - Ffrangeg, Almaeneg, hanes a'r **gyfraith**. Dw i wrth fy modd gyda **ieithoedd**. Bydd yn waith caled ond yn ddiddorol, dw i'n siŵr. Hoffwn i fynd i Gaerdydd neu Lerpwl wedyn i astudio'r gyfraith a Ffrangeg. Wedyn bydda i'n gallu cael gwaith gyda dyfodol da.

y gyfraith – *law*

ieithoedd – *languages*

busnes fy hun – *my own business*

cwsmeriaid – *customers*

Dyma beth mae Geraint eisiau ei wneud yn y dyfodol

Dydy mynd i'r coleg i astudio ar gyfer Safon Uwch ddim yn apelio ata i a dw i ddim eisiau aros yn yr ysgol. Hoffwn i gael prentisiaeth. Pan roeddwn i'n fach roeddwn i eisiau gweithio gyda dad fel plymar. Bydda i'n dysgu sgiliau newydd ac wedyn, bydda i'n gallu dechrau **busnes fy hun** a gwneud lot o arian. Bydd y gallu i siarad Cymraeg gyda **cwsmeriaid** yn help hefyd, dw i'n meddwl.

Oral response to visual stimulus

A: NOSON GYRFAOEDD (*Careers evening*)

In the ***Noson Gyrfaoedd*** clip, there will be several references to age, GCSE subjects, studying in a college, the world of work and what the future holds. The following activities provide plenty of opportunities for you to practise vocabulary, language patterns etc. before you go on to complete the main task, namely respond orally to a visual stimulus.

Preparing to respond orally (and in writing) to visual stimulus

ACTIVITIES

(i) Complete the grid below.

Enw	
Oed	
Hobïau	
Pynciau TGAU	
Hoff bwnc/bynciau	
Rheswm (Pam?)	
Pwnc lleiaf diddorol	
Rheswm	
*Y dyfodol	

*Help to talk about the future:

This is what Natalie wants to do in future

Ar ôl gadael yr ysgol dw i eisiau mynd i'r coleg yn y dref i astudio 4 pwnc Safon Uwch - Ffrangeg, Almaeneg, hanes a'r **gyfraith**. Dw i wrth fy modd gyda **ieithoedd**. Bydd yn waith caled ond yn ddiddorol, dw i'n siŵr. Hoffwn i fynd i Gaerdydd neu Lerpwl wedyn i astudio'r gyfraith a Ffrangeg. Wedyn bydda i'n gallu cael gwaith gyda dyfodol da.

y gyfraith – *law*

ieithoedd – *languages*

busnes fy hun – *my own business*

cwsmeriaid – *customers*

This is what Geraint wants to do in future

Dydy mynd i'r coleg i astudio ar gyfer Safon Uwch ddim yn apelio ata i a dw i ddim eisiau aros yn yr ysgol. Hoffwn i gael prentisiaeth. Pan roeddwn i'n fach roeddwn i eisiau gweithio gyda dad fel plymar. Bydda i'n dysgu sgiliau newydd ac wedyn, bydda i'n gallu dechrau **busnes fy hun** a gwneud lot o arian. Bydd y gallu i siarad Cymraeg gyda **cwsmeriaid** yn help hefyd, dw i'n meddwl.

(ii) **GARY JAMES**

Darllenwch y wybodaeth yn y ffeil-o-ffaith am Gary James. Mae geiriau wedi cael eu tanlinellu yn y ffeil-o-ffaith.

Defnyddiwch strategaethau deall iaith ar dudalen 10 i ddod o hyd i ystyr y geiriau hyn. Rydych chi'n chwilio am:

in earnest	*near*
can be	*open air*
understand	*useful*
machine	*can't wait*
pointless	

Bydd deall yr eirfa uchod yn eich helpu i wylio/gwrando a deall beth mae Gary'n ddweud am ble mae e/o'n byw, yr ysgol a phynciau ysgol, y dyfodol etc.

Ffeil-o-ffaith: Gary James

Enw:	Gary James
Byw:	ger Aberhonddu (*Brecon*)
Gyda phwy:	Gyda'r teulu
Astudio:	9 pwnc TGAU yn yr ysgol
Barn am yr ysgol:	Ddim yn hoffi
Rheswm:	Gallu bod yn ddiflas a dibwynt
Hoffi:	Bod allan yn yr awyr agored
Ar y penwythnos:	Helpu tad-cu ar y fferm
Pynciau'r ysgol:	(i) cytuno gyda mathemateg
Pam?	I ddeall prisiau stoc yn y mart
Pynciau ysgol:	(ii) technoleg gwybodaeth yn ddefnyddiol
Pam?	Cyfrifiadur ar bob tractor a pheiriant fferm
Y dyfodol:	Mae e'n edrych ymlaen i adael yr ysgol ym mis Mehefin. Bydd e'n dechrau gweithio (o ddifrif) ar fferm tad-cu. Mae e'n methu aros. Bydd yn wych.

Gwyliwch y clip i gael gwybodaeth am Gary. I wneud hyn, ewch i:
http://adnoddau.cbac.co.uk/Pages/ResourceByArgs.aspx?subId=31&lvlId=2

Dewiswch yr adnodd yma:

Cofiwch, rhaid i chi ...

ysgrifennu nodiadau wrth wylio/gwrando.

ac yna dewiswch '**Clip 2**'.

(ii) **GARY JAMES**

Read the information in the *ffeil-o-ffaith* about Gary James. Words in the *ffeil-o-ffaith* have been underlined.

Use strategies for understanding language on page 11 to find the meanings of these words. You are looking for:

in earnest	*near*
can be	*open air*
understand	*useful*
machine	*can't wait*
pointless	

Knowing the meaning of the above words will help you to view/listen and understand what Gary is saying about where he lives, the school, subjects, what the future holds etc.

Ffeil-o-ffaith: Gary James

Enw:	Gary James
Byw:	ger Aberhonddu (*Brecon*)
Gyda phwy:	Gyda'r teulu
Astudio:	9 pwnc TGAU yn yr ysgol
Barn am yr ysgol:	Ddim yn hoffi
Rheswm:	Gallu bod yn ddiflas a dibwynt
Hoffi:	Bod allan yn yr awyr agored
Ar y penwythnos:	Helpu tad-cu ar y fferm
Pynciau'r ysgol:	(i) cytuno gyda mathemateg
Pam?	I ddeall prisiau stoc yn y mart
Pynciau ysgol:	(ii) technoleg gwybodaeth yn ddefnyddiol
Pam?	Cyfrifiadur ar bob tractor a pheiriant fferm
Y dyfodol:	Mae e'n edrych ymlaen i adael yr ysgol ym mis Mehefin. Bydd e'n dechrau gweithio (o ddifrif) ar fferm tad-cu. Mae e'n methu aros. Bydd yn wych.

View the clip to access information about Gary. To do this, go to:
http://adnoddau.cbac.co.uk/Pages/ResourceByArgs.aspx?subId=31&lvlId=2

Choose this resource:

and then choose '**Clip 2**'.

Remember, you must ...

write notes whilst viewing/listening.

Gwaith pâr

Defnyddiwch eich nodiadau i drafod yr hyn mae Gary'n ddweud yn y clip gyda phartner.

✓ Ydych chi'n debyg i Gary neu ydych chi'n wahanol iddo fe/fo?
✓ Ydych chi'n cytuno gyda Gary neu ydych chi'n anghytuno (ddim yn cytuno) gyda fe/fo?

Lluniwch dabl tebyg i'r isod. Cwblhewch y tabl. Bydd y nodiadau hyn ac ymateb Lowri isod yn eich helpu i lunio'ch ymateb eich hun ar lafar i'r hyn sydd gan Gary i'w ddweud.

Tebyg neu wahanol?		Cytuno neu anghytuno?	
byw		barn am yr ysgol	
pynciau TGAU		rheswm	
awyr agored		mathemateg	
ar y penwythnos		rheswm	
edrych ymlaen i adael ysgol		technoleg gwybodaeth	
dechrau gwaith ar ôl gadael		rheswm	

***Cofiwch**

- os ydych chi'n wahanol mae'n rhaid dweud ym mha ffordd
- os ydych chi'n anghytuno mae'n rhaid dweud beth ydy'ch barn chi
- rhaid dweud **pam bob tro**.

Darllenwch ymateb Lowri ar ôl iddi glywed beth roedd gan Gary i'w ddweud, yna ewch ati i lunio'ch ymateb llafar.

Dw i'n wahanol iawn i Gary achos, i ddechrau, dw i'n byw yn y **gogledd-ddwyrain**, ddim yn bell o Gaer ac yn yr ysgol dw i'n astudio deg pwnc TGAU. Dw i wrth fy modd efo'r ysgol a dydw i ddim yn cytuno bod ysgol yn ddiflas a dibwynt. Dw i'n mwynhau bob munud achos dw i'n hoffi'r pynciau dw i wedi dewis ar gyfer TGAU.

Fodd bynnag, dw i'n **cytuno'n llwyr** efo barn Gary am maths achos mae'n bwnc **pwysig ofnadwy** ond dydw i ddim yn hoff iawn o dechnoleg gwybodaeth fel pwnc achos dw i'n meddwl bod astudio TGCh yn ddibwynt!

Roeddwn i'n synnu ei fod o'n edrych ymlaen at adael yr ysgol a dechrau gweithio ond mae Gary'n hoffi'r awyr agored ac mae o'n hoffi bod ar fferm ei dad-cu. Felly dw i'n gallu deall sut mae o'n teimlo i raddau. Dw i'n **eitha tebyg** i Gary **mewn un ffordd**. Mae o'n **methu aros** i adael yr ysgol a dechrau gweithio a dw i'n **methu aros** i fynd i'r chweched dosbarth ac wedyn i brifysgol.

north-east
terribly important
fairly similar
agree entirely
in one way
can't wait

Pair work

Use your notes to discuss with a partner what Gary has to say in the clip.

✓ Ydych chi'n debyg (*similar*) i Gary neu ydych chi'n wahanol (*different*) iddo fe/fo?
✓ Ydych chi'n cytuno gyda Gary neu ydych chi'n anghytuno (ddim yn cytuno) gyda fe/fo?

Create a similar table to the one below. Complete the table. These notes and Lowri's response below will help you to prepare your own oral response to what Gary has to say.

Tebyg neu wahanol?		Cytuno neu anghytuno?	
byw		barn am yr ysgol	
pynciau TGAU		rheswm	
awyr agored		mathemateg	
ar y penwythnos		rheswm	
edrych ymlaen i adael ysgol		technoleg gwybodaeth	
dechrau gwaith ar ôl gadael		rheswm	

***Remember**

- *if you are different, you must say in which way*
- *if you dissagree, you must say what is your own opinion*
- *to say **why every time**.*

Read Lowri's response after hearing what Gary had to say and then prepare your own oral response.

north-east

terribly important

fairly similar

Dw i'n wahanol iawn i Gary achos, i ddechrau, dw i'n byw yn y **gogledd-ddwyrain**, ddim yn bell o Gaer ac yn yr ysgol dw i'n astudio deg pwnc TGAU. Dw i wrth fy modd efo'r ysgol a dydw i ddim yn cytuno bod ysgol yn ddiflas a dibwynt. Dw i'n mwynhau bob munud achos dw i'n hoffi'r pynciau dw i wedi dewis ar gyfer TGAU.

Fodd bynnag, dw i'n **cytuno'n llwyr** efo barn Gary am maths achos mae'n bwnc **pwysig ofnadwy** ond dydw i ddim yn hoff iawn o dechnoleg gwybodaeth fel pwnc achos dw i'n meddwl bod astudio TGCh yn ddibwynt!

Roeddwn i'n synnu ei fod o'n edrych ymlaen at adael yr ysgol a dechrau gweithio ond mae Gary'n hoffi'r awyr agored ac mae o'n hoffi bod ar fferm ei dad-cu. Felly dw i'n gallu deall sut mae o'n teimlo i raddau. Dw i'n **eitha tebyg** i Gary **mewn un ffordd**. Mae o'n **methu aros** i adael yr ysgol a dechrau gweithio a dw i'n **methu aros** i fynd i'r chweched dosbarth ac wedyn i brifysgol.

agree entirely

in one way

can't wait

(iii) **Gweithgareddau sy'n seiliedig ar y clip *Noson Gyrfaoedd***

Nawr, rydych chi'n barod i gwblhau gweithgareddau sy'n seiliedig ar y clip *Noson Gyrfaoedd* sydd ar gael drwy fynd i: www.illuminatepublishing.com/wsl/videos. Mae'r sgript a *Thaflen Gofnodi'r Ymgeisydd* ar y tudalennau sy'n dilyn.

Yn y clip, mae aelod o staff y coleg yn gofyn i dri o bobl ifanc yr ardal siarad am beth maen nhw'n gwneud ar hyn o bryd.

Yn gyntaf, mae'n bwysig eich bod yn dysgu'r eirfa sy'n cael ei ddefnyddio yn y clip.

Peidiwch â thrio dysgu'r cyfan ar unwaith.

(i) tanlinellwch y rhai cyfarwydd (*familiar*)

(ii) dewiswch 3 neu 4 o rai newydd

Mae un neu ddau o syniadau yn y grid isod.

Ceisiwch feddwl am ffordd hwyliog o'u dysgu.

Profwch eich hun yn aml.

Gweithiwch gyda phartner – profwch eich gilydd.

✓		
	yn cynnwys mathemateg	***including*** *mathematics*
	eisiau dysgu pethau pwysig	*want to learn important things*
	prentisiaeth	*apprenticeship*
	... yn waith caled	*... is hard work*
	Bydd y cyrsiau'n ddiddorol	*The courses will be interesting*
	Yn y dyfodol hoffwn ...	*In the future I would like to ...*
	dysgu sgiliau newydd	*learn new skills*
	cael profiad gwaith mewn ...	*have work experience in a ...*
	ennill llawer o arian	*earn a lot of money*
	ddim yn apelio ata i	*not appealing to me*
	hyfforddi i fod yn ...	*training to be a ...*
	Bydd y gallu i siarad Cymraeg yn helpu	*the ability to speak Welsh will help*
	gwaith gyda dyfodol da	*work with a good future*

Gwrandewch ar y clip ddwywaith. Y tro cyntaf rhowch ✓ yn y golofn ar y chwith yn y grid uchod pan rydych chi'n clywed yr ymadrodd. Yr ail dro, defnyddiwch y grid isod a rhowch ✓ o dan enw'r person sy'n dweud y brawddeg/au yn y golofn ar y chwith.

Pwy sy'n dweud ...?	Sara	Kevin	Ben
Mae'r cyrsiau yn ddiddorol.			
Dw i'n hoffi pobl a dw i'n hoffi trafod.			
Doeddwn i ddim eisiau aros yn yr ysgol neu'r coleg.			
Doedd mynd i'r coleg ddim yn apelio ata i.			
Bydda i'n dysgu sgiliau newydd ac yn cael profiad gwaith.			

(iii) **Activities based on the *Noson Gyrfaoedd* clip**

You are now ready to complete activities that are based on the *Noson Gyrfaoedd* clip which you can view in: www.illuminatepublishing.com/wsl/videos.

The script and the *Taflen Gofnodi'r Ymgeisydd* are on the following pages.

In the clip, a member of the college staff asks three young people from the area to speak about what they are doing at the moment.

First, it's important that you learn the vocabulary that is used in the clip.

Don't try to learn it all in one go.

(i) underline familiar words and phrases

(ii) choose 3 or 4 new ones

There are some ideas in the grid below.

Think of fun ways to learn them.

Test yourself regularly.

Work with a partner – test each other.

✓		
	yn cynnwys mathemateg	***including*** *mathematics*
	eisiau dysgu pethau pwysig	*want to learn important things*
	prentisiaeth	*apprenticeship*
	... yn waith caled	*... is hard work*
	Bydd y cyrsiau'n ddiddorol	*The courses will be interesting*
	Yn y dyfodol hoffwn ...	*In the future I would like to ...*
	dysgu sgiliau newydd	*learn new skills*
	cael profiad gwaith mewn ...	*have work experience in a ...*
	ennill llawer o arian	*earn a lot of money*
	ddim yn apelio ata i	*not appealing to me*
	hyfforddi i fod yn ...	*training to be a ...*
	Bydd y gallu i siarad Cymraeg yn helpu	*the ability to speak Welsh will help*
	gwaith gyda dyfodol da	*work with a good future*

Listen to the clip twice. At the first attempt, put a ✓ in the column on the left of the grid above when you hear the phrase. On the second attempt, use the grid below and put a ✓ under the name of the person who is saying the sentence/s in the column on the left.

Pwy sy'n dweud ...?	Sara	Kevin	Ben
Mae'r cyrsiau yn ddiddorol.			
Dw i'n hoffi pobl a dw i'n hoffi trafod.			
Doeddwn i ddim eisiau aros yn yr ysgol neu'r coleg.			
Doedd mynd i'r coleg ddim yn apelio ata i.			
Bydda i'n dysgu sgiliau newydd ac yn cael profiad gwaith.			

Rydych chi wedi gwrando ar y clip *Noson Gyrfaoedd* ddwywaith. Y tro hwn gwnewch gopi o'r grid sy ar y dudalen nesaf cyn gwylio'r clip am y trydydd tro a chwblhau cymaint o'r grid â phosibl. **Cofiwch mai'r gwylio/gwrando sy'n bwysig.**

SGRIPT: NOSON GYRFAOEDD

Staff: Wel, diolch eto i chi gyd am ddod heno. Rydyn ni wedi cael noson dda iawn. Yn wir, rydym yn (rydyn ni'n) gobeithio cynnal noson arall y flwyddyn nesaf. Cyn i ni orffen heno hoffwn i ofyn i dri o bobl ifanc yr ardal siarad am beth maen nhw'n gwneud ar y funud. Mae'r tri yn wahanol iawn i'w gilydd ond mae pwyntiau da gyda nhw i'w rhannu.

Sara: Haia. Sara Lloyd ydw i. Mae saith TGAU gen i yn cynnwys mathemateg, Cymraeg, Saesneg a busnes. Beth bynnag doeddwn i ddim eisiau aros yn yr ysgol neu'r coleg. Roeddwn i mewn dipyn bach o drwbl yn aml yn yr ysgol achos yn fy marn i roedd ysgol yn ddiflas! Roeddwn i eisiau dysgu pethau pwysig. Doeddwn i ddim jyst eisiau gwneud algebra a darllen dramâu Shakespeare! Pan oeddwn i'n bump oed roeddwn i eisiau bod yn fecanig. Pan oeddwn i'n ddeg oed roeddwn i dal eisiau bod yn fecanig. Nawr, yn un deg saith oed, dw i'n gweithio fel mecanig. Gwaith od i ferch meddai Mam ond dw i'n hapus. Mae prentisiaeth gynna i (gen i/gyda fi) mewn garej yn y dref. Mae'n anhygoel. Dw i'n mynd i'r coleg bob dydd Iau ond wedyn dw i'n gweithio yn y garej. Dw i wrth fy modd. Mae bachgen yn gallu bod yn nyrs! Mae merch yn gallu bod yn beilot awyren. Felly dw i'n fecanig – ac yn mwynhau bob dydd.

Kevin: Helo, f'enw i yw Kevin. Dw i'n un deg wyth oed a dw i'n astudio pedwar pwnc Safon Uwch yn y coleg lleol, sef mathemateg, gwyddoniaeth, technoleg gwybodaeth a'r Bac Cymraeg. I fod yn onest, mae'n waith caled ond, ar y llaw arall, dw i'n mwynhau bywyd coleg. Pam? Yn gyntaf mae ffrindiau da gyda fi a dw i'n meddwl bod hynny'n bwysig iawn. Rydyn ni'n cael hwyl ond hefyd rydyn ni'n cael helpu ein gilydd os oes eisiau. Wedyn mae'r staff yn barod i helpu bob amser. Yna, yn olaf, mae'r cyrsiau yn ddiddorol ac yn gyffrous, yn enwedig technoleg gwybodaeth. Yn y dyfodol, hoffwn i astudio Cyfrifiadureg yn y coleg. Mae cwrs gwych yn y coleg yng Nghaerdydd – cwrs 3 mlynedd. Bydda i'n dysgu sgiliau newydd ac yn gallu cael profiad gwaith mewn cwmni mawr fel *Microsoft* ac *Apple*. Bydda i'n dysgu sgiliau newydd, er enghraifft, dysgu sut i ysgrifennu rhaglenni a gemau i'r cyfrifiadur. Wedyn gobeithio bydda i'n ennill llawer o arian.

Ben: Haia. Ben ydy f'enw i. Dw i'n un deg naw oed. Wnes i fwynhau bywyd ysgol ond doedd mynd i'r coleg ddim yn apelio ata i. Felly wnes i weithio mewn swyddfa am flwyddyn. Roedd y gwaith yn iawn ond yn ddiflas weithiau. Y peth ydy, dw i'n berson bywiog. Dw i'n hoffi pobl a dw i'n hoffi trafod. Felly, es i i gael sgwrs gyda staff Gyrfa Cymru. Erbyn hyn, dw i'n hyfforddi i fod yn blismon. Mae'r gwaith yn heriol ond yn ddiddorol ac mae pob diwrnod yn wahanol. Does dim llawer o lefydd (lleoedd) ar y cwrs, ond mae'r heddlu yn edrych am bobl sy'n barod i weithio. Maen nhw'n chwilio am bobl sy'n gweithio yn dda mewn tîm a hefyd pobl sy'n siarad Cymraeg. Roedd hynny'n bwysig. Dysgais i siarad Cymraeg yn yr ysgol uwchradd, diolch byth. Mae'r ffaith mod i'n gallu siarad Cymraeg wedi fy helpu i gael gwaith dw i'n fwynhau, gwaith gyda dyfodol da.

You have now listened to the *Noson Gyrfaoedd* clip twice. This time, copy the grid which is on the next page before viewing the clip **a third time** and complete as much of the grid as possible. **Remember that the focus is on viewing/listening.**

SGRIPT: NOSON GYRFAOEDD

Staff: Wel, diolch eto i chi gyd am ddod heno. Rydyn ni wedi cael noson dda iawn. Yn wir, rydym yn (rydyn ni'n) gobeithio cynnal noson arall y flwyddyn nesaf. Cyn i ni orffen heno hoffwn i ofyn i dri o bobl ifanc yr ardal siarad am beth maen nhw'n gwneud ar y funud. Mae'r tri yn wahanol iawn i'w gilydd ond mae pwyntiau da gyda nhw i'w rhannu.

Sara: Haia. Sara Lloyd ydw i. Mae saith TGAU gen i yn cynnwys mathemateg, Cymraeg, Saesneg a busnes. Beth bynnag doeddwn i ddim eisiau aros yn yr ysgol neu'r coleg. Roeddwn i mewn dipyn bach o drwbl yn aml yn yr ysgol achos yn fy marn i roedd ysgol yn ddiflas! Roeddwn i eisiau dysgu pethau pwysig. Doeddwn i ddim jyst eisiau gwneud algebra a darllen dramâu Shakespeare! Pan oeddwn i'n bump oed roeddwn i eisiau bod yn fecanig. Pan oeddwn i'n ddeg oed roeddwn i dal eisiau bod yn fecanig. Nawr, yn un deg saith oed, dw i'n gweithio fel mecanig. Gwaith od i ferch meddai Mam ond dw i'n hapus. Mae prentisiaeth gynna i (gen i/gyda fi) mewn garej yn y dref. Mae'n anhygoel. Dw i'n mynd i'r coleg bob dydd Iau ond wedyn dw i'n gweithio yn y garej. Dw i wrth fy modd. Mae bachgen yn gallu bod yn nyrs! Mae merch yn gallu bod yn beilot awyren. Felly dw i'n fecanig – ac yn mwynhau bob dydd.

Kevin: Helo, f'enw i yw Kevin. Dw i'n un deg wyth oed a dw i'n astudio pedwar pwnc Safon Uwch yn y coleg lleol, sef mathemateg, gwyddoniaeth, technoleg gwybodaeth a'r Bac Cymraeg. I fod yn onest, mae'n waith caled ond, ar y llaw arall, dw i'n mwynhau bywyd coleg. Pam? Yn gyntaf mae ffrindiau da gyda fi a dw i'n meddwl bod hynny'n bwysig iawn. Rydyn ni'n cael hwyl ond hefyd rydyn ni'n cael helpu ein gilydd os oes eisiau. Wedyn mae'r staff yn barod i helpu bob amser. Yna, yn olaf, mae'r cyrsiau yn ddiddorol ac yn gyffrous, yn enwedig technoleg gwybodaeth. Yn y dyfodol, hoffwn i astudio Cyfrifiadureg yn y coleg. Mae cwrs gwych yn y coleg yng Nghaerdydd – cwrs 3 mlynedd. Bydda i'n dysgu sgiliau newydd ac yn gallu cael profiad gwaith mewn cwmni mawr fel *Microsoft* ac *Apple*. Bydda i'n dysgu sgiliau newydd, er enghraifft, dysgu sut i ysgrifennu rhaglenni a gemau i'r cyfrifiadur. Wedyn gobeithio bydda i'n ennill llawer o arian.

Ben: Haia. Ben ydy f'enw i. Dw i'n un deg naw oed. Wnes i fwynhau bywyd ysgol ond doedd mynd i'r coleg ddim yn apelio ata i. Felly wnes i weithio mewn swyddfa am flwyddyn. Roedd y gwaith yn iawn ond yn ddiflas weithiau. Y peth ydy, dw i'n berson bywiog. Dw i'n hoffi pobl a dw i'n hoffi trafod. Felly, es i i gael sgwrs gyda staff Gyrfa Cymru. Erbyn hyn, dw i'n hyfforddi i fod yn blismon. Mae'r gwaith yn heriol ond yn ddiddorol ac mae pob diwrnod yn wahanol. Does dim llawer o lefydd (lleoedd) ar y cwrs, ond mae'r heddlu yn edrych am bobl sy'n barod i weithio. Maen nhw'n chwilio am bobl sy'n gweithio yn dda mewn tîm a hefyd pobl sy'n siarad Cymraeg. Roedd hynny'n bwysig. Dysgais i siarad Cymraeg yn yr ysgol uwchradd, diolch byth. Mae'r ffaith mod i'n gallu siarad Cymraeg wedi fy helpu i gael gwaith dw i'n fwynhau, gwaith gyda dyfodol da.

NOSON GYRFAOEDD

TAFLEN GOFNODI'R YMGEISYDD

	Sara	Kevin	Ben	Nodiadau
Pwy sy'n astudio/wedi astudio ...				
mathemateg				
gwyddoniaeth				
technoleg gwybodaeth				
Bac Cymru				
Saesneg				
busnes				
Barn am yr ysgol/coleg				
gwaith caled				
mwynhau				
ddim eisiau aros yn yr ysgol/coleg				
mewn trwbwl yn aml				
yn ddiflas				
coleg ddim yn apelio				
Pwyntiau positif am y coleg/gwaith nawr/rŵan				
ffrindiau da ganddo				
cael hwyl ond helpu ei gilydd				
staff yn hapus i helpu				
anhygoel				
wrth ei bodd				
mwynhau bob dydd				
heriol ond yn ddiddorol				
pob diwrnod yn wahanol				
Beth maen nhw'n ddweud am y dyfodol?				
yn bwysig cael ffrindiau da				
eisiau astudio cyfrifiadureg yn y coleg yng Nghaerdydd				
cael profiad gwaith				
dysgu sgiliau newydd				
ennill llawer o arian				
yn mynd i fod yn blismon				
Beth arall maen nhw'n ddweud?				
bachgen yn gallu bod yn nyrs				
Mam yn dweud bod mecanig yn waith od i ferch				
siarad Cymraeg yn helpu pobl i gael gwaith				
dyfodol da gyda'r heddlu				

Yn olaf, bydd rhaid i chi gynnal trafodaeth rhwng **pâr** neu **grŵp o dri** yn seiliedig ar **gynnwys** y clip a **thema'r** clip (gan ddefnyddio'r daflen nodiadau i'ch helpu i gofio'r manylion).

NOSON GYRFAOEDD

TAFLEN GOFNODI'R YMGEISYDD

	Sara	Kevin	Ben	Nodiadau
Pwy sy'n astudio/wedi astudio …				
mathemateg				
gwyddoniaeth				
technoleg gwybodaeth				
Bac Cymru				
Saesneg				
busnes				
Barn am yr ysgol/coleg				
gwaith caled				
mwynhau				
ddim eisiau aros yn yr ysgol/coleg				
mewn trwbwl yn aml				
yn ddiflas				
coleg ddim yn apelio				
Pwyntiau positif am y coleg/gwaith nawr/rŵan				
ffrindiau da ganddo				
cael hwyl ond helpu ei gilydd				
staff yn hapus i helpu				
anhygoel				
wrth ei bodd				
mwynhau bob dydd				
heriol ond yn ddiddorol				
pob diwrnod yn wahanol				
Beth maen nhw'n ddweud am y dyfodol?				
yn bwysig cael ffrindiau da				
eisiau astudio cyfrifiadureg yn y coleg yng Nghaerdydd				
cael profiad gwaith				
dysgu sgiliau newydd				
ennill llawer o arian				
yn mynd i fod yn blismon				
Beth arall maen nhw'n ddweud?				
bachgen yn gallu bod yn nyrs				
Mam yn dweud bod mecanig yn waith od i ferch				
siarad Cymraeg yn helpu pobl i gael gwaith				
dyfodol da gyda'r heddlu				

Finally, you must have a discussion between a **pair** or a **group of three** based on the **content** and **theme** of the clip (using the notes page to help you memorise the details).

B: PWY NEU BETH SY'N EICH GWYLLTIO CHI?

Yn yr ail glip, ***Pwy neu beth sy'n eich gwylltio chi?*** mae:

(i) llawer o batrymau iaith sy'n mynegi barn:

Mae'n gas gen i
Mae'n ofnadwy
Dydy ... jyst ddim yn iawn
Dydy pobl ddim yn deall fod
Mae ... yn gallu bod yn gas/yn greulon/yn afiach iawn
Yn fy marn i mae ... yn broblem fawr

(ii) brawddegau sy'n ateb y cwestiwn: Pwy/Beth sy'n eich gwylltio chi?

Pobl sy ddim yn ...
Pobl sy'n ...
..., dyna beth sy'n fy ngwylltio i
Mae ... yn fy ngwylltio i
..., yn enwedig ... sy'n ...
e.e. *Merched, yn enwedig merched sy ar ddeiet o hyd*
Mae ... yn broblem ac mae'n fy ngwylltio i
... sy'n fy ngwylltio i. Wel, na, ddim pob ... ond ... sy'n ...
e.e. *Pobl sy'n ysmygu sy'n fy ngwylltio i. Wel, na, ddim pob person sy'n ysmygu ond pobl sy'n ysmygu tu allan i'r caffi neu'r siop.*

(iii) hefyd, cwestiynau rhethregol:

Pam? Does dim ateb gyda fi
Oes rhaid ...?
Beth sy'n bod gyda ...
Beth ydy'r broblem gyda ...
Fedrwch chi gredu'r fath beth?
Sôn am dwp!

(iv) geiriau/ymadroddion bach defnyddiol

efallai
yn bosibl
yn waeth fyth
llawer o bethau bach
yn waeth na hynny
yn enwedig
does dim esgus
diolch byth

Cyfarwyddiadau

Dysgwch y geiriau a'r patrymau hyn a defnyddiwch nhw pan fyddwch chi'n ymateb i'r clip:
Pwy neu beth sy'n eich gwylltio chi?

B: PWY NEU BETH SY'N EICH GWYLLTIO CHI? (*Who or what makes you angry?*)

In the second clip, '**Pwy neu beth sy'n eich gwylltio chi?**" there are:

(i) **language patterns that express opinions:**

Mae'n gas gen i
Mae'n ofnadwy (*terrible*)
Dydy ... jyst ddim yn iawn (*... is just not right*)
Dydy pobl ddim yn deall fod
Mae ... yn gallu bod yn gas/yn greulon/yn afiach (*vile*) iawn
Yn fy marn i mae ... yn broblem fawr

(ii) **sentences that answer the question: Pwy/Beth sy'n eich gwylltio chi?**

Pobl sy ddim yn ...
Pobl sy'n ...
..., dyna beth sy'n fy ngwylltio i (*that's what annoys me*)
Mae ... yn fy ngwylltio i (*... makes me angry*)
..., yn enwedig ... sy'n ... (*particularly ... which ...*)
e.e. Merched, yn enwedig merched sy ar ddeiet o hyd
Mae ... yn broblem ac mae'n fy ngwylltio i
... sy'n fy ngwylltio i. Wel, na, ddim pob ... ond ... sy'n ...
e.e. Pobl sy'n ysmygu sy'n fy ngwylltio i. Wel, na, ddim pob person sy'n ysmygu ond pobl sy'n ysmygu tu allan i'r caffi neu'r siop.

(iii) **also, rhetorical questions:**

Pam? Does dim ateb gyda fi (*Why? I don't have an answer*)
Oes rhaid ...?
Beth sy'n bod gyda ...
Beth ydy'r broblem gyda ...
Fedrwch chi gredu'r fath beth? (*Can you believe such a thing?*)
Sôn am dwp! (*Talk about being stupid!*)

(iv) **useful little words/phrases**

efallai
yn bosibl
yn waeth fyth (*worse still*)
llawer o bethau bach (*lots of little things*)
yn waeth na hynny (*worse than that*)
yn enwedig
does dim esgus (*there's no excuse*)
diolch byth (*thank goodness*)

Instructions

Learn these words and language patterns and use them when you respond to the clip:

Pwy neu beth sy'n eich gwyltio chi?

GWEITHGAREDDAU

Ymarfer y sgìl o wrando i wella gwaith trafod pâr/grŵp.

(1) Tasg wrth wylio/gwrando

- **Gwyliwch y clip a chwblhewch y tablau isod.**

Pwy neu beth sy'n gwylltio ...?	Ysmygu ✓	Merched ✓	Pobl fusneslyd ✓	Bwlio ✓
Person 1 (Twm)				
Person 2 (Georgia)				
Person 3 (Hannah)				
Person 4 (Alejandro)				

Gyda phwy ydych chi'n cytuno/anghytuno?	Cytuno	Anghytuno	Pam?
Person 1 (Twm)			
Person 2 (Georgia)			
Person 3 (Hannah)			
Person 4 (Alejandro)			

- Rhannwch eich barn gyda phartner neu mewn grŵp o 3 (*ar lafar, wrth gwrs*).
  Ydych chi i gyd yn rhannu'r un farn?
  Mae Martha wedi rhannu ei barn gyda phartner ar lafar. Darllenwch beth oedd gan Martha i'w ddweud a defnyddiwch yr iaith (mewn coch) a'r iaith yn y clip i'ch helpu. Mae sgript hefyd ar dudalen 60.

Wrth i chi ddarllen
- sylwch ar y defnydd o'r iaith mewn coch
- chwiliwch am yr ystyr
- dysgwch yr iaith
- defnyddiwch yr iaith

Mae'r geiriau mewn gwyrdd yn ddefnyddiol iawn:
- cytuno cant y cant
- siarad lot o sens
- siarad nonsens llwyr
- ar y llaw arall
- siarad trwy'i het
- yn hollol iawn
- ond i fod yn onest
- fel Georgia

Sylwch ar y defnydd o gwestiwn mewn porffor.
nag oes?
Beth sy'n bod gyda ...

Dw i'n cytuno cant y cant gyda Twm. Mae o'n siarad lot o sens pan mae e'n dweud bod pobl fusneslyd yn cario clecs ac eisiau gwybod popeth. Dw i'n casáu pobl fusneslyd. Mae Twm yn iawn, mae'r bobl yma'n byw yn y byd real. Mae rhai yn byw yn ein stryd ni.

Ar y llaw arall, dw i'n anghytuno'n llwyr gydag Alejandro. Mae e'n siarad nonsens. Dydy merched ddim jyst yn poeni am ffasiwn a deiet a gwallt. Beth sy'n bod gydag edrych yn smart? Mae pawb yn gwybod bod bwyta brecwast yn bwysig. Mae Alejandro'n siarad trwy'i het ac mae e'n swnio'n real poen.

Mae Georgia yn hollol iawn pan mae hi'n dweud bod ysmygu'n ei gwylltio hi, ond i fod yn onest, does dim llawer o bobl yn ysmygu mewn lleoedd cyhoeddus erbyn hyn, nag oes? Doeddwn i ddim yn gwybod bod 4000 o gemegion mewn sigarét ac fel Georgia does dim ateb gen i i'r broblem. Mae ysmygu'n afiach ac yn ddrwg i bobl , wrth gwrs ond yn fy marn i mae Vapes yn fwy ofnadwy os ydy hynny bosibl.

Bwlio sy'n gwylltio Hannah, meddai hi. Fel Twm, mae Hannah'n siarad lot o sens. Dydy bwlio jyst ddim yn iawn. Dw i'n hapus i glywed bod ysgolion yn gwneud lot i stopio bwlio ac mae cael help ar wefan yn wych, dw i'n meddwl.

ACTIVITIES

Practising the skill of listening to improve pair/group discussion work.

(1) **Viewing and listening task**

View the clip again and complete the tables below.

Pwy neu beth sy'n gwylltio ...?	Ysmygu ✓	Merched ✓	Pobl fusneslyd ✓	Bwlio ✓
Person 1 (Twm)				
Person 2 (Georgia)				
Person 3 (Hannah)				
Person 4 (Alejandro)				

Gyda phwy ydych chi'n cytuno/anghytuno?	Cytuno	Anghytuno	Pam?
Person 1 (Twm)			
Person 2 (Georgia)			
Person 3 (Hannah)			
Person 4 (Alejandro)			

- Share your opinion with a partner or amongst a group of three.
  Are you all of the same opinion?
  Martha has shared her opinion orally, with a partner. Read what Martha had to say and use the language items (in red print) and the language in the clip to help. The script is also available on page 61.

As you read
- note the use of the language in red print
- look for the meaning
- learn the language
- use the language

Ther language in green print is very useful:

cytuno cant y cant – *agree 100%*
siarad lot o sens – *speak a lot of sense*
siarad nonsens llwyr – *speaks total nonsesnse*
ar y llaw arall – *on the other hand*
siarad trwy'i het – *talks through his/her hat*
yn hollol iawn – *perfectly right*
ond i fod yn onest – *but to be honest*
fel Georgia – *like Georgia*

Note the use of a question in purple print.

nag oes? (*aren't there?*)
Beth sy'n bod gyda ... (*What's wrong with ...?*)

Dw i'n cytuno cant y cant gyda Twm. Mae o'n siarad lot o sens pan mae e'n dweud bod pobl fusneslyd yn cario clecs ac eisiau gwybod popeth. Dw i'n casáu pobl fusneslyd. Mae Twm yn iawn, mae'r bobl yma'n byw yn y byd real. Mae rhai yn byw yn ein stryd ni.

Ar y llaw arall, dw i'n anghytuno'n llwyr gydag Alejandro. Mae e'n siarad nonsens. Dydy merched ddim jyst yn poeni am ffasiwn a deiet a gwallt. Beth sy'n bod gydag edrych yn smart? Mae pawb yn gwybod bod bwyta brecwast yn bwysig. Mae Alejandro'n siarad trwy'i het ac mae e'n swnio'n real poen.

Mae Georgia yn hollol iawn pan mae hi'n dweud bod ysmygu'n ei gwylltio hi, ond i fod yn onest, does dim llawer o bobl yn ysmygu mewn lleoedd cyhoeddus erbyn hyn, nag oes? Doeddwn i ddim yn gwybod bod 4000 o gemegion mewn sigarét ac fel Georgia does dim ateb gen i i'r broblem. Mae ysmygu'n afiach ac yn ddrwg i bobl , wrth gwrs ond yn fy marn i mae Vapes yn fwy ofnadwy os ydy hynny bosibl.

Bwlio sy'n gwylltio Hannah, meddai hi. Fel Twm, mae Hannah'n siarad lot o sens. Dydy bwlio jyst ddim yn iawn. Dw i'n hapus i glywed bod ysgolion yn gwneud lot i stopio bwlio ac mae cael help ar wefan yn wych, dw i'n meddwl.

(2) **Tasg wrth wylio/gwrando**

- **Pa strategaethau deall iaith sy'n mynd i'ch helpu i ddod o hyd i ystyr y geiriau/ymadroddion canlynol?** (Ydych chi'n gwybod y gwahaniaeth rhwng y geiriau/ymadroddion yn y blychau oren a'r rhai mewn blychau porffor?)

yn afiach	yn dwp	yn broblem	yn gas
ddim yn bwyta brecwast	yn wael	yn ofnadwy	yn cario clecs
yn poeni am ffasiwn	ddim yn iawn	yn ddrwg i bobl	eisiau gwybod popeth

- **Ar ôl dod o hyd i ystyr y geiriau byddwch yn gallu cwblhau'r 4 brawddeg isod sy'n dweud beth mae pob un o'r bobl yn y clip yn ddweud am y pethau sy'n eu gwylltio nhw.**
- **Darllenwch y brawddegau i gael syniad o'r dasg ac yna gwyliwch y clip** *Pwy neu beth sy'n eich gwylltio chi?* **unwaith eto.**

1	yn broblem	yn gas	eisiau gwybod popeth	ddim yn bwyta brecwast	yn cario clecs
Mae Twm (Person 1) yn dweud bod pobl fusneslyd ...					

2	yn afiach	yn dwp	ddim yn iawn	yn wael	yn ddrwg i bobl
Mae Georgia (Person 2) yn dweud bod ysmygu ...					

3	ddim yn iawn	yn ddrwg i bobl	yn ofnadwy	yn wael	yn broblem
Mae Hannah (Person 3) yn dweud bod bwlio ...					

4	yn cario clecs	yn poeni am ffasiwn etc	ddim yn bwyta brecwast	yn dwp	yn wael
Mae Alejandro (Person 4) yn dweud bod ei chwaer, Jamila ...					

(2) Viewing/Listening Task

- **Which strategies for understanding language are going to help you find the meaning of the following words/phrases?** (Do you know the difference between the words/phrases in the orange boxes to those in in the purple ones?)

yn afiach	yn dwp	yn broblem	yn gas
ddim yn bwyta brecwast	yn wael	yn ofnadwy	yn cario clecs
yn poeni am ffasiwn	ddim yn iawn	yn ddrwg i bobl	eisiau gwybod popeth

- **After finding out the meaning of the above, you will be able to complete the 4 sentences below which express what each of the people in the clip says about the things that make them angry.**
- **Read the sentences to have a feel for the nature of the task and then view the** *Pwy neu beth sy'n eich gwylltio chi?* **clip once more.**

1	yn broblem	yn gas	eisiau gwybod popeth	ddim yn bwyta brecwast	yn cario clecs
Mae Twm (Person 1) yn dweud bod pobl fusneslyd ...					

2	yn afiach	yn dwp	ddim yn iawn	yn wael	yn ddrwg i bobl
Mae Georgia (Person 2) yn dweud bod ysmygu ...					

3	ddim yn iawn	yn ddrwg i bobl	yn ofnadwy	yn wael	yn broblem
Mae Hannah (Person 3) yn dweud bod bwlio ...					

4	yn cario clecs	yn poeni am ffasiwn etc	ddim yn bwyta brecwast	yn dwp	yn wael
Mae Alejandro (Person 4) yn dweud bod ei chwaer, Jamila ...					

Rydych chi wedi gwrando ar y clip ***Pwy neu beth sy'n eich gwylltio chi?***
Y tro hwn, gwnewch gopi o'r grid sy ar y dudalen nesaf cyn gwylio'r clip a chwblhau cymaint ohono â phosibl. **Cofiwch mai'r gwylio/gwrando sy'n bwysig**.

SGRIPT: Pwy neu beth sy'n eich gwylltio chi?

Cyd-destun: *4 o bobl ifanc yn cael eu recordio gan radio lleol. Maen nhw'n ateb y cwestiwn, Pwy neu beth sy'n eich gwylltio chi?*

Cyflwynydd: Noswaith dda. Heno hoffen ni ofyn y cwestiwn, "Pwy neu beth sy'n eich gwylltio chi?" Cwestiwn syml? Efallai! Cwestiwn anodd? Yn bosibl! Gwrandewch yn ofalus ar atebion y bobl ifanc. Ydyn nhw'n debyg i chi neu ydyn nhw'n wahanol?

Twm: "Beth sy'n fy ngwylltio i?" Pobl sy ddim yn helpu. Pobl sy'n cwyno o hyd ac o hyd ac yn waeth fyth, pobl fusneslyd. Rwy'n mwynhau gwylio operâu sebon ar y teledu weithiau ond mae'n gas gen i'r person busneslyd. Mae person busneslyd ar bob opera sebon. Maen nhw eisiau gwybod popeth ac maen nhw'n cario clecs bob amser. Mae'r person yma'n gas. Ond mae pobl fel hyn yn byw yn fy ardal i hefyd. Maen nhw'n byw yn y byd real. Dyna sy'n fy ngwylltio i.

Georgia: Mae llawer o bethau bach yn fy ngwylltio i, fel fy chwaer yn gwneud llanast yn ein stafell wely ni. Ond yn waeth na hyn, mae'n gas gen i ysmygu, yn enwedig pobl sy'n ysmygu mewn lleoedd cyhoeddus fel tu allan i'r siop neu tu allan i'r dafarn. Dydy pobl ddim yn gallu ysmygu yn y siopau neu ar y bysiau erbyn hyn, ond maen nhw'n gallu ysmygu yn yr orsaf bysiau. Hefyd maen nhw'n sefyll tu allan i'r caffi neu'r siop yn ysmygu. Dydy pobl ddim yn deall fod ysmygu yn wael ac yn afiach ac yn ddrwg i iechyd pobl. Mae dros 4000 o gemegion mewn sigarét ond mae 21% o bobl Cymru yn ysmygu bob dydd. Pam? Does dim ateb gyda fi.

Hannah: Bwlio. Mae bwlio yn fy ngwylltio i. Mae bwlio yn digwydd yn yr ysgol, yn y gwaith ac yn y cartref. Mae'n ofnadwy. Does dim esgus, dydy bwlio jyst ddim yn iawn. Roeddwn i'n arfer cael fy mwlio yn yr ysgol gynradd achos roeddwn i'n siarad iaith wahanol. Symudais i Gymru yn wyth oed. Roedden ni'n arfer byw yn El Salvador. Roeddwn i'n edrych yn wahanol ac yn siarad Sbaeneg. Mae plant bach yn gallu bod yn gas iawn. Rydw i wedi clywed storïau am fwlio mewn ysgolion uwchradd hefyd; clywed am blant yn colli arian cinio, plant yn cael eu brifo. Diolch byth, mae ysgolion yn gwneud lot i stopio bwlio erbyn hyn. Mae 'na hefyd sawl gwefan sy'n helpu atal bwlio. Mae bwlio'n broblem fawr ac mae'n fy ngwylltio i.

Alejandro: Merched sy'n fy ngwylltio i! Wel, na, dim pob merch. Ond merched sy'n poeni am ffasiwn a deiet a gwallt a dim byd arall. Merched fel fy chwaer a'i ffrindiau. Oes rhaid dilyn ffasiwn? Oes rhaid cael treinyrs Converse? Oes rhaid cael y lliw iawn? Beth sy'n bod gyda dillad yr archfarchnadoedd fel Tesco ac Asda? Maen nhw'n bris rhesymol ac yn ddigon smart. Hefyd beth ydy'r broblem gyda gwallt cyrliog? Oes rhaid cael gwallt syth? Mae fy chwaer yn treulio awr yn gwneud ei gwallt bob bore. Wedyn dydy hi ddim yn bwyta brecwast achos does dim amser gyda hi. Mae'n bwysig iawn bwyta brecwast, yn enwedig cyn mynd i'r ysgol. Diolch byth bod merched call yn yr ysgol hefyd – dim jyst merched twp fel Jamila a'i ffrindiau.

You have listened to the ***Pwy neu beth sy'n eich gwylltio chi?*** clip.
This time, copy the grid which is on the next page before viewing the clip and completing as much as possible of it. **Remember that the focus is on viewing/listening**.

SGRIPT: **Pwy neu beth sy'n eich gwylltio chi?**

Cyd-destun: *4 o bobl ifanc yn cael eu recordio gan radio lleol. Maen nhw'n ateb y cwestiwn, Pwy neu beth sy'n eich gwylltio chi?*

Cyflwynydd: Noswaith dda. Heno hoffen ni ofyn y cwestiwn, "Pwy neu beth sy'n eich gwylltio chi?" Cwestiwn syml? Efallai! Cwestiwn anodd? Yn bosibl! Gwrandewch yn ofalus ar atebion y bobl ifanc. Ydyn nhw'n debyg i chi neu ydyn nhw'n wahanol?

Twm: "Beth sy'n fy ngwylltio i?" Pobl sy ddim yn helpu. Pobl sy'n cwyno o hyd ac o hyd ac yn waeth fyth, pobl fusneslyd. Rwy'n mwynhau gwylio operâu sebon ar y teledu weithiau ond mae'n gas gen i'r person busneslyd. Mae person busneslyd ar bob opera sebon. Maen nhw eisiau gwybod popeth ac maen nhw'n cario clecs bob amser. Mae'r person yma'n gas. Ond mae pobl fel hyn yn byw yn fy ardal i hefyd. Maen nhw'n byw yn y byd real. Dyna sy'n fy ngwylltio i.

Georgia: Mae llawer o bethau bach yn fy ngwylltio i, fel fy chwaer yn gwneud llanast yn ein stafell wely ni. Ond yn waeth na hyn, mae'n gas gen i ysmygu, yn enwedig pobl sy'n ysmygu mewn lleoedd cyhoeddus fel tu allan i'r siop neu tu allan i'r dafarn. Dydy pobl ddim yn gallu ysmygu yn y siopau neu ar y bysiau erbyn hyn, ond maen nhw'n gallu ysmygu yn yr orsaf bysiau. Hefyd maen nhw'n sefyll tu allan i'r caffi neu'r siop yn ysmygu. Dydy pobl ddim yn deall fod ysmygu yn wael ac yn afiach ac yn ddrwg i iechyd pobl. Mae dros 4000 o gemegion mewn sigarét ond mae 21% o bobl Cymru yn ysmygu bob dydd. Pam? Does dim ateb gyda fi.

Hannah: Bwlio. Mae bwlio yn fy ngwylltio i. Mae bwlio yn digwydd yn yr ysgol, yn y gwaith ac yn y cartref. Mae'n ofnadwy. Does dim esgus, dydy bwlio jyst ddim yn iawn. Roeddwn i'n arfer cael fy mwlio yn yr ysgol gynradd achos roeddwn i'n siarad iaith wahanol. Symudais i Gymru yn wyth oed. Roedden ni'n arfer byw yn El Salvador. Roeddwn i'n edrych yn wahanol ac yn siarad Sbaeneg. Mae plant bach yn gallu bod yn gas iawn. Rydw i wedi clywed storïau am fwlio mewn ysgolion uwchradd hefyd; clywed am blant yn colli arian cinio, plant yn cael eu brifo. Diolch byth, mae ysgolion yn gwneud lot i stopio bwlio erbyn hyn. Mae 'na hefyd sawl gwefan sy'n helpu atal bwlio. Mae bwlio'n broblem fawr ac mae'n fy ngwylltio i.

Alejandro: Merched sy'n fy ngwylltio i! Wel, na, dim pob merch. Ond merched sy'n poeni am ffasiwn a deiet a gwallt a dim byd arall. Merched fel fy chwaer a'i ffrindiau. Oes rhaid dilyn ffasiwn? Oes rhaid cael treinyrs Converse? Oes rhaid cael y lliw iawn? Beth sy'n bod gyda dillad yr archfarchnadoedd fel Tesco ac Asda? Maen nhw'n bris rhesymol ac yn ddigon smart. Hefyd beth ydy'r broblem gyda gwallt cyrliog? Oes rhaid cael gwallt syth? Mae fy chwaer yn treulio awr yn gwneud ei gwallt bob bore. Wedyn dydy hi ddim yn bwyta brecwast achos does dim amser gyda hi. Mae'n bwysig iawn bwyta brecwast, yn enwedig cyn mynd i'r ysgol. Diolch byth bod merched call yn yr ysgol hefyd – dim jyst merched twp fel Jamila a'i ffrindiau.

PWY NEU BETH SY'N EICH GWYLLTIO CHI? **TAFLEN GOFNODI'R YMGEISYDD**

Pwy neu beth sy'n gwylltio Twm (Person 1) Georgia, (Person 2) Hannah, (Person3) ac Alejandro (Person 4)?	Twm	Georgia	Hannah	Alejandro
(i) pobl fusneslyd /sy'n cwyno/sy ddim yn helpu				
(ii) ei chwaer				
(iii) pobl mewn caffi				
(iv) pobl sy'n ysmygu				
(v) operâu sebon				
(vi) bwlio				
(vii) merched				
Pam maen nhw'n gwylltio pobl?				
(i) eisiau gwybod popeth				
(ii) yn cario clecs				
(iii) yn bobl gas				
(iv) yn gadael llanast				
(v) ysmygu mewn lleoedd cyhoeddus				
(vi) ysmygu tu allan i'r caffi/siop				
(vii) ofnadwy				
(viii) jyst ddim yn iawn				
(ix) plant yn colli arian cinio				
(x) plant yn cael eu brifo				
(xi) poeni am ffasiwn, gwallt a deiet . . . a dim byd arall				
(xii) dim amser i fwyta brecwast				
Beth arall maen nhw'n ddweud?				
(i) pobl fusneslyd yn y byd real				
(ii) ysmygu'n afiach ac yn ddrwg i iechyd pobl				
(iii) 21% o bobl yn dal i ysmygu				
(iv) cael ei bwlio'n yr ysgol				
(v) plant bach yn gallu bod yn gas				
(vi) ysgolion yn trio stopio bwlio				
(vii) problem fawr				
(viii) dillad *designer* yn bwysig?				
(ix) dillad o'r archfarchnad yn iawn?				
(x) brecwast yn bwysig				
(xi) pob merch ddim fel ei chwaer				
Nodiadau:				

Nawr, gobeithio eich bod wedi cael digon o ymarfer gwrando a bod gennych chi ddigon o eirfa a phatrymau iaith i'ch helpu i gynnal trafodaeth mewn **pâr** neu **grŵp o dri** yn seiliedig ar **gynnwys** y clip a **thema**'r clip (gan ddefnyddio'r daflen nodiadau i'ch helpu i gofio'r manylion). **HEFYD yn Uned 1 B (7) mae grŵp o dri ffrind yn ymateb i'r clip *Banio ffonau symudol* ... Byddai'n syniad da darllen yr ymateb yma eto i'ch atgoffa sut i ymateb i sbardun gweledol.**

PWY NEU BETH SY'N EICH GWYLLTIO CHI? TAFLEN GOFNODI'R YMGEISYDD

Pwy neu beth sy'n gwylltio Twm (Person 1) Georgia, (Person 2) Hannah, (Person3) ac Alejandro (Person 4)?	Twm	Georgia	Hannah	Alejandro
(i) pobl fusneslyd /sy'n cwyno/sy ddim yn helpu				
(ii) ei chwaer				
(iii) pobl mewn caffi				
(iv) pobl sy'n ysmygu				
(v) operâu sebon				
(vi) bwlio				
(vii) merched				
Pam maen nhw'n gwylltio pobl?				
(i) eisiau gwybod popeth				
(ii) yn cario clecs				
(iii) yn bobl gas				
(iv) yn gadael llanast				
(v) ysmygu mewn lleoedd cyhoeddus				
(vi) ysmygu tu allan i'r caffi/siop				
(vii) ofnadwy				
(viii) jyst ddim yn iawn				
(ix) plant yn colli arian cinio				
(x) plant yn cael eu brifo				
(xi) poeni am ffasiwn, gwallt a deiet . . . a dim byd arall				
(xii) dim amser i fwyta brecwast				
Beth arall maen nhw'n ddweud?				
(i) pobl fusneslyd yn y byd real				
(ii) ysmygu'n afiach ac yn ddrwg i iechyd pobl				
(iii) 21% o bobl yn dal i ysmygu				
(iv) cael ei bwlio'n yr ysgol				
(v) plant bach yn gallu bod yn gas				
(vi) ysgolion yn trio stopio bwlio				
(vii) problem fawr				
(viii) dillad *designer* yn bwysig?				
(ix) dillad o'r archfarchnad yn iawn?				
(x) brecwast yn bwysig				
(xi) pob merch ddim fel ei chwaer				

Nodiadau:

Hopefully, you have, by now, had plenty of listening practise and have enough vocabulary and language patterns to help you sustain a discussion with a partner or in a group of three based on the content and theme of the clip (using the notes page to help memorise the details). Also, in Uned 1 B (7), a group of three friends respond to the *Banio ffonau symudol …* clip. It would be advisable to read this response again to remind yourself how to respond to a visual stimulus.

UNED 2 Cyfathrebu ag eraill

A: YR ASESIAD

1 Hyd yr asesiad: 06 – 08 munud (pâr)
08 – 10 munud (grŵp)

2 Sawl tasg: **1**

3 Sawl marc: **50**

4 **Y sgiliau**
Siarad: 20%
Gwrando: 05%

Felly mae'r **pwyslais** yn Uned 2 ar y **Siarad**

Y Dasg

Ymateb ar lafar a gwrando ar gyfoedion trwy gydadweithio gyda phartner neu mewn grŵp o dri.

Disgwylir i ymgeiswyr fynegi a chefnogi barn yn seiliedig ar sbardun sy'n gyfuniad o:

- graffiau
- tablau
- lluniau
- posteri
- testunau darllen byr (rhoi gwybodaeth)
- testunau darllen byr (yn mynegi barn)

Yn yr asesiad diarholiad disgwylir i ymgeiswyr ddangos eu bod yn gallu cymryd rhan mewn trafodaeth pâr/grŵp o dri gan:

- gyfathrebu a rhyngweithio'n ddigymell ag eraill
- gwrando ac ymateb i gyfraniadau gan eraill
- mynegi barn am bynciau amrywiol a chyfiawnhau barn.

(*Manyleb TGAU Cymraeg Ail Iaith tud.11*)

Ar y dudalen nesaf mae **CERDYN HELP TRAFOD GRŴP**.

DYSGWCH y patrymau iaith gan ddefnyddio'r gemau a'r gweithgareddau ar **dudalen 68** i wneud y dysgu'n hwyl.

A: The assessment

1 Duration of assessment: 06 – 08 minute (pair)
08 – 10 minute (group)

2 Number of tasks: 1

3 How many marks: **50**

4 **The skills**
Speaking: 20%
Listening: 05%

Therefore the **emphasis** in Unit 2 is on **Speaking**

The task

To respond orally and listen to peers by interacting with a partner or in a group of three.

Candidates are expected to express and support opinions based on triggers such as a combination of:

- graphs
- tables
- pictures
- posters
- short reading texts (giving information)
- short reading texts (expressing opinion)

In the non-examination assessment candidates are expected to demonstrate that they are able to take part in pair/group of three discussion by:

- communicating and interacting spontaneously with others
- listening and responding to contributions from others
- expressing opinions on various topics and justifying those views.

(*GCSE Specification Welsh Second Language pg.11*)

On the next page there is a **HELP CARD FOR GROUP DISCUSSION**.

LEARN the language patterns using the games and activities on page 69 to make the learning fun.

CERDYN HELP

Cyn yr asesiad llafar dylech fod yn cael digon o gyfleoedd yn ystod y cwrs i ymarfer a dysgu'r patrymau iaith canlynol.

Cyngor

1. **Edrychwch ar y lluniau**
2. **Siaradwch gyda'ch gilydd**
3. **Cynlluniwch gyda'ch gilydd**
4. **Gwrandewch ar eich gilydd**
5. **Helpwch eich gilydd**
6. **Byddwch yn deg i'ch gilydd**

Wyt ti'n cytuno? *Do you agree?*
Beth ydy dy farn di? *What's your opinion?*
Beth wyt ti'n meddwl? *What do you think?*
Beth amdanat ti? *What about you?*
Oes barn gyda ti? *Have you got an opinion?*
Oes rheswm gyda ti? *Have you got a reason?*
Pam wyt ti'n cytuno? *Why do you agree?*
Pam wyt ti'n anghytuno? *Why do you disagree?*
Oes syniad arall gyda ti? *Have you got another idea?*
Oes syniadau eraill gyda ti? *Have you got other ideas?*
Unrhyw beth arall? *Anything else?*
Beth arall? *What else?*

Rydw i'n / Dw i'n cytuno gyda *I agree with*
Dw i ddim yn cytuno gyda *I don't agree with*
Dw i'n anghytuno gyda *I disagree with*
Dw i'n meddwl bod *I think that*
Dw i'n hoffi / mwynhau *I like / enjoy*
Mae'n well gyda fi *I prefer* **Mae'n gas gyda fi** *I hate*
Mae gen i / Mae _____ gyda fi *I have got*
Does gen i ddim / Does dim _____ gyda fi *I haven't got*
Fy hoff _____ ydy *My favourite _____ is*
Ein hoff _____ ydy *Our favourite _____* is

Roeddwn i'n arfer *I used to*
Roeddwn i'n _____ *I was _____*
Es i *I went* **Aethon ni** *We went*
Ces i *I had* **Cawson ni** *We had*
Gwyliais i / Chwaraeais i *I watched / I played*

Bydda i'n *I will* (Bydda i'n mynd i'r traeth)
Bydd yn *It will be*
Baswn i'n *I would* (Baswn i'n hoffi sgio)
Baswn i'n dewis *I would choose*
Baswn i'n awgrymu *I would suggest*
Faswn i ddim *I wouldn't*
Hoffwn i *I would like* (Hoffwn i syrffio)
Hoffwn i awgrymu *I would like to suggest*
Hoffwn i ddysgu *I would like to learn*

Roedd _____ yn dweud _____ *was saying*
Mae _____ yn dweud _____ *is saying*
Ym marn _____ *In _____'s opinion*
Yn ôl _____ *According to _____*
Mae _____ yn meddwl bod _____ *thinks that*

Roeddwn i'n cytuno gyda *I agreed with*
Doeddwn i ddim yn cytuno gyda *I didn't agree with*

syniad da / syniad gwych / syniad twp *a good suggestion / a great suggestion / a stupid suggestion*
Pam lai! *Why not!*
Beth yw'r ots? *Who cares?*
Beth yw'r pwynt? *What's the point?*
Dim gobaith *Not a hope* **chwaith** *either*
efallai *maybe / perhaps* **yn enwedig** *especially*
weithiau *sometimes* **yn aml** *often*
byth *never* **fel arfer** *usually*
felly *therefore / so*
o dro i dro *from time to time*

HELP CARD

Before the oral assessment, you should be having plenty of opportunities to practise and learn the following language patterns.

Cyngor (*Advice*)

1. **Edrychwch ar y lluniau** (*Look at the pictures*)
2. **Siaradwch gyda'ch gilydd** (*Talk together*)
3. **Cynlluniwch gyda'ch gilydd** (*Plan together*)
4. **Gwrandewch ar eich gilydd** (*Listen to each other*)
5. **Helpwch eich gilydd** (*Help each other*)
6. **Byddwch yn deg i'ch gilydd** (*Be fair to each other*)

Wyt ti'n cytuno? *Do you agree?*
Beth ydy dy farn di? *What's your opinion?*
Beth wyt ti'n meddwl? *What do you think?*
Beth amdanat ti? *What about you?*
Oes barn gyda ti? *Have you got an opinion?*
Oes rheswm gyda ti? *Have you got a reason?*
Pam wyt ti'n cytuno? *Why do you agree?*
Pam wyt ti'n anghytuno? *Why do you disagree?*
Oes syniad arall gyda ti? *Have you got another idea?*
Oes syniadau eraill gyda ti? *Have you got other ideas?*
Unrhyw beth arall? *Anything else?*
Beth arall? *What else?*

Rydw i'n / Dw i'n cytuno gyda *I agree with*
Dw i ddim yn cytuno gyda *I don't agree with*
Dw i'n anghytuno gyda *I disagree with*
Dw i'n meddwl bod *I think that*
Dw i'n hoffi / mwynhau *I like / enjoy*
Mae'n well gyda fi *I prefer* **Mae'n gas gyda fi** *I hate*
Mae gen i / Mae _____ gyda fi *I have got*
Does gen i ddim / Does dim _____ gyda fi *I haven't got*
Fy hoff _____ ydy *My favourite _____ is*
Ein hoff _____ ydy *Our favourite _____* is
Roeddwn i'n arfer *I used to*
Roeddwn i'n _____ *I was _____*
Es i *I went* **Aethon ni** *We went*
Ces i *I had* **Cawson ni** *We had*
Gwyliais i / Chwaraeais i *I watched / I played*
Bydda i'n *I will* (Bydda i'n mynd i'r traeth)
Bydd yn *It will be*
Baswn i'n *I would* (Baswn i'n hoffi sgio)
Baswn i'n dewis *I would choose*
Baswn i'n awgrymu *I would suggest*
Faswn i ddim *I wouldn't*
Hoffwn i *I would like* (Hoffwn i syrffio)
Hoffwn i awgrymu *I would like to suggest*
Hoffwn i ddysgu *I would like to learn*

Roedd _____ yn dweud _____ *was saying*
Mae _____ yn dweud _____ *is saying*
Ym marn _____ *In _____'s opinion*
Yn ôl _____ *According to _____*
Mae _____ yn meddwl bod _____ *thinks that*
Roeddwn i'n cytuno gyda *I agreed with*
Doeddwn i ddim yn cytuno gyda *I didn't agree with*

syniad da / syniad gwych / syniad twp *a good suggestion / a great suggestion / a stupid suggestion*
Pam lai! *Why not!*
Beth yw'r ots? *Who cares?*
Beth yw'r pwynt? *What's the point?*
Dim gobaith *Not a hope* **chwaith** *either*
efallai *maybe / perhaps* **yn enwedig** *especially*
weithiau *sometimes* **yn aml** *often*
byth *never* **fel arfer** *usually*
felly *therefore / so*
o dro i dro *from time to time*

Gemau a gweithgareddau sy'n gwneud dysgu patrymau iaith yn hwyl.

1 **GWAITH PÂR:**

(i) Ar eich pen eich hun dewiswch **UN** frawddeg neu idiom **o bob un** o'r pedwar blwch ar y **CERDYN HELP**.

(ii) Gwnewch yn siŵr eich bod yn darllen ac yn ynganu'n gywir.

(iii) Dysgwch y bedair brawddeg ar lafar ac yn ysgrifenedig.

(iv) Rhannwch y brawddegau/idiomau rydych wedi'u dysgu gyda phartner.

(v) Gofynnwch i'ch partner rannu'r brawddegau/idiomau mae e/hi wedi'u dysgu gyda chi.

Nawr rydych chi wedi dysgu **8** brawddeg!

Mae'n syniad gwneud hyn yn rheolaidd (*regularly*) nes byddwch wedi dysgu pob un.

2 **Gweithgaredd**: Ydych chi'n gallu paru'r brawddegau Cymraeg yn 'Colofn A' gyda'r brawddegau Saesneg yn 'Colofn B'?

Peidiwch â chael eich temtio i edrych ar y **CERDYN HELP!**

Colofn A	Colofn B
Beth ydy dy farn di?	*I prefer …*
Pam wyt ti'n anghytuno gyda/efo …?	*Perhaps*
Oes syniadau eraill gen ti/gyda ti?	*Do you believe that …?*
Mae'n well gen i/gyda fi …	*… had a good idea*
Baswn i'n dewis …	*My favourite … is …*
Hoffwn i awgrymu …	*According to …*
Wyt ti'n credu bod …?	*What about you?*
Syniad gwych	*Do you have a reason?*
Beth amdanat ti?	*What is your opinion?*
Roeddwn i'n arfer …	*… thinks that …*
Efallai	*Do you agree with …?*
Fy hoff … ydy …	*Why do you disagree with …?*
Beth yw'r ots?/Beth ydy'r ots?	*I used to …*
Yn fy marn i mae … yn ……	*I'd like to suggest …*
Faswn i ddim yn dweud bod …	*Have you any other ideas?*
Yn ôl …	*Great idea*
Wyt ti'n cytuno gyda …?	*I wouldn't say that …*
Oes rheswm gyda ti/gen ti?	*What does it matter?*
Mae … yn meddwl bod …	*In my opinion … is …*
Roedd syniad da gyda …/gan …	*I'd choose …*

Games and activities that make learning language patterns fun.

1 **PAIR WORK:**

(i) On your own choose **ONE** sentence or idiom **from each** of the four boxes on the **CERDYN HELP**.

(ii) Make sure that you read and pronounce correctly.

(iii) Learn the four sentences orally and in written form.

(iv) Share the sentences/idioms you have chosen with a partner.

(v) Ask your partner to share his/her chosen sentences/idioms with you.

Now you have learnt **8** sentences!

It's a good idea to do this regularly until such time that you have learnt them all.

2 **Gweithgaredd**: Are you able to match the Welsh sentences in 'Colofn A' to the English sentences in 'Colofn B'?

Don't be tempted to look at the **CERDYN HELP!**

Colofn A	Colofn B
Beth ydy dy farn di?	*I prefer . . .*
Pam wyt ti'n anghytuno gyda/efo . . .?	*Perhaps*
Oes syniadau eraill gen ti/gyda ti?	*Do you believe that . . .?*
Mae'n well gen i/gyda fi . . .	*. . . had a good idea*
Baswn i'n dewis . . .	*My favourite . . . is . . .*
Hoffwn i awgrymu . . .	*According to . . .*
Wyt ti'n credu bod . . .?	*What about you?*
Syniad gwych	*Do you have a reason?*
Beth amdanat ti?	*What is your opinion?*
Roeddwn i'n arfer . . .	*. . . thinks that . . .*
Efallai	*Do you agree with . . .?*
Fy hoff . . . ydy . . .	*Why do you disagree with . . .?*
Beth yw'r ots?/Beth ydy'r ots?	*I used to . . .*
Yn fy marn i mae . . . yn	*I'd like to suggest . . .*
Faswn i ddim yn dweud bod . . .	*Have you any other ideas?*
Yn ôl . . .	*Great idea*
Wyt ti'n cytuno gyda . . .?	*I wouldn't say that . . .*
Oes rheswm gyda ti/gen ti?	*What does it matter?*
Mae . . . yn meddwl bod . . .	*In my opinion . . . is . . .*
Roedd syniad da gyda . . ./gan . . .	*I'd choose . . .*

3 Ymarfer defnyddio'r patrymau iaith.

Gorffennwch y deialogau (a) ar lafar gyda phartner (b) yn ysgrifenedig ar eich pen eich hun. Defnyddiwch y patrymau iaith yn rhif 2 ar dudalen 68.

(i) Darllen llyfr neu gwylio DVD?

Amy: Mae'n well gen i wylio DVD. Wyt ti'n cytuno?

Chi:

Amy:

Chi:

(ii) Gwylio gêm neu chwarae gêm?

Josh: Dw i wrth fy modd yn gwylio pêl-droed ar y teledu. Dw i'n cefnogi Everton ond mae'n well gen i chwarae pêl-droed yn yr ysgol ar ddydd Sadwrn.

Chi:

Josh:

Chi:

(iii) Opera sebon neu rhaglen realiti?

Olivia: Roeddwn i'n arfer gwylio *Eastenders* ond erbyn hyn mae'n well gen i wylio rhaglen realiti fel *Strictly* neu *Big Brother*. Mae operâu sebon yn gallu bod yn ddiflas, dw i'n meddwl.

Chi:

Olivia:

Chi:

3 **Making use of the language patterns.**

Complete the following dialogues (a) orally with a partner (b) in written form as an individual task. Use the language patterns in number 2 on page 69.

(i) Darllen llyfr neu gwylio DVD?

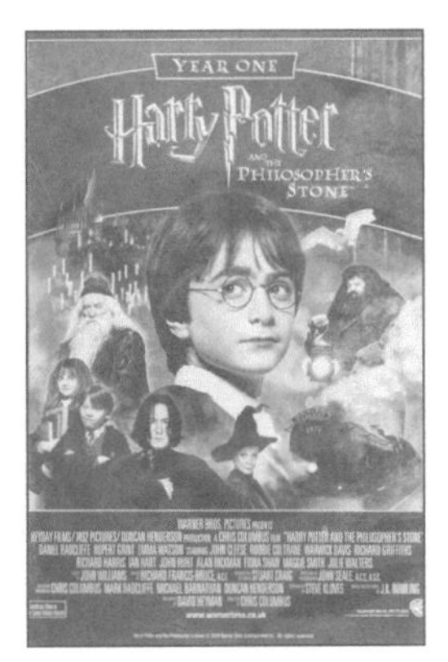

Amy: Mae'n well gen i wylio DVD. Wyt ti'n cytuno?

Chi:

Amy:

Chi:

(ii) Gwylio gêm neu chwarae gêm?

Josh: Dw i wrth fy modd yn gwylio pêl-droed ar y teledu. Dw i'n cefnogi Everton ond mae'n well gen i chwarae pêl-droed yn yr ysgol ar ddydd Sadwrn.

Chi:

Josh:

Chi:

(iii) Opera sebon neu rhaglen realiti?

Olivia: Roeddwn i'n arfer gwylio *Eastenders* ond erbyn hyn mae'n well gen i wylio rhaglen realiti fel *Strictly* neu *Big Brother*. Mae operâu sebon yn gallu bod yn ddiflas, dw i'n meddwl.

Chi:

Olivia:

Chi:

B: Sut bydd Uned 2 yn edrych?

'Cyn yr asesiad diarholiad dylai'r ymgeiswyr fod yn cael **digon o gyfleoedd yn ystod y cwrs** i ymarfer eu sgiliau siarad a gwrando mewn grwpiau'.

(*Manyleb TGAU Cymraeg Ail Iaith tud.11*)

1 **Dod i wybod sut bydd y sbardun yn edrych.**

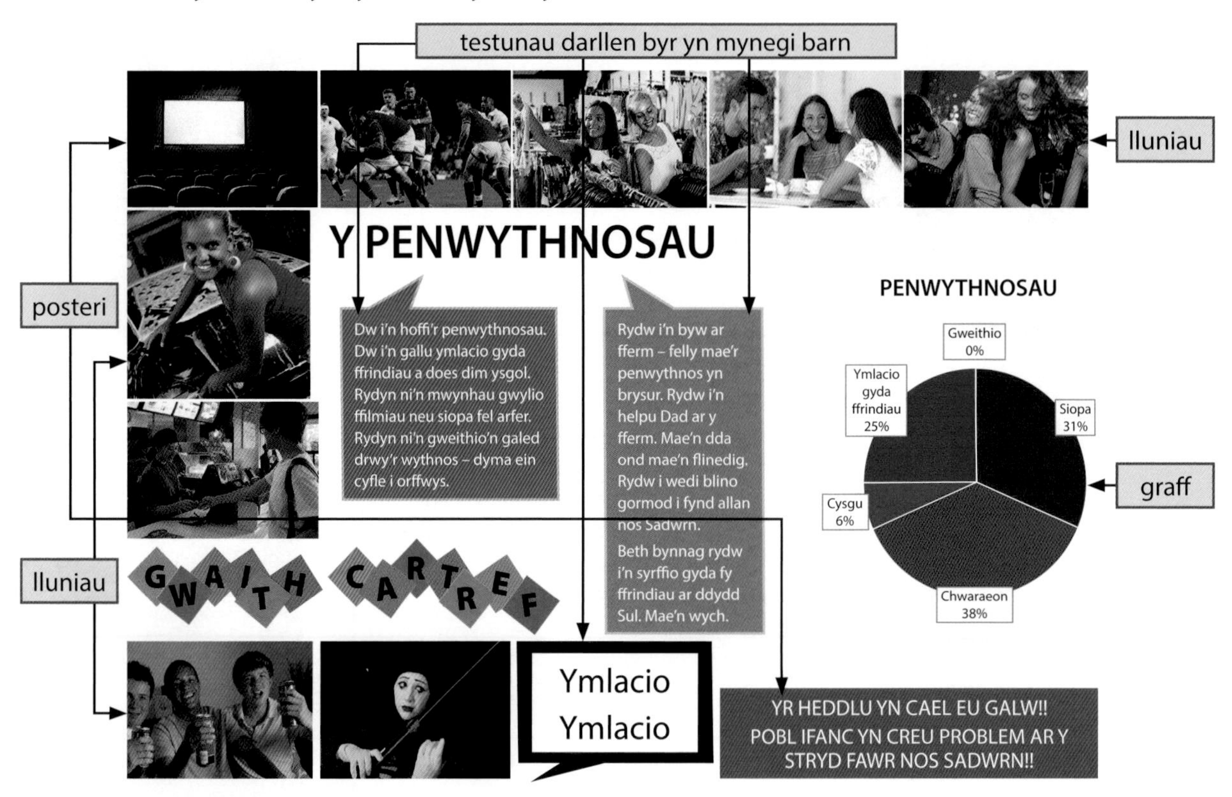

2 **Sut i ymateb i'r sbardun. Meini Prawf Llwyddiant ac enghreifftiau i'ch helpu.**
Bydd rhaid i chi:

(a) roi gwybodaeth trwy gyfeirio at y llun, y graff, y tabl, y testunau byr, y poster

(b) gwrando ac ymateb i aelodau eraill y grŵp (hynny yw: beth maen nhw'n ddweud am gynnwys y sbardun a hefyd eu barn am y testun)

(c) cyfeirio at/mynegi barn am gynnwys y sbardun a chynnig eich barn eich hun am y testun

(ch) cytuno neu anghytuno gyda'r grŵp a gofyn eu barn.

Llun: Diwrnod ar y traeth

Yn y llun, mae pawb yn chwarae criced ar lan y môr. (a)

Maen nhw'n mwynhau, dw i'n meddwl achos mae hi'n braf. Dw i wrth fy modd yn chwarae gemau ar y traeth achos dw i ddim yn mwynhau torheulo drwy'r amser. (b)

Beth ydy dy farn di, Chloe? (c)

B: How will Unit 2 look?

'Before the non-examination assessment candidates should have ***plenty of opportunities during the course*** *to practise their speaking skills in groups'.*

(GCSE Specification Welsh Second Language pg.11)

1 **Getting to know how the stimulus (trigger) will look.**

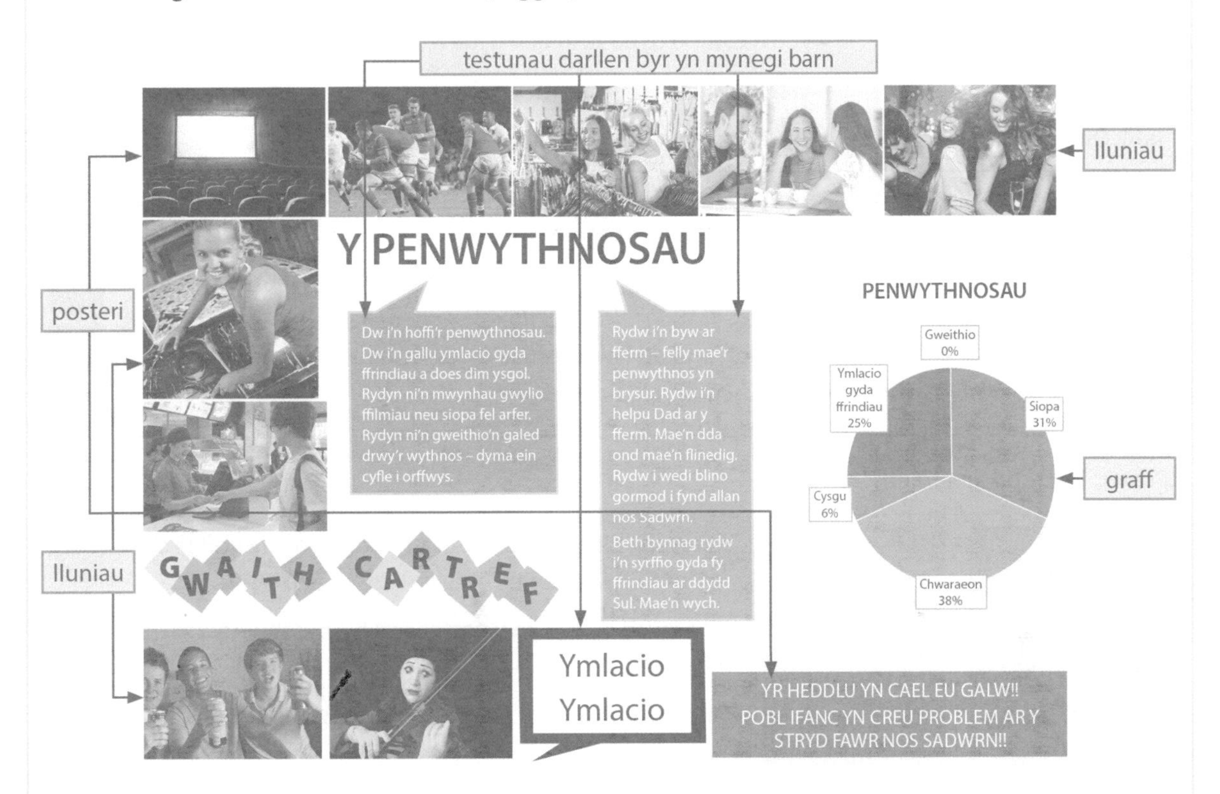

2 **How to respond to the stimulus. Success Criteria and examples to help you.**
You will have to:

(a) offer information by referring to the pictures, the graph, the table, the short text, the poster

(b) listen and respond to other members of the group (that is: what they are saying about the content of the stimulus and also their opinion about the topic)

(c) refer to/express opinion about the content of the stimulus and offer your opinion about the topic

(ch) agree or disagree with the group members and ask their opinion.

Llun: Diwrnod ar y traeth

Yn y llun, mae pawb yn chwarae criced ar lan y môr.

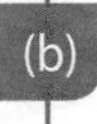

Maen nhw'n mwynhau, dw i'n meddwl achos mae hi'n braf. Dw i wrth fy modd yn chwarae gemau ar y traeth achos dw i ddim yn mwynhau torheulo drwy'r amser.

Beth ydy dy farn di, Chloe?

(c)

Testunau darllen byr: Diwrnod ar y traeth

Fel arfer, dw i'n hoffi mynd i'r traeth gyda fy ffrindiau yn yr haf. Rydyn ni'n cael llawer o hwyl yn chwarae pêl a nofio. (Josh)	Fel Josh, dw i'n hoffi mynd i'r traeth gyda fy ffrindiau ond maen nhw'n hoffi chwarae pêl a nofio. Mae'n well gen i dorheulo ac ymlacio.	(a)
	Wrth gwrs, bydda i'n chwarae gemau weithiau achos mae'n hwyl.	(c)
	Wyt ti'n cytuno gyda Josh neu gyda fi, James?	(ch)

Tabl: Diwrnod ar y traeth

10 o'r traethau mwyaf poblogaidd yng Nghymru: • Abersoch • Y Bermo • Cricieth • Llandudno • Llanddona (Sir Fôn) • Mymbls • Porthcawl • Llangrannog • Dinbych y Pysgod • Penrhyn Gwyr	Fedra i ddim cytuno gyda ti, Ffion pan rwyt ti'n dweud mai dy hoff draeth ydy traeth Y Bermo.	(b)
	Mae'n lân dros ben, fel rwyt ti'n awgrymu ond y traeth yn Abersoch, ar dop y rhestr, i mi bob tro.	(a)
	Mae'n boblogaidd iawn ac mae digon i wneud yn yr ardal.	(c)
	Oes gen ti hoff draeth, Chloe?	(ch)

Poster: Diwrnod ar y traeth

Abersoch neu Llandudno? Llandudno ydy dy hoff le di, James ond dw i ddim yn siŵr os ydw i'n cytuno.	(b)
Mae cwch hwylio yn y poster sy'n hysbysebu Abersoch a dw i wrth fy modd yn hwylio.	(c)
Pam wyt ti'n dweud Llandudno, James?	(ch)

3 **Ymarfer ymateb. GWAITH PÂR.**

Ar gyfer y lluniau, y testun byr a'r graff, ceisiwch gyflawni rhai o'r gofynion hyn: (Defnyddiwch yr enghreifftiau yn rhif 2 uchod i'ch helpu)

(a) rhoi gwybodaeth trwy gyfeirio at y llun, y graff, a'r testunau byr

(b) ymateb i'r farn yn y testun byr

(c) cyfeirio at/mynegi barn ar gynnwys y sbardunau a chynnig eich barn eich hun am y testun

(ch) gofyn barn eich partner.

Bwyd cyflym neu salad?

"Fy hoff fwyd ydy bwyd o'r Eidal. Dw i wrth fy modd yn mynd i *Pizza Express* i fwyta. Byddwn i byth yn dewis byrgyr a sglodion achos dw i'n trio bwyta'n iach," meddai Olivia sy ym Mlwyddyn 11.

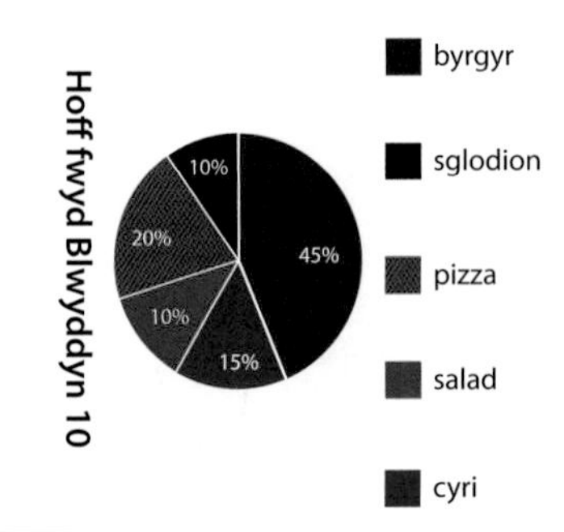

Short reading texts: Diwrnod ar y traeth

Text	Response
Fel arfer, dw i'n hoffi mynd i'r traeth gyda fy ffrindiau yn yr haf. Rydyn ni'n cael llawer o hwyl yn chwarae pêl a nofio. (Josh)	Fel Josh, dw i'n hoffi mynd i'r traeth gyda fy ffrindiau ond maen nhw'n hoffi chwarae pêl a nofio. Mae'n well gen i dorheulo ac ymlacio. **(a)** Wrth gwrs, bydda i'n chwarae gemau weithiau achos mae'n hwyl. **(c)** Wyt ti'n cytuno gyda Josh neu gyda fi, James? **(ch)**

Tabl: Diwrnod ar y traeth

Text	Response
10 o'r traethau mwyaf poblogaidd yng Nghymru: ▸ Abersoch ▸ Y Bermo ▸ Cricieth ▸ Llandudno ▸ Llanddona (Sir Fôn) ▸ Mymbls ▸ Porthcawl ▸ Llangrannog ▸ Dinbych y Pysgod ▸ Penrhyn Gwyr	Fedra i ddim cytuno gyda ti, Ffion pan rwyt ti'n dweud mai dy hoff draeth ydy traeth Y Bermo. **(b)** Mae'n lân dros ben, fel rwyt ti'n awgrymu ond y traeth yn Abersoch, ar dop y rhestr, i mi bob tro. **(a)** Mae'n boblogaidd iawn ac mae digon i wneud yn yr ardal. **(c)** Oes gen ti hoff draeth, Chloe? **(ch)**

Poster: Diwrnod ar y traeth

Abersoch neu Llandudno? Llandudno ydy dy hoff le di, James ond dw i ddim yn siŵr os ydw i'n cytuno. **(b)**

Mae cwch hwylio yn y poster sy'n hysbysebu Abersoch a dw i wrth fy modd yn hwylio. **(c)**

Pam wyt ti'n dweud Llandudno, James? **(ch)**

3 **Practising to respond. PAIR WORK.**

For the pictures, the short text and the graph, try to meet some of these requirements: (Use the examples in number 2 above to help you)

(a) provide information by referring to the picture, the graph and the short text
(b) respond to the opinion expressed in the short text
(c) refer to/express an opinion on the content of the stimulus and offer your own opinion on the text
(ch) ask for the opinion of your partner.

"Fy hoff fwyd ydy bwyd o'r Eidal. Dw i wrth fy modd yn mynd i *Pizza Express* i fwyta. Byddwn i byth yn dewis byrgyr a sglodion achos dw i'n trio bwyta'n iach," meddai Olivia sy ym Mlwyddyn 11.

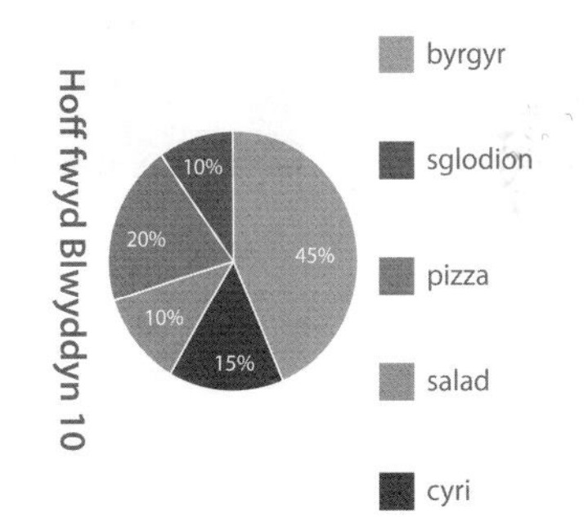

4 Paratoi at asesiad llafar UNED 2. Mae grŵp o ddisgyblion Bl. 11 wedi dechrau paratoi ar gyfer asesiad Uned 2. DARLLENWCH eu syniadau yn y blychau. **Maen nhw wedi** rhoi gwybodaeth trwy gyfeirio at y lluniau, y siart, y testunau byr a'r 'bynting'. Maen nhw hefyd wedi cyfeirio at/mynegi barn am gynnwys y sbardun a chynnig eu barn eu hunain am y testun.

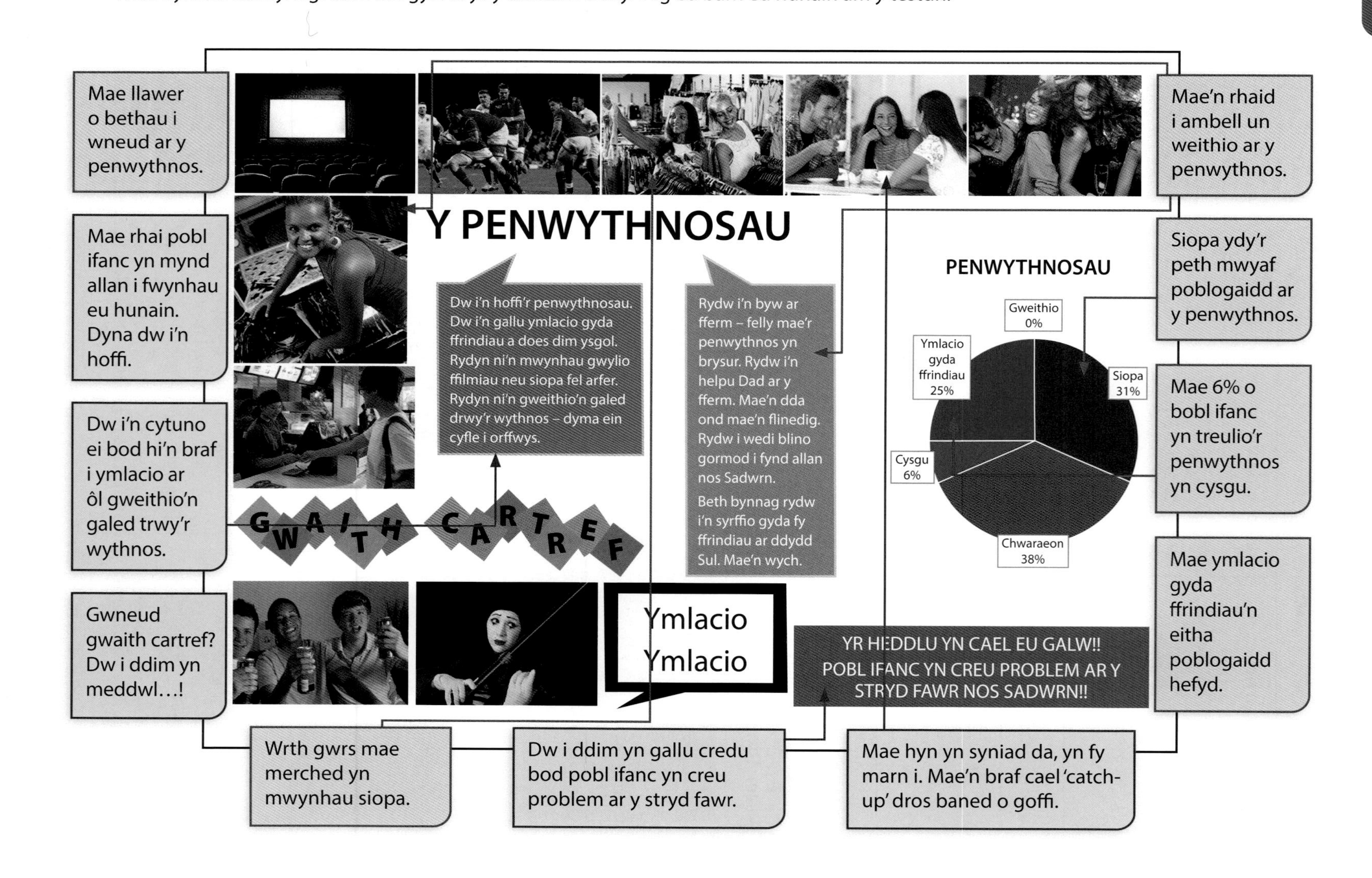

4 Preparing for UNIT 2 oral assessment. A group of year 11 pupils have started to prepare for their Uned 2 assessment. READ their ideas in the boxes. **They have** offered information by referring to the pictures, the pie chart, the short texts and the bunting. They have also referred to/expressed an opinion about the content of the stimulus and offer their own opinion about the text.

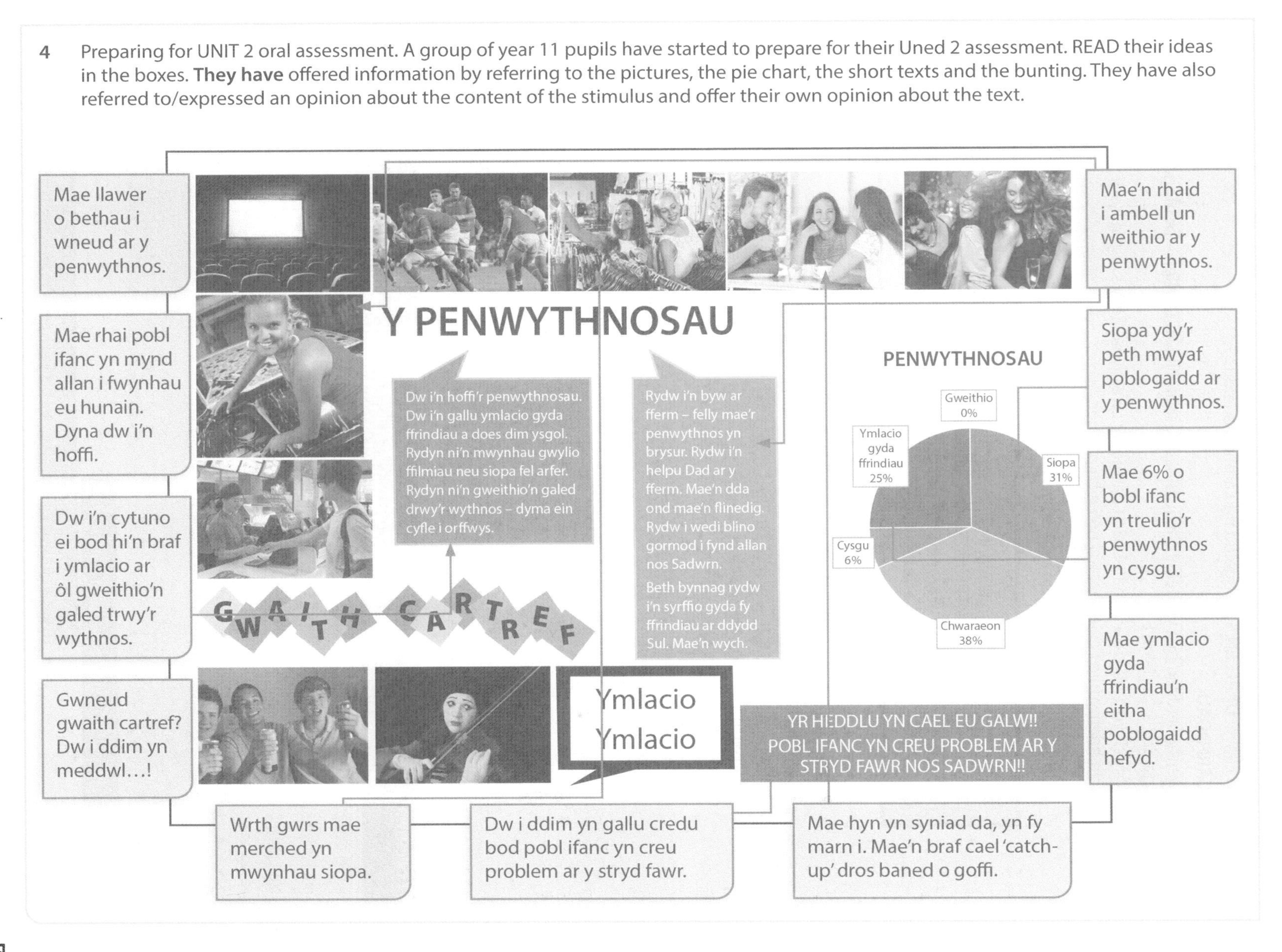

5 Yr Asesiad Llawn: **DARLLEN**. Poblogaidd neu amhoblogaidd?

GWEITHGAREDDAU

Bydd y gweithgareddau hyn yn help i chi gwblhau'r asesiad llawn **Darllen – poblogaidd neu amhoblogaidd?** ar dudalen 82.

(i) Beth ydy'ch ymateb chi ac ymateb eich partner i'r cwestiynau yn y swigod isod?
Cyn i chi ddefnyddio'r cwestiynau i holi eich partner:

✓ SYLWCH ar y ffocws iaith yn y cwestiynau:

Fyddi di'n ...? Ble fyddi di'n ...? Pryd fyddi di'n ...? etc.	Ystyr 'Fyddi di …' ydy '*Will you* …?, sef y dyfodol ond hefyd mae'n cael ei ddefnyddio i ddweud bod **rhywbeth yn digwydd yn aml.** Yn Saesneg *The **Habit**ual* ydy e ac yn Gymraeg Yr **Arfer**iadol. (fel **arfer** = *usually*)

✓ Dysgwch batrwm y cwestiynau.

✓ Peidiwch â darllen y cwestiynau wrth holi eich partner.
Mae'n rhaid gofyn y cwestiynau'n ddigymell.

✓ Defnyddiwch grid tebyg i'r un sy'n dilyn y swigod i'ch helpu gyda'r cwestiynau ac i nodi barn eich partner a'ch barn chi eich hun.

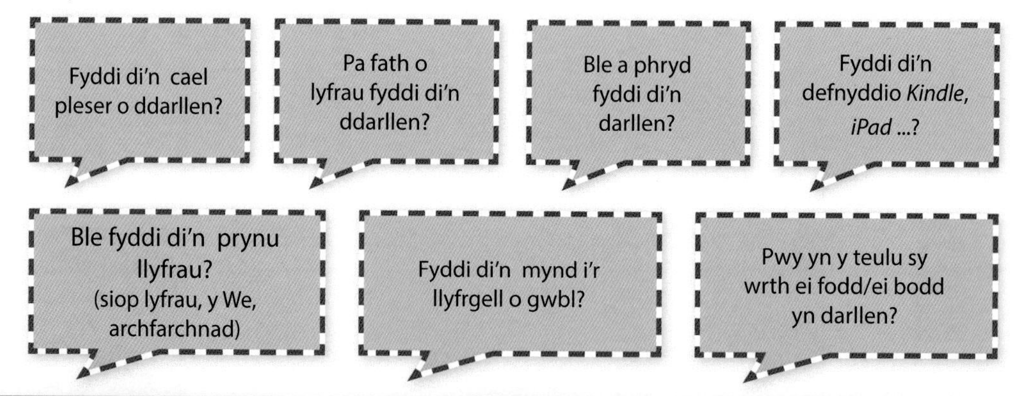

Y cwestiwn ...	Ymateb eich partner (nodiadau'n unig) ...	Cytuno/anghytuno Tebyg/gwahanol i'ch partner?
pleser o ddarllen?		
math o lyfrau?		
ble a phryd?		
Kindle, iPad ...?		
prynu?		
llyfrgell?		
barn y teulu?		

Ydych chi'n cytuno gyda'ch partner?

Pryd mae eich barn yn debyg/yn wahanol i farn eich partner?

5 The Full Assessment: **DARLLEN**. Poblogaidd neu amhoblogaidd?

ACTIVITIES

These activities will help you to complete the full assessment **Darllen – poblogaidd neu amhoblogaidd?** on page 83.

(i) What is your response and your partner's response to the questions in the speech bubbles below? Before using the questions to interview your partner:

✓ TAKE NOTE of the language focus in the questions :

Fyddi di'n ...? Ble fyddi di'n ...? Pryd fyddi di'n ...? etc.	The meaning of 'Fyddi di ...' is *Will you ...?*, (ie the future tense but it is also used to say that something **happens regularly**. In English it is *The **Habitual*** and in Welsh Yr ***Arferiadol***. (fel **arfer** = *usually*)

✓ Learn the pattern of the questions.

✓ Don't read the questions when interviewing your partner. The questions must be asked spontaneously.

✓ Use a grid similar to the one below the speech bubbles to help with the questions and to make a note of your partner's opinion and your opinion.

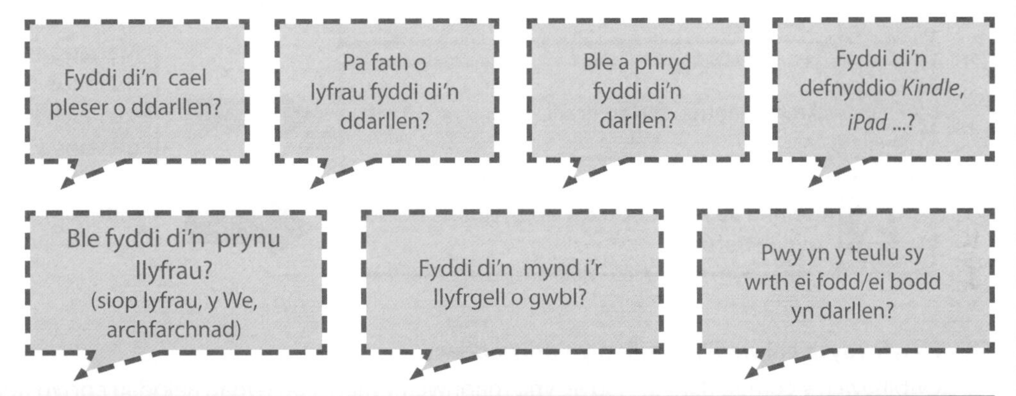

Y cwestiwn ...	Ymateb eich partner (nodiadau'n unig) ...	Cytuno/anghytuno Tebyg/gwahanol i'ch partner?
pleser o ddarllen?		
math o lyfrau?		
ble a phryd?		
Kindle, iPad ...?		
prynu?		
llyfrgell?		
barn y teulu?		

Ydych chi'n cytuno gyda'ch partner?

Pryd mae eich barn yn debyg/yn wahanol i farn eich partner?

- Ar ôl holi eich partner, defnyddiwch eich nodiadau yn y grid i'ch helpu i rannu eich barn chi a barn eich partner gyda gweddill aelodau'r grŵp/dosbarth.
- I wneud hyn bydd rhaid i chi ddefnyddio 3ydd person y ferf.
- Darllenwch waith Megan i gael help i baratoi'ch **ymateb llafar digymell**.

Fel fi, **bydd** fy ffrind Erin **yn** cael llawer o bleser o ddarllen ond dydy hi a fi ddim yn cytuno ar y math o lyfrau. **Bydda i** wrth fy modd yn darllen llyfrau ffeithiol, hanesyddol ond bydd Erin yn dewis ffuglen yn aml. Yn y gwely, **bydda i'n** darllen fel arfer ond hefyd **bydda i** a fy mam yn darllen ein *Kindle* ar wyliau yn yr haf. **Bydd** Erin **yn** darllen pob cyfle gaiff hi. Weithiau **bydd hi'n** darllen ar y ffordd i'r ysgol yn y bore! **Fydd** Erin **byth** yn defnyddio *Kindle* dw i ddim yn meddwl. Mae'n well ganddi hi lyfr. Does dim ots gen i; llyfr neu *Kindle* neu hyd yn oed cylchgrawn ambell waith. Mae fy ffrind a fi'n cytuno mai *Waterstones* ydy'r **lle gorau** i fynd i brynu llyfrau achos mae digon o ddewis. **Bydda i'n** prynu fy llyfrau i'r *Kindle* ar *Amazon*. **Bydd** Erin a fi'**n** mynd i'r llyfrgell yn y pentref yn aml ac wrth gwrs byddwn ni'n darllen llyfrau ein gilydd ambell waith. **Bydd mam, dad a brawd** Erin yn cael pleser o ddarllen. Yn tŷ ni, mae'n wahanol. Bydd pawb ond Dad yn darllen llyfrau. Bydd Dad yn darllen *The Times* ar ddydd Sul.

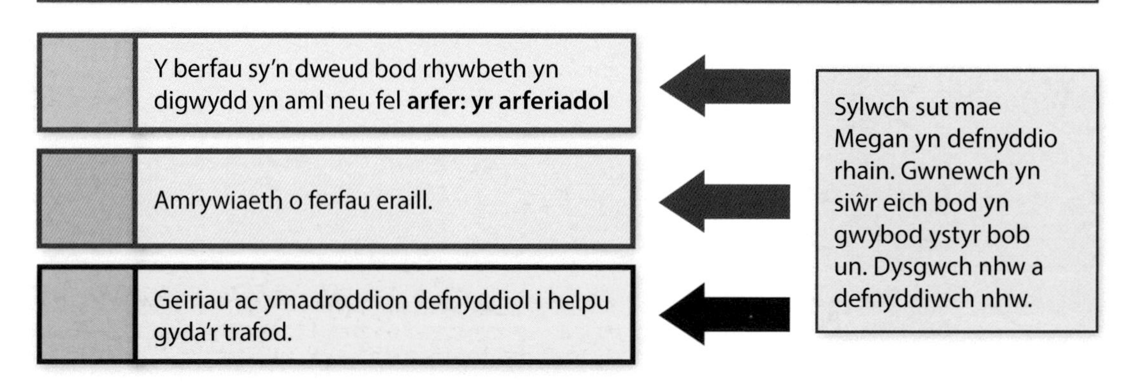

(ii) Pa lyfr ydych chi wedi'i ddarllen yn ddiweddar?

Cwblhewch y cofnod darllen isod ac yna rhannwch y manylion gydag aelodau'r grŵp neu'r dosbarth gan siarad yn ddigymell (Peidiwch â darllen y cofnod darllen).

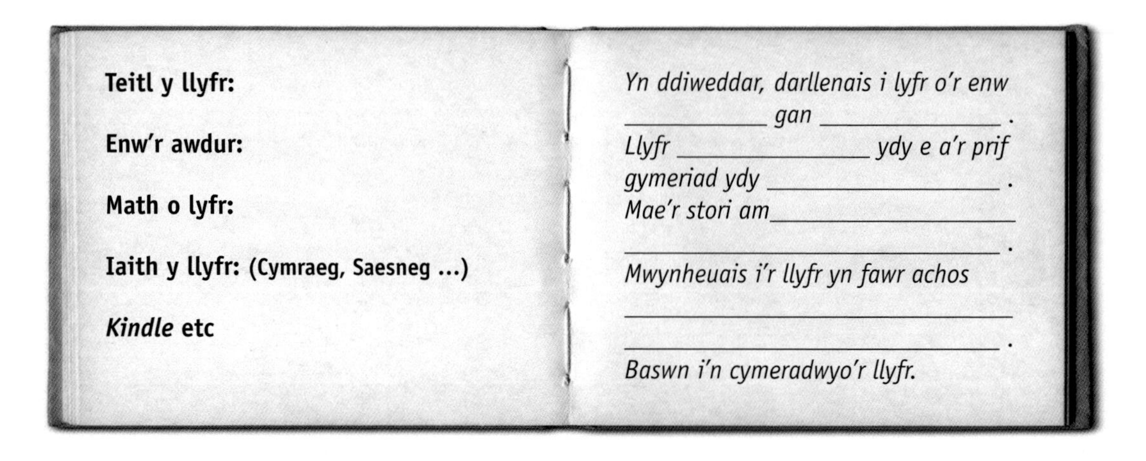

Teitl y llyfr:

Enw'r awdur:

Math o lyfr:

Iaith y llyfr: **(Cymraeg, Saesneg ...)**

***Kindle* etc**

Yn ddiweddar, darllenais i lyfr o'r enw ____________ gan ____________ .
Llyfr ____________ ydy e a'r prif gymeriad ydy ____________ .
Mae'r stori am ____________
____________ .
Mwynheuais i'r llyfr yn fawr achos ____________
____________ .
Baswn i'n cymeradwyo'r llyfr.

- Having interviewed your partner, use your notes in the grid to help you to share your opinion and your partners opinion with the remainder of the group/class.
- To do this you will need to use the 3rd person of the verb.
- Read Megan's work to help you to prepare for your **spontaneous oral response**.

Fel fi, **bydd** fy ffrind Erin **yn** cael llawer o bleser o ddarllen ond dydy hi a fi ddim yn cytuno ar y math o lyfrau. **Bydda i** wrth fy modd yn darllen llyfrau ffeithiol, hanesyddol ond bydd Erin yn dewis ffuglen yn aml. Yn y gwely, **bydda i'n** darllen fel arfer ond hefyd **bydda i** a fy mam yn darllen ein *Kindle* ar wyliau yn yr haf. **Bydd** Erin **yn** darllen pob cyfle gaiff hi. Weithiau **bydd hi'n** darllen ar y ffordd i'r ysgol yn y bore! **Fydd** Erin **byth** yn defnyddio *Kindle* dw i ddim yn meddwl. Mae'n well ganddi hi lyfr. Does dim ots gen i; llyfr neu *Kindle* neu hyd yn oed cylchgrawn ambell waith. Mae fy ffrind a fi'n cytuno mai *Waterstones* ydy'r **lle gorau** i fynd i brynu llyfrau achos mae digon o ddewis. **Bydda i'n** prynu fy llyfrau i'r *Kindle* ar *Amazon*. **Bydd** Erin a fi'**n** mynd i'r llyfrgell yn y pentref yn aml ac wrth gwrs byddwn ni'n darllen llyfrau ein gilydd ambell waith. **Bydd mam, dad a brawd** Erin yn cael pleser o ddarllen. Yn tŷ ni, mae'n wahanol. Bydd pawb ond Dad yn darllen llyfrau. Bydd Dad yn darllen *The Times* ar ddydd Sul.

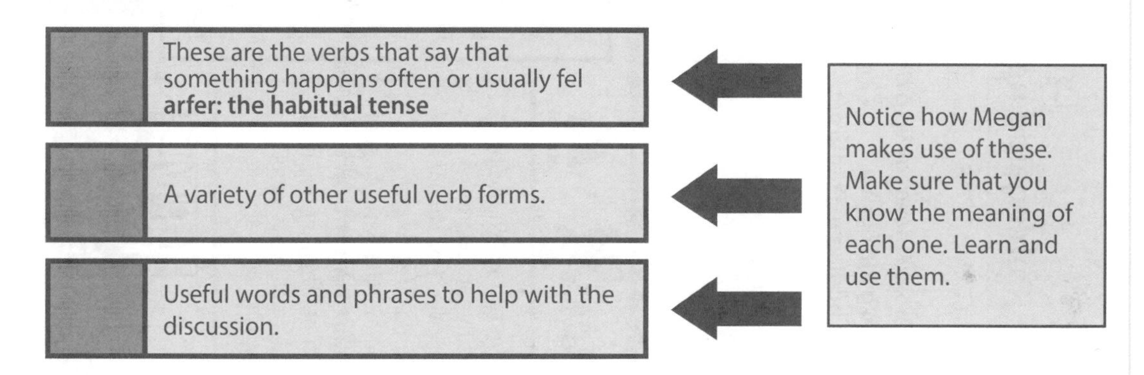

(ii) Which book have you read recently?

Complete the reading record below and then share the details with the group or class members remebering to speak spontaneously. (Don't read from the reading record).

Teitl y llyfr:

Enw'r awdur:

Math o lyfr:

Iaith y llyfr: (Cymraeg, Saesneg ...)

***Kindle* etc**

Yn ddiweddar, darllenais i lyfr o'r enw ____________ *gan* ____________ .
Llyfr ____________ *ydy e a'r prif gymeriad ydy* ____________ .
Mae'r stori am ____________
____________ .
Mwynheuais i'r llyfr yn fawr achos ____________
____________ .
Baswn i'n cymeradwyo'r llyfr.

(ii) Uned 2 – yr asesiad llawn

DARLLEN
Poblogaidd neu amhoblogaidd?

Ydych chi'n cofio'r cyfarwyddiadau?

✓ **Cewch hyd at 10 munud i baratoi'r dasg (mewn pâr neu mewn grŵp o dri)**
✓ **Cewch wneud nodiadau a thrafod gyda'ch partner/gyda'r grŵp**
✓ **Cyn gadael yr ystafell arholi rhaid i chi roi'r daflen nodiadau i'r athro/athrawes sy'n cynnal y prawf.**

Cofiwch:

✓ **gyfeirio at** y llun, y graff, y tabl, y testunau byr, y poster …
✓ **gwrando ar** ac **ymateb** i farn eich partner/grŵp
✓ **mynegi barn am** gynnwys y sbardun a chynnig eich barn eich hun am y testun
✓ cytuno ac anghytuno gydag aelodau'r grŵp a holi beth yw eu barn.

TASG UNED 2:
Mewn pâr/grŵp o dri, trafodwch ***Darllen: Poblogaidd neu amhoblogaidd?***
Seiliwch y drafodaeth ar y tabl, y lluniau a'r darnau pytiog isod.

Pa fath o lyfrau sy'n boblogaidd gyda phobl ifanc 15 – 16 oed?	
Rhamant	14%
Comedi	27%
Arswyd	11%
Gwyddoniaeth	08%
Ffeithiol	08%
Ditectif	14%
Hanesyddol	18%

Dw i wrth fy modd yn dewis llyfrau yn y **llyfrgell leol**. Fel arfer bydda i'n dewis ffuglen rhamantus ond ambell waith dw i'n hoffi newid ac yn dod adref gyda llyfr gwyddoniaeth. **Jane W.**

Erbyn hyn mae'n bosibl cael llyfrau Cymraeg i ddysgwyr. Mae *Atebol*, *Gwasg Carreg Gwalch*, *Y Lolfa* a *Gomer* yn cyhoeddi llyfrau difyr iawn. Dw i wedi benthyg un neu ddau o'r llyfrgell yn yr ysgol. **Sam D.**

Yn bersonol, dw i ddim yn cael llawer o bleser o ddarllen.
Dw i'n berson sy'n hoffi bod allan yn yr awyr agored yn chwarae pêl-droed neu golff. Dw i'n trio darllen nofel weithiau ond mae'n rhaid i'r llyfr fod yn fyr ac mae'n braf cael ambell i lun hefyd.
Peter A.

Mae fy ffrindiau a fi'n cael pleser o ddarllen cylchgronau hefyd. Maen nhw'n eitha drud ac felly rydyn ni'n darllen cylchgronau'n gilydd.
Miranda T.

(ii) Unit 2 – the full assessment

DARLLEN
Poblogaidd neu amhoblogaidd?

Do you remember the instructions?

- ✓ **You will have 10 minutes to prepare the task (in pairs or groups of three)**
- ✓ **You will be allowed to make notes and discuss with your partner/with members of the group**
- ✓ **Before leaving the examination room you must give your notes to the teacher in charge of the assessment.**

TASG UNED 2:
In a pair/group of 3, discuss *Darllen: Poblogaidd neu amhoblogaidd?* Base your discussion on the table, the pictures and the short texts below.

Remember:

- ✓ **refer to** the pictures, the graph, the table, the short texts, the poster …
- ✓ **listen** and **respond to** the opinion of your partner/the group
- ✓ **express opinion on** the contents of the stimulus and offer your own opinion on the subject
- ✓ agree and disagree with group members and ask for their opinion.

Pa fath o lyfrau sy'n boblogaidd gyda phobl ifanc 15 – 16 oed?	
Rhamant	14%
Comedi	27%
Arswyd	11%
Gwyddoniaeth	08%
Ffeithiol	08%
Ditectif	14%
Hanesyddol	18%

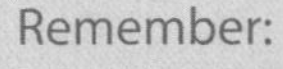

Dw i wrth fy modd yn dewis llyfrau yn y **llyfrgell leol.** Fel arfer bydda i'n dewis ffuglen rhamantus ond ambell waith dw i'n hoffi newid ac yn dod adref gyda llyfr gwyddoniaeth. **Jane W.**

Erbyn hyn mae'n bosibl cael llyfrau Cymraeg i ddysgwyr. Mae *Atebol, Gwasg Carreg Gwalch, Y Lolfa* a *Gomer* yn cyhoeddi llyfrau difyr iawn. Dw i wedi benthyg un neu ddau o'r llyfrgell yn yr ysgol.
Sam D.

Yn bersonol, dw i ddim yn cael llawer o bleser o ddarllen.
Dw i'n berson sy'n hoffi bod allan yn yr awyr agored yn chwarae pêl-droed neu golff. Dw i'n trio darllen nofel weithiau ond mae'n rhaid i'r llyfr fod yn fyr ac mae'n braf cael ambell i lun hefyd.
Peter A.

Mae fy ffrindiau a fi'n cael pleser o ddarllen cylchgronau hefyd. Maen nhw'n eitha drud ac felly rydyn ni'n darllen cylchgronau'n gilydd.
Miranda T.

6 Grŵp o dri yn trafod y sbardun:

DARLLEN
Poblogaidd neu amhoblogaidd?

Mae Kayleigh, Harri a Tom wedi defnyddio'r sbardun ar y dudalen flaenorol i drafod darllen.

Byddai'n syniad da gofyn i'ch athro/athrawes recordio'r tri'n trafod ac wedyn bydd dewis gennych chi.

Naill ai (i) darllen y sgript isod **neu** (ii) gwrando ar y sgript **neu** (iii) gwrando tra'n dilyn y sgript.

Y SGRIPT

Kayleigh:	Mae darllen yn **boblogaidd wrth** gwrs. Yn fy marn i mae darllen yn sgìl mae pawb yn ei defnyddio. Beth ydy dy farn di, Harri?
Harri:	Dw i'n cytuno i raddau. Mae rhai pobl yn mwynhau darllen ac mae rhai pobl yn darllen achos bod rhaid iddyn nhw. Mae 'na wahaniaeth.
Tom:	Rwyt ti'n hollol iawn, Harri. Mae pobl fel Peter fan hyn yn hoffi bod allan yn yr awyr agored a dydy e ddim yn cael llawer o bleser o ddarllen.
Kayleigh:	Wel, mae Peter yn dweud ei fod e'n hoffi pêl-droed a golff ac mae'n siŵr ei fod e'n darllen cylchgronau. Yn sicr, mae Miranda a'i ffrindiau'n cael pleser o ddarllen cylchgronau ac yn darllen cylchgrona'i gilydd.
Tom:	Pwynt da, Kayleigh. Does dim rhaid darllen nofel, mae'n debyg, wel dim ond yn yr ysgol ar gyfer TGAU Saesneg. Pa fath o lyfrau wyt ti'n hoffi, Harri?
Harri:	Llyfrau gwyddoniaeth i mi bob tro ond yn y tabl yma dim ond 8 y cant o bobl ifanc sy'n cytuno. Dw i'n synnu.
Kayleigh:	O bobl bach, dw i ddim. Mae'n gas gen i lyfrau gwyddoniaeth. Dw i'n debyg i Jane fan hyn yn dewis ffuglen rhamantus ond fydda i byth yn mynd i'r llyfrgell leol dim ond y llyfrgell yn yr ysgol.
Harri:	Dw i ddim yn synnu chwaith. Mae stori ditectif llawer mwy diddorol. Eto, dim ond 14 y cant o bobl ifanc sy'n cytuno, yn ôl y tabl. Mae Sam yn dweud fan hyn ei bod hi'n bosibl cael llyfrau Cymraeg i ddysgwyr ac mae *Atebol, Carreg Gwalch, Y Lolfa a Gomer* yn cyhoeddi llyfrau difyr iawn.
Tom:	Dw i'n gwybod. Dw i wedi darllen un neu ddau o *Cyfres y Dderwen*. Roedd *Dim* gan Dafydd Chilton yn wych.
Kayleigh:	Fi hefyd. Dw i wedi darllen *Rhywle yn yr Haul*. Roedd yn lyfr da, ond heriol, wrth gwrs. Maen nhw ar gael yn llyfrgell yr ysgol.
Harri:	Bydd rhaid i mi fenthyg un o'r llyfrgell felly. Beth wyt ti'n ddarllen ar y funud, Tom?
Tom:	Llyfr Saesneg gan John Grisham, *The Whistler*. Cyffrous iawn, yn wir. Beth am y ddau ohonoch chi?

6 **A group of three discussing the stimulus:**

DARLLEN
Poblogaidd neu amhoblogaidd?

Kayleigh, Harri and Tom have used the stimulus on the previous page to discuss reading and whether it is popular or unpopular.

It would be a good idea to ask your teacher to make a recording of the pupils' discussion and then you will have a choice.

Either (i) read the script below **or** (ii) listen to the script **or** (iii) listen whilst following the script.

THE SCRIPT

Kayleigh: Mae darllen yn **boblogaidd wrth** gwrs. Yn fy marn i mae darllen yn sgìl mae pawb yn ei defnyddio. Beth ydy dy farn di, Harri?

Harri: Dw i'n cytuno i raddau. Mae rhai pobl yn mwynhau darllen ac mae rhai pobl yn darllen achos bod rhaid iddyn nhw. Mae 'na wahaniaeth.

Tom: Rwyt ti'n hollol iawn, Harri. Mae pobl fel Peter fan hyn yn hoffi bod allan yn yr awyr agored a dydy e ddim yn cael llawer o bleser o ddarllen.

Kayleigh: Wel, mae Peter yn dweud ei fod e'n hoffi pêl-droed a golff ac mae'n siŵr ei fod e'n darllen cylchgronau. Yn sicr, mae Miranda a'i ffrindiau'n cael pleser o ddarllen cylchgronau ac yn darllen cylchgrona'i gilydd.

Tom: Pwynt da, Kayleigh. Does dim rhaid darllen nofel, mae'n debyg, wel dim ond yn yr ysgol ar gyfer TGAU Saesneg. Pa fath o lyfrau wyt ti'n hoffi, Harri?

Harri: Llyfrau gwyddoniaeth i mi bob tro ond yn y tabl yma dim ond 8 y cant o bobl ifanc sy'n cytuno. Dw i'n synnu.

Kayleigh: O bobl bach, dw i ddim. Mae'n gas gen i lyfrau gwyddoniaeth. Dw i'n debyg i Jane fan hyn yn dewis ffuglen rhamantus ond fydda i byth yn mynd i'r llyfrgell leol dim ond y llyfrgell yn yr ysgol.

Harri: Dw i ddim yn synnu chwaith. Mae stori ditectif llawer mwy diddorol. Eto, dim ond 14 y cant o bobl ifanc sy'n cytuno, yn ôl y tabl. Mae Sam yn dweud fan hyn ei bod hi'n bosibl cael llyfrau Cymraeg i ddysgwyr ac mae *Atebol, Carreg Gwalch, Y Lolfa a Gomer* yn cyhoeddi llyfrau difyr iawn.

Tom: Dw i'n gwybod. Dw i wedi darllen un neu ddau o *Cyfres y Dderwen*. Roedd *Dim* gan Dafydd Chilton yn wych.

Kayleigh: Fi hefyd. Dw i wedi darllen *Rhywle yn yr Haul*. Roedd yn lyfr da, ond heriol, wrth gwrs. Maen nhw ar gael yn llyfrgell yr ysgol.

Harri: Bydd rhaid i mi fenthyg un o'r llyfrgell felly. Beth wyt ti'n ddarllen ar y funud, Tom?

Tom: Llyfr Saesneg gan John Grisham, *The Whistler*. Cyffrous iawn, yn wir. Beth am y ddau ohonoch chi?

Kayleigh: Dw i newydd ddechrau darllen *Into the Water* gan Paula Hawkins, awdur *The Girl on the Train*. Mae'n mynd i fod yn gyffrous, dw i'n amau.

Harri: Dw i wedi cael nofel *Minecraft: The Island* yn anrheg pen-blwydd. Stori am *castaway* ydy hi a dw i'n edrych ymlaen yn fawr.

Tom: O, ga i fenthyg y llyfr ar ôl i ti orffen ac mae croeso i ti fenthyg y John Grisham.

Kayleigh: Beth amdana i?

Tom: Does dim llyfrau rhamantus *soppy* gyda ni, mae'n ddrwg gyda fi!

Kayleigh: O, doniol iawn, wir! Ha, ha, ha.

	Yr iaith sy ar y sbardun. Mae'n help mawr.
	Iaith sy'n handi ar gyfer trafod.

7 Asesu ymateb Kayleigh, Harri a Tom i'r sbardun.

DARLLEN
Poblogaidd neu amhoblogaidd?

Defnyddiwch y Cynllun Marcio AA1 GWRANDO ac AA2 SIARAD ar wefan CBAC i asesu ymateb Kayleigh, Harri a Tom i'r sbardun gweledol.

- Mae'n bwysig eich bod yn gwybod beth ydy gofynion y Cynllun Marcio.
- Y ffordd orau o ddod i wybod **yn union** beth sydd rhaid i chi wneud mewn asesiad neu arholiad yw marcio atebion enghreifftiol.
- Darllenwch y Cynllun Marcio isod yn ofalus a gwnewch yn siŵr eich bod yn deall y gofynion. Bydd hyn yn eich helpu i gael y marc/gradd gorau posibl.

Dyma'r elfennau o'r Cynllun Marcio dylech chi chwilio amdanynt yn 'Ymateb i:

'Darllen: Poblogaidd neu amhoblogaidd?'

e.e.

Ydy'r ymgeisydd yn **deall yn llawn y brif neges a'r manylion penodol sy'n cael eu cyfathrebu …?**

Ydy? Felly '**Band A 25 - 30**'

ac yn y blaen…

AA1	Band	AA2	Band
Gwrando ac ymateb	25 - 30	Cyfathrebu a rhyngweithio	25 - 30
Deall y sbardun Deall y siardwyr eraill yn y grŵp	19 - 24	Defnyddio strategaethau i gefnogi a chynnal sgwrs	19 - 24
Deall y brif neges / thema	13 - 18	Denydd o iaith	13 - 18
Ymateb	07 - 12	Cywair, ynganu a goslefu	07 - 12

Kayleigh: Dw i newydd ddechrau darllen *Into the Water* gan Paula Hawkins, awdur *The Girl on the Train*. Mae'n mynd i fod yn gyffrous, dw i'n amau.

Harri: Dw i wedi cael nofel *Minecraft: The Island* yn anrheg pen-blwydd. Stori am *castaway* ydy hi a dw i'n edrych ymlaen yn fawr.

Tom: O, ga i fenthyg y llyfr ar ôl i ti orffen ac mae croeso i ti fenthyg y John Grisham.

Kayleigh: Beth amdana i?

Tom: Does dim llyfrau rhamantus *soppy* gyda ni, mae'n ddrwg gyda fi!

Kayleigh: O, doniol iawn, wir! Ha, ha, ha.

	The language which appears in the stimulus. It is very helpful.
	Useful language for discussion.

7 **Assessing Kayleigh, Tom and Harri's response to the stimulus.**

DARLLEN
Poblogaidd neu amhoblogaidd?

Use the Marking Scheme AA1 LISTENING and AA2 SPEAKING on the WJEC website to assess Kayleigh, Harri a Tom's response to the stimulus.

- It is important that you are aware of the demands of the marking scheme.
- The best way to know exactly what you need to do an assessment or exam is to mark exemplar answers.
- Read the Marking Scheme carefully and make sure that you understand its demands. This will help you to attain the best possible mark/grade.

These are the elements for which you should be aware of in 'Ymateb i:

'Darllen: Poblogaidd neu amhoblogaidd?'

e.g.

Does the candidate **fully understand the main message and specific details which are being communicated ...?**

Yes? Then '**Band A 25 - 30**' and so on ...

A01	Band	A02	Band
Listen and responding	25 - 30	Communicating and interacting	25 - 30
Understanding the stimulus Understanding other speakers in the group	19 - 24	Using strategies to support and hold a conversation	19 - 24
Understanding the main message / theme	13 - 18	Use of language	13 - 18
Responding	07 - 12	Register, pronunciation, expression	07 - 12

Beth sy'n cŵl ac yn wahanol erbyn hyn?

Yn y sbardun ***Beth sy'n cŵl ac yn wahanol erbyn hyn?*** bydd cyfle i holi, mynegi barn a chynnig rhesymau i gefnogi'ch barn ar frandiau poblogaidd ym myd ffasiwn, technoleg, bwyd, cylchgronau, cerddoriaeth, hobïau etc. Mae'r gweithgareddau canlynol yn cynnig digon o gyfleoedd i ymarfer geirfa a phatrymau iaith cyn i chi gwblhau'r brif dasg sef: ***defnyddio sbardun i gyfathrebu ag eraill***.

Mae brandiau'n bwysig iawn. Mae pawb eisiau brandiau cŵl. Mae'n rhaid cael brandiau **chwaethus**, llawn steil. Mae sêr y ffilm, selebs a phobl sy'n eiconau steil yn dewis y ffasiwn **mwyaf cŵl**, y car **cyflymaf**, y dechnoleg **ddiweddaraf**, y sbectol haul **mwyaf trendi**.

Weithiau mae'n rhaid defnyddio'r radd eithaf i drafod brandiau cŵl, e.e. mwyaf cŵl (*cool**est***), cyflymaf (*fast**est***), diweddaraf (*lat**est***), mwyaf trendi (*trendi**est***). Felly y rheol ydy **mwyaf** + **ansoddair** neu ychwanegu **–af** at yr ansoddair. OND, mae rhai ansoddeiriau'n afreolaidd, e.e.

da (*best* = y gorau, e.e. *Mini Cooper ydy'r gorau.*)

mawr (*biggest* = mwyaf),

bach (*smallest/least* = lleiaf)

Am fwy o help gydag ansoddeiriau ewch i: http://adnoddau.cbac.co.uk/Pages/ResourceByArgs.aspx?subId=31&lvlId=2

Mae'r llyfr ***BWRLWM: Brandiau cŵl*** yn llawn ffeithiau a gwybodaeth diddorol iawn. Cyhoeddwyd y gyfres *Bwrlwm* gan CAA (Cyhoeddwr Adnoddau Addysgol, Prifysgol Aberystwyth). I gael rhagor o fanylion am y gyfres ac adnoddau defnyddiol eraill ewch i: www.aber.ac.uk/caa

Beth ydy'r 5 ansoddair (gair sy'n disgrifio) pwysicaf sy'n gwneud brand yn cŵl ac yn wahanol?

Yn ôl y llyfr dyma nhw.

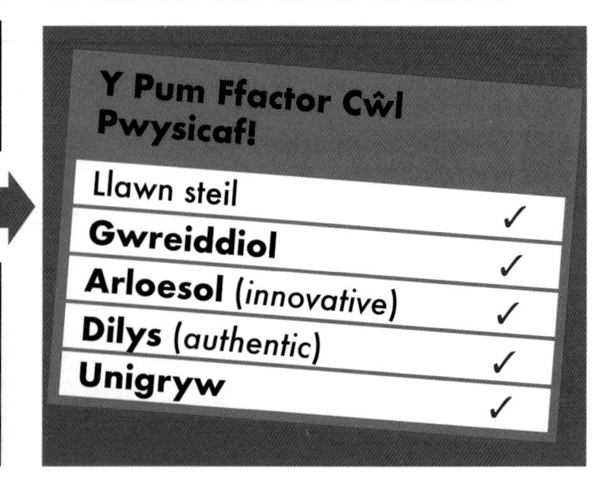

Mae'r ansoddeiriau yma'n ddefnyddiol (handi). DYSGWCH nhw! DEFNYDDIWCH nhw!

Hefyd y gair 'chwaethus' sydd mewn print bras yn un o'r paragraffau uchod. Ydych chi'n gallu dod o hyd i'r gair?

What is cool and different these days?

In the stimulus ***Beth sy'n cŵl ac yn wahanol erbyn hyn?*** there will be an opportunity to question, express opinion and offer reasons to support opinion about popular fashion brands, technology, food, magazines, music, hobbies etc. The following activities provide ample opportunities to practise vocabulary and language patterns before you go on to complete the main task, namely: **using a stimulus to communicate with others.**

Brands are very important. Everyone wants cool brands. It's important to have brands which show taste and that are stylish. Film stars, celebs and people who are fashion icons choose the **coolest** fashion, the **fastest** car, the **latest** technology, the **trendiest** sunglasses.

Sometimes it is necessary to use the superlative to discuss cool brands, e.g. mwyaf cŵl (cool**est**), cyflymaf (fast**est**), diweddaraf (lat**est**), mwyaf trendi (trendi**est**). Therefore, the rule is: **mwyaf + adjective** or add **–af** to the adjective. BUT, some adjectives are irregular, e.g.

da (*best* = y gorau, e.e. *Mini Cooper ydy'r gorau.*)

mawr (*biggest* = mwyaf),

bach (*smallest/least* = lleiaf)

For further help with adjectives go to: http://adnoddau.cbac.co.uk/Pages/ResourceByArgs.aspx?subId=31&lvlId=2

The book ***BWRLWM: Brandiau cŵl*** is packed with very interesting facts and information. The series *Bwrlwm* has been published by CAA (Cyhoeddwr Adnoddau Addysgol, Prifysgol Aberystwyth). For more details about the series and other useful resources go to: www.aber.ac.uk/caa

Beth ydy'r 5 ansoddair (gair sy'n disgrifio) pwysicaf sy'n gwneud brand yn cŵl ac yn wahanol?

Yn ôl y llyfr dyma nhw.

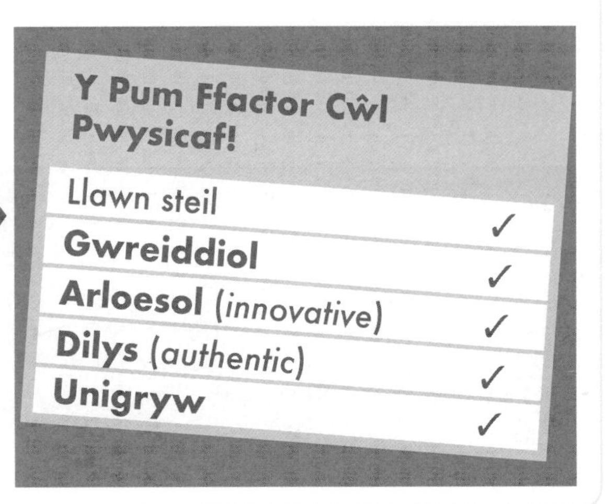

Mae'r ansoddeiriau yma'n ddefnyddiol (handi). DYSGWCH nhw! DEFNYDDIWCH nhw!

Hefyd y gair 'chwaethus' sydd mewn print bras yn un o'r paragraffau uchod. Ydych chi'n gallu dod o hyd i'r gair?

GWEITHGAREDDAU

Beth sy'n cŵl ac yn wahanol erbyn hyn?

(i) Dillad ffasiynol a'r brandiau gorau.

Ar dudalen 61 o'r llyfr 'Chwarae Plant' (www.carreg-gwalch.co.uk) mae cerdd o'r enw ***Dwi isio***. (Dw i eisiau/Dw i moyn). Yn amlwg, mae'r bardd yn hoff iawn o ffasiwn a'r brandiau gorau achos yn ail bennill y gerdd mae hi'n ysgrifennu:

Dwi isio

Wranglers a Levis a jacet Naff-Naff ddu.

Caterpillars, Reeboks a threinyrs fel s'gin ti.

Hefyd mae hi'n sôn am *'hetia baseball, crys football a thracswts.'*

DARLLENWCH. Mae'r bobl ifanc yma'n cytuno gyda'r bardd i raddau. Maen nhw'n dweud: 'Mae'n bwysig bod yn chwaethus ac yn llawn steil ond ...'

Rhywun cŵl i mi ydy rhywun sy'n gwisgo treinyrs a dillad chwaraeon ffasiynol. Mae'r siopau lle rydych chi'n prynu eich dillad yn bwysig hefyd. Yn fy marn i treinyrs *Converse* ydy'r gorau. **Fydda i byth** yn gwisgo trowsus smart; dim ond jîns denim glas trendi.

James

Mae pawb yn cŵl **yn ei ffordd ei hun.** Mae ffasiwn **yn rhywbeth personol.** Yn fy marn i mae jîns a chrys T yn smart ond mae brand y crys T yn bwysig wrth gwrs. Dw i'n siopa yn *Jack and Jones* ac yn *Hollister* **ar y funud**. Mae fy chwaer yn mwynhau siopa yn *River Island* a *Primark*. **Dw i'n eitha hoff o** slogan ar y crys T hefyd; yn Saesneg neu yn Gymraeg.

Robert

Dw i'n trio dilyn y ffasiwn a dw i wrth fy modd gyda dillad trendi ond maen nhw'n **gallu bod yn** ddrud. I mi, dydy dillad *designer* ddim **yn bwysig ofnadwy**. Dw i'n hoff o ddillad cyfforddus. Mae siaced denim a jîns yn grêt i fynd allan gyda fy ffrindiau.

Sally

Dillad lliwgar **sy'n apelio ata i.** Dw i'n dewis gwisgo jîns a chrys T ond fydda i ddim yn prynu dillad *designer* **yn aml.** Fel Sally, dw i'n meddwl eu bod **yn rhy ddrud o lawer** a dydy brand ddim yn bwysig iawn ond baswn i'n hoffi cael pâr o esgidiau *Converse.* Dw i'n gyfforddus yn gwisgo ffrog hefyd i edrych yn smart.

Elsa

Rhywun cŵl i mi ydy rhywun sy'n ...
... ydy'r gorau
Mae pawb yn ... yn ei ffordd ei hun.
Mae ... yn rhywbeth personol.
ar y funud
Dw i'n eitha hoff o ...
Dw i'n trio ...
yn gallu bod yn ...
yn bwysig ofnadwy
... sy'n apelio ata i
yn aml
rhy ddrud o lawer

Mae'r geiriau a'r brawddegau hyn yn ddefnyddiol.

Dewch o hyd i'r ystyr a defnyddiwch nhw i drafod.

ACTIVITIES

Beth sy'n cŵl ac yn wahanol erbyn hyn?

(i) Dillad ffasiynol a'r brandiau gorau.

Ar dudalen 61 o'r llyfr 'Chwarae Plant' (www.carreg-gwalch.co.uk) mae cerdd o'r enw ***Dwi isio***. (Dw i eisiau/Dw i moyn). Yn amlwg, mae'r bardd yn hoff iawn o ffasiwn a'r brandiau gorau achos yn ail bennill y gerdd mae hi'n ysgrifennu:

Dwi isio

Wranglers a Levis a jacet Naff-Naff ddu.

Caterpillars, Reeboks a threinyrs fel s'gin ti.

Hefyd mae hi'n sôn am '*hetia baseball, crys football a thracswts.*'

DARLLENWCH. Mae'r bobl ifanc yma'n cytuno gyda'r bardd i raddau. Maen nhw'n dweud: 'Mae'n bwysig bod yn chwaethus ac yn llawn steil ond ...'

Rhywun cŵl i mi ydy rhywun sy'n gwisgo treinyrs a dillad chwaraeon ffasiynol. Mae'r siopau lle rydych chi'n prynu eich dillad yn bwysig hefyd. Yn fy marn i treinyrs *Converse* ydy'r gorau. **Fydda i byth** yn gwisgo trowsus smart; dim ond jîns denim glas trendi.

James

Mae pawb yn cŵl **yn ei ffordd ei hun**. Mae ffasiwn **yn rhywbeth personol**. Yn fy marn i mae jîns a chrys T yn smart ond mae brand y crys T yn bwysig wrth gwrs. Dw i'n siopa yn *Jack and Jones* ac yn *Hollister* **ar y funud**. Mae fy chwaer yn mwynhau siopa yn *River Island* a *Primark*. **Dw i'n eitha hoff o** slogan ar y crys T hefyd; yn Saesneg neu yn Gymraeg.

Robert

Dw i'n trio dilyn y ffasiwn a dw i wrth fy modd gyda dillad trendi ond maen nhw'n **gallu bod yn** ddrud. I mi, dydy dillad *designer* ddim **yn bwysig ofnadwy.** Dw i'n hoff o ddillad cyfforddus. Mae siaced denim a jîns yn grêt i fynd allan gyda fy ffrindiau.

Sally

Dillad lliwgar **sy'n apelio ata i.** Dw i'n dewis gwisgo jîns a chrys T ond fydda i ddim yn prynu dillad *designer* **yn aml.** Fel Sally, dw i'n meddwl eu bod **yn rhy ddrud o lawer** a dydy brand ddim yn bwysig iawn ond baswn i'n hoffi cael pâr o esgidiau *Converse*. Dw i'n gyfforddus yn gwisgo ffrog hefyd i edrych yn smart.

Elsa

Rhywun cŵl i mi ydy rhywun sy'n ...
... ydy'r gorau
Mae pawb yn ... yn ei ffordd ei hun.
Mae ... yn rhywbeth personol.
ar y funud
Dw i'n eitha hoff o ...
Dw i'n trio ...
yn gallu bod yn ...
yn bwysig ofnadwy
... sy'n apelio ata i
yn aml
rhy ddrud o lawer

These words and sentences are useful. Find out their meaning and use them to discuss.

Beth ydy'ch ymateb chi i'r brandiau a'r dillad y mae'r bardd yn sôn amdanyn nhw a hefyd barn James, Sally, Elsa a Robert? Gyda phartner neu mewn grŵp o dri, cyfeiriwch at y dyfyniadau o'r gerdd a barn y bobl ifanc fel rhan o'ch trafodaeth. Gwnewch eich nodiadau mewn grid tebyg i'r isod.

Dwi isio
Wranglers a Levis a jacet Naff-Naff ddu.
Caterpillars, Reeboks a threinyrs fel s'gin ti.

Dillad a dillad rho ddillad rwan i mi;
Dyna'r ffordd i fod yn cŵl yn union fath â chdi
Yn dy legins a threinyrs a bomer jacet ddu.

Er enghraifft:
Pa fath o ddillad sy'n ffasiynol ar hyn o bryd?
Pa rai sy ddim mor ffasiynol?
Pa fath o ddillad fyddwch chi'n wisgo?
Pa rai fyddwch chi byth yn gwisgo?
Pa frandiau fyddwch chi'n hoffi?
Ydy brandiau'n bwysig?

Enghraifft o daflen nodiadau

Y cwestiwn	Fi	Enw: Person 2	Enw: Person 3
dillad sy'n ffasiynol?		Wranglers a Levis yn eitha trendi	
dillad sy ddim mor ffasiynol?	*Naff-Naff* ddim yn ffasiynol o gwbl.		
dillad fyddwch chi'n wisgo?			
dillad fyddwch chi byth yn wisgo?			Byth yn gwisgo tracswt
hoff brand?		Fy hoff brand ydy Caterpillar	
brand yn bwysig?	Brand ddim yn bwysig	Brand rhy ddrud weithiau	Brand yn bwysig i'r ffordd dw i'n edrych

(ii) **Brandiau cŵl**

Yn y llyfr, ar dudalen 7, mae'r tabl yn dangos y cynnyrch mwyaf cŵl.
Ydych chi ac aelodau'r grŵp yn cytuno neu'n anghytuno gyda'r rhestr? Mae rhai patrymau iaith i'ch helpu ar y dudalen nesaf. **Ydych chi'n gallu meddwl am ragor?**

Cofiwch, rhaid i chi ...

1. ofyn cwestiynau
2. ateb cwestiynau
3. gwrando'n ofalus
4. cytuno/anghytuno
5. mynegi barn
6. cynnig rhesymau

Cynnyrch...	mwyaf cŵl
Oriawr	Tag Heuer
Sbectol Haul	Oakley
Technoleg	iPod
Ar-lein	YouTube
Car	Mini
Cylchgrawn	Vogue
Gemau	PlayStation/XBox
Bwyd	Hufen iâ Häagen Dazs

What is your response to the brands and the clothes the poet mentions and also your response to James, Sally, Elsa and Robert's opinion? With a partner or in a group of three, refer to the quotes from the poem and the young people's opinion as part of your discussion. Make notes in a grid similar to the one below.

Dwi isio
Wranglers a Levis a jacet Naff-Naff ddu.
Caterpillars, Reeboks a threinyrs fel s'gin ti.

Dillad a dillad rho ddillad rwan i mi;
Dyna'r ffordd i fod yn cŵl yn union fath â chdi
Yn dy legins a threinyrs a bomer jacet ddu.

Er enghraifft:
Pa fath o ddillad sy'n ffasiynol
ar hyn o bryd?
Pa rai sy ddim mor ffasiynol?
Pa fath o ddillad fyddwch chi'n wisgo?
Pa rai fyddwch chi byth yn gwisgo?
Pa frandiau fyddwch chi'n hoffi?
Ydy brandiau'n bwysig?

Enghraifft o daflen nodiadau

Y cwestiwn	Fi	Enw: Person 2	Enw: Person 3
dillad sy'n ffasiynol?		Wranglers a Levis yn eitha trendi	
dillad sy ddim mor ffasiynol?	*Naff-Naff* ddim yn ffasiynol o gwbl.		
dillad fyddwch chi'n wisgo?			
dillad fyddwch chi byth yn wisgo?			Byth yn gwisgo tracswt
hoff brand?		Fy hoff brand ydy Caterpillar	
brand yn bwysig?	Brand ddim yn bwysig	Brand rhy ddrud weithiau	Brand yn bwysig i'r ffordd dw i'n edrych

(ii) **Brandiau cŵl**

In the book, on page 7, the table shows the coolest products.
Do you and the members of your group agree or disagree with this list? There are some language patterns on the next page to help you. **Can you think of any more?**

Remember you must ...

1 ask questions
2 answer questions
3 listen carefully
4 agree/disagree
5 express opinion
6 offer reasons

Cynnyrch...	mwyaf cŵl
Oriawr	Tag Heuer
Sbectol Haul	Oakley
Technoleg	iPod
Ar-lein	YouTube
Car	Mini
Cylchgrawn	Vogue
Gemau	PlayStation/XBox
Bwyd	Hufen iâ Häagen Dazs

Os ydych chi'n hoffi gwneud pethau sy'n cŵl, yn wahanol ac yn gyffrous yna dylech chi:

- ddarllen y llyfr yma gan Non ap Emlyn www.atebol.com
- defnyddio'r weithlen yn y cylchgrawn IAW mis Mai, 2017

Mae'r llyfr yn sôn am bob math o gemau pêl gwahanol a diddorol iawn, e.e. sorbio, chwarae hoci mewn pwll nofio, chwarae pêl-droed 3 ochr, a hefyd byddwch yn dod i wybod am rygbi gwahanol, tennis gwahanol a tennis bwrdd gwahanol.

Y Dasg

1. Darllenwch y darn am Sorbio gan ddefnyddio strategaethau deall iaith i'ch helpu.
2. Darllenwch y darn eto a'r tro yma gwnewch nodiadau ar daflen debyg i'r isod.
3. Defnyddiwch y nodiadau i'ch helpu i ddweud wrth eich partner beth rydych chi wedi ddysgu am sorbio – y gêm gyffrous, cŵl a gwahanol.

Taflen nodiadau

Beth ydy Sorbio?	chwarae mewn pêl
O ble mae Sorbio'n dod?	
Sorbio yng Nghymru?	
Ble arall?	
Sawl dewis?	
Dewis 1. Rholio ble?	
Pa mor gyflym?	
Dewis 2. Beth sy'n y bêl tro 'ma? Pa fath o deimlad?	
Dewis 3. Beth sy'n wahanol nawr?	
Dewis 4. Beth sy'n gwneud y dewis yma'n anodd?	

Sorbio

Dyma ran o weithlen IAW mis Mai 2017.

Fel arfer, byddwch yn chwarae GYDA phêl ond mae'n well gan rhai pobl chwarae MEWN pêl. Mae sorbio yn dod o Seland Newydd ond erbyn hyn mae'n bosibl mwynhau sorbio yng Nghymru, yn Lloegr ac yn Ewrop.

Pan rydych chi'n sorbio mae 4 dewis.

pêl sorbio

Dewis 1
Mae'n bosibl rholio i lawr y bryn mewn pêl fawr. Mae'n gyflym iawn – tua phum deg (50) cilometr yr awr. Bobol bachi!

Dewis 2
Beth am rolio i lawr y bryn mewn pêl fawr, ond mae'n dywyll, dywyll yn y bêl. 'Nefi blŵ.'

Cerdded ar y dŵr mewn pêl fawr iawn

Dewis 3
Gallwch chi rolio i lawr y bryn mewn pêl fawr ond y tro yma mae dŵr yn y bêl hefyd. Mae'n wlyb iawn ond mae'n anhygoel o gyffrous!

Dewis 4
Ydych chi'n ffansïo sefyll mewn pêl fawr a cherdded ar y dŵr? Sôn am anodd.

Sut ydych chi a'ch partner yn ymateb i'r syniad o Sorbio?

Pa un o'r 4 opsiwn fasech chi'n ddewis? Pam?

Beth am eich partner?

Pa un o'r 4 opsiwn fasech chi byth yn ddewis? Pam?

A'ch partner?

Rhannwch eich ymateb chi ac ymateb eich partner gyda gweddill y dosbarth.

***COFIWCH bydd rhaid defnyddio'r 3ydd person i siarad am eich partner.**

If you enjoy doing things which are cool, different and exciting then you should:
- read this book by Non ap Enlyn www.atebol.com
- use the worksheets in the IAW magazine, May 2017 issue

The book mentions all kinds ofvery different and very interesting ball games. e.g. zorbing, playing hockey in a swimming pool, playng three-sided football, and you will also learn about a different kind of rugby, tennis and table tennis.

The task

1. Read the section about zorbing and use the strategies for understanding language to help you.
2. Read the piece again and this time make notes on a sheet similar to the one below.
   Taflen Nodiadau
3. Use the notes to help you to tell your partner what you have learnt about zorbing – the exciting, cool and different game.

Taflen nodiadau	
Beth ydy Sorbio?	chwarae mewn pêl
O ble mae Sorbio'n dod?	
Sorbio yng Nghymru?	
Ble arall?	
Sawl dewis?	
Dewis 1. Rholio ble?	
Pa mor gyflym?	
Dewis 2. Beth sy'n y bêl tro 'ma? Pa fath o deimlad?	
Dewis 3. Beth sy'n wahanol nawr?	
Dewis 4. Beth sy'n gwneud y dewis yma'n anodd?	

Sorbio

Dyma ran o weithlen IAW mis Mai 2017.

Fel arfer, byddwch yn chwarae GYDA phêl ond mae'n well gan rhai pobl chwarae MEWN pêl. Mae sorbio yn dod o Seland Newydd ond erbyn hyn mae'n bosibl mwynhau sorbio yng Nghymru, yn Lloegr ac yn Ewrop.

Pan rydych chi'n sorbio mae 4 dewis.

pêl sorbio

Dewis 1
Mae'n bosibl rholio i lawr y bryn mewn pêl fawr. Mae'n gyflym iawn – tua phum deg (50) cilometr yr awr. Bobol bachi!

Dewis 2
Beth am rolio i lawr y bryn mewn pêl fawr, ond mae'n dywyll, dywyll yn y bêl. 'Nefi blŵ.'

Cerdded ar y dŵr mewn pêl fawr iawn

Dewis 3
Gallwch chi rolio i lawr y bryn mewn pêl fawr ond y tro yma mae dŵr yn y bêl hefyd. Mae'n wlyb iawn ond mae'n anhygoel o gyffrous!

Dewis 4
Ydych chi'n ffansïo sefyll mewn pêl fawr a cherdded ar y dŵr? Sôn am anodd.

How do you and your partner respond to the idea of zorbing?
Which of the 4 options would you choose? Why?
What about your partner?
Which of the 4 options would you never consider? Why?
And your partner?
Share your response and your partner's response with the rest of the class.
***REMEMBER you will need to use the 3rd person to talk about your partner.**

Uned 2 – yr asesiad llawn

Beth sy'n cŵl ac yn wahanol erbyn hyn?

Mae'r sbardun sy'n cynnwys tabl, lluniau, testun darllen byr (yn mynegi barn) a thestun darllen byr (yn rhoi gwybodaeth) ar y dudalen nesaf.

***Cofiwch**

Yn Uned 2, mae'r pwyslais ar y siarad ond wrth gwrs mae'n rhaid gwrando'n astud ar yr hyn mae'ch partner neu aelodau'r grŵp yn ddweud er mwyn ymateb.

Mae'n werth meddwl am hyn wrth drafod gyda phartner neu mewn grŵp o dri.

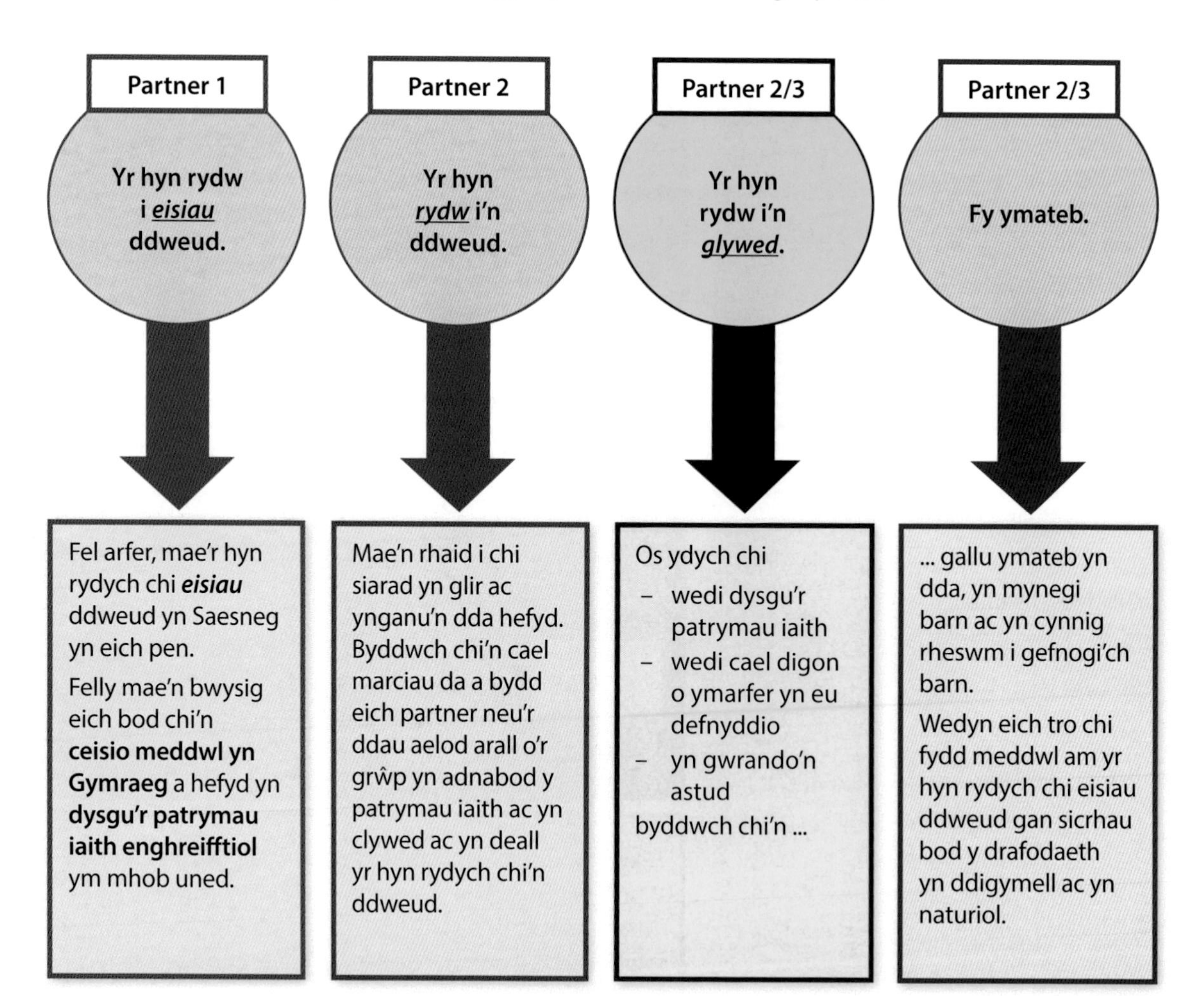

Y Dasg

Mewn pâr/grŵp o dri, trafodwch **Beth sy'n cŵl ac yn wahanol erbyn hyn?** Defnyddiwch y tabl, y lluniau a'r darnau byr ar y dudalen nesaf.

Uned 2 – yr asesiad llawn

Beth sy'n cŵl ac yn wahanol erbyn hyn?

The stimulus, which contains a table, pictures, short reading texts (expressing opinion) and short reading texts (giving information) is on the next page.

*Remember

In Unit 2, the emphasis is on the speaking but of course you must listen carefully to what your partner or members of a group have to say in order to respond.

It's worth thinking about this when speaking in pairs or in a group of three.

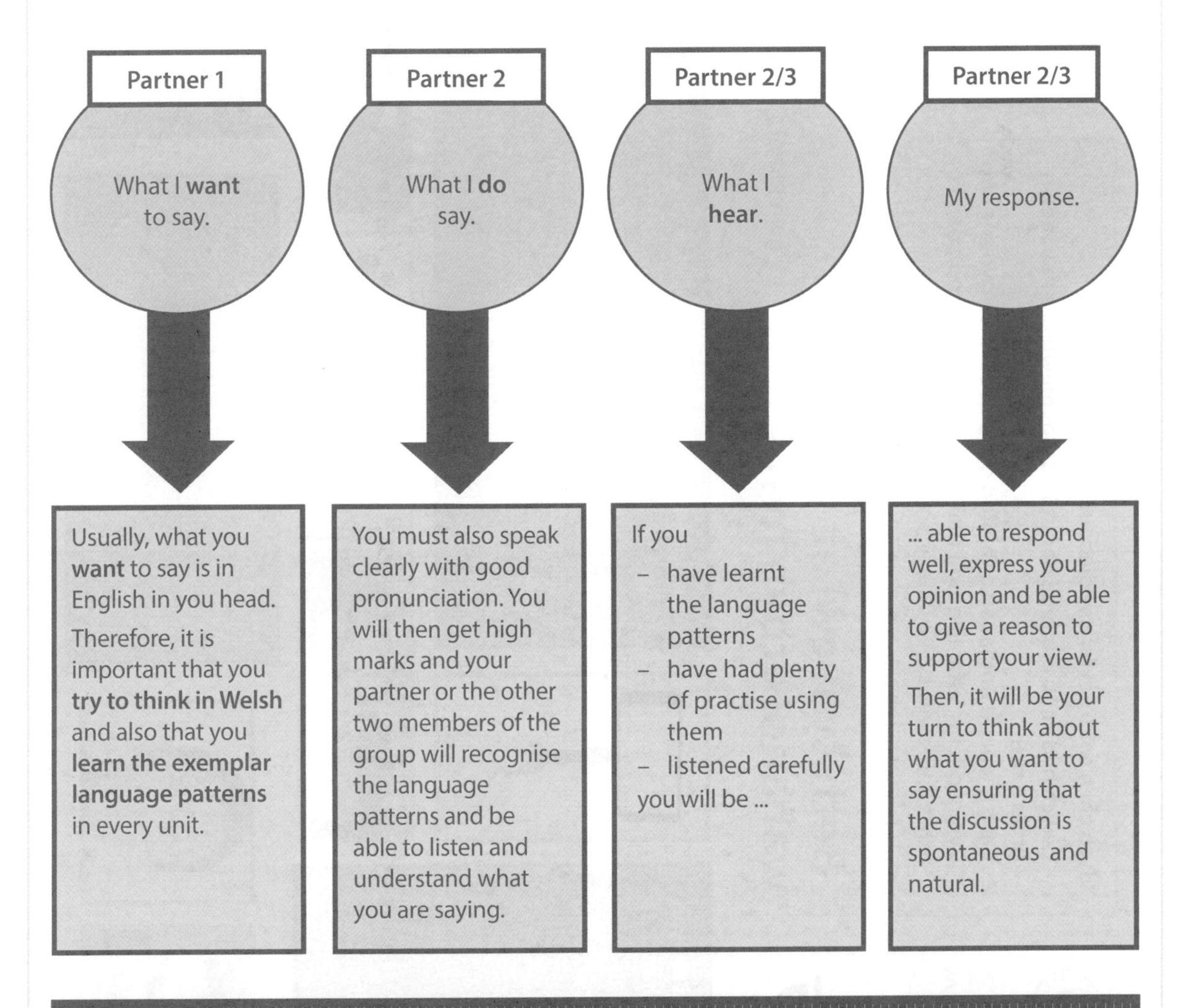

The task

In a pair/group of three, discuss: **Beth sy'n cŵl ac yn wahanol erbyn hyn?** Use the table, the pictures and the short texts on the next page.

llawn steil

unigryw

Ydych chi'n cofio'r cyfarwyddiadau?

- ✓ **Cewch hyd at 10 munud i baratoi'r dasg (mewn pâr neu mewn grŵp o dri)**
- ✓ **Cewch wneud nodiadau a thrafod gyda'ch partner/gyda'r grŵp**
- ✓ **Cyn gadael yr ystafell arholi rhaid i chi roi'r daflen nodiadau i'r athro/athrawes sy'n cynnal y prawf.**

Cofiwch mae rhaid i chi:

- ✓ **gyfeirio at** y llun, y graff, y tabl, y testunau byr …
- ✓ **gwrando ar** ac **ymateb i** farn eich partner/grŵp
- ✓ **mynegi barn am** gynnwys y sbardun a chynnig eich barn eich hun am y testun
- ✓ cytuno ac anghytuno gydag aelodau'r grŵp a gofyn eu barn.

Beth sy'n cŵl ac yn wahanol erbyn hyn?

chwaethus

gwreiddiol

Y 10 brand mwyaf cŵl i bobl ifanc:
Ralph Lauren
Abercrombie & Fitch
Adidas
Diesel
H&M
Hollister
Jack Wills
Nike
Tommy Hilfiger
Converse

Mae popeth *vintage* yn boblogaidd ar y funud. Mae'r math yma o ffasiwn yn chwaethus a llawn steil. Mae dillad *vintage* yn trendi ond hefyd lluniau du a gwyn, papur wal blodeuog (*flowery*), dodrefn fel radio, cadeiriau ac yn y blaen a recordiau vinyl a chamerâu *instamatic*. Dydy fy ffrind ddim yn hoff iawn o'r steil ond dw i'n hoffi pethau sy dipyn bach yn wahanol. Mae bod yn wahanol yn cŵl. Ydych chi'n cytuno?

Mae gwyliau yn *Center Parcs* yn cŵl, yn fy marn i. Mae'n le grêt ar gyfer pob oed, yn arbennig gyda grŵp o ffrindiau. Mae spa yno a phwll nofio awyr agored. Gweithgareddau gwahanol fel marchogaeth, reidio beiciau quad , saethu a *paintballing* sy'n apelio ata i. Gwyliau cyffrous iawn yn fy marn i.

?
Eich syniadau chi?

Mae'n rhaid gwybod pwy sy'n cŵl hefyd. Mae'n bwysig gwybod pwy ydy'r eiconau steil ar y funud. Wrth gwrs, y broblem ydy 'r ffaith bod eiconau'n bobl gyda lot o arian i brynu'r pethau sy'n wahanol, yn chwaethus ac yn cŵl.

Do you remember the instructions?

- ✓ You have up to 10 minutes to prepare for the task (in pairs or groups of three)
- ✓ you can write notes and discuss with your partner/group.
- ✓ Before leaving the exam room, you must hand in your notes sheet to the teacher in charge of the test.

Beth sy'n cŵl ac yn wahanol erbyn hyn?

chwaethus

gwreiddiol

Make sure that you:

- ✓ **refer** to the picture, the graph, the table, the short texts …
- ✓ **listen to** and **respond to** the opinion of your partner/group
- ✓ express your opinion about the content of the stimulus and you're your own opinion about the text.
- ✓ agree and disagree with members of the group and ask their opinion.

Y 10 brand mwyaf cŵl i bobl ifanc:
Ralph Lauren
Abercrombie & Fitch
Adidas
Diesel
H&M
Hollister
Jack Wills
Nike
Tommy Hilfiger
Converse

Mae popeth *vintage* yn boblogaidd ar y funud. Mae'r math yma o ffasiwn yn chwaethus a llawn steil. Mae dillad *vintage* yn trendi ond hefyd lluniau du a gwyn, papur wal blodeuog (*flowery*), dodrefn fel radio, cadeiriau ac yn y blaen a recordiau vinyl a chamerâu *instamatic*. Dydy fy ffrind ddim yn hoff iawn o'r steil ond dw i'n hoffi pethau sy dipyn bach yn wahanol. Mae bod yn wahanol yn cŵl. Ydych chi'n cytuno?

? Eich syniadau chi?

Mae gwyliau yn *Center Parcs* yn cŵl, yn fy marn i. Mae'n le grêt ar gyfer pob oed, yn arbennig gyda grŵp o ffrindiau. Mae spa yno a phwll nofio awyr agored. Gweithgareddau gwahanol fel marchogaeth, reidio beiciau quad , saethu a *paintballing* sy'n apelio ata i. Gwyliau cyffrous iawn yn fy marn i.

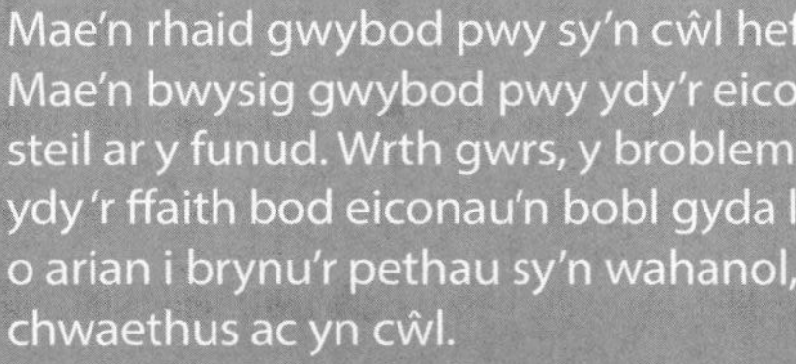

Mae'n rhaid gwybod pwy sy'n cŵl hefyd. Mae'n bwysig gwybod pwy ydy'r eiconau steil ar y funud. Wrth gwrs, y broblem ydy 'r ffaith bod eiconau'n bobl gyda lot o arian i brynu'r pethau sy'n wahanol, yn chwaethus ac yn cŵl.

A: YR ASESIAD

1 Hyd yr asesiad: 1 awr a 30 munud

2 Sawl marc: **100**

3 **Y sgiliau**
Darllen: 15%
Ysgrifennu: 10%

Felly, mae'r **pwyslais** yn Uned 3 ar y **Darllen**

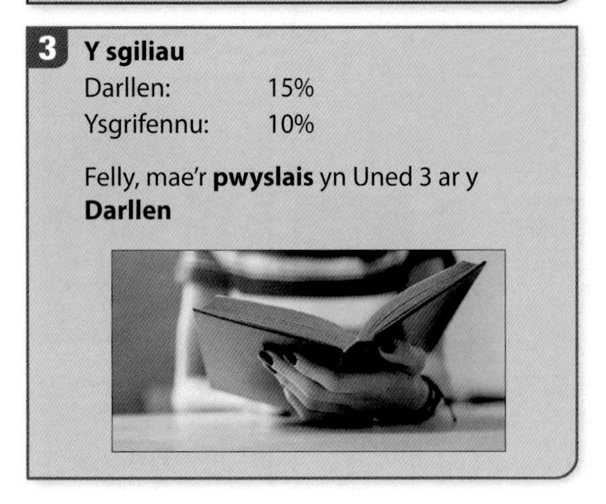

A: Y TASGAU

DARLLEN

***Mae'n rhaid gwneud y tasgau hyn heb ddefnyddio geiriadur.**

OND, mae'r geiriadur yma neu un tebyg yn wych ar gyfer y dosbarth.

Pa fath o dasgau **DARLLEN**?

A: The assessment

1 Duration of the assessment: 1 hour and 30 minutes

2 How many marks: **100**

3 **Skills**

Reading: 15%

Writing: 10%

Therefore, the **emphasis** in Unit 3 is on **Reading**

A: THE TASKS

READING

*These tasks must be completed without the use of a dictionary.

BUT, this dictionary or a similar one is great in the class.

What kind of **READING** tasks?

Beth sy'n helpu gyda'r tasgau DARLLEN?

1 Strategaethau Deall Iaith

Mae rhain ar gael ar dudalen 10.

GWEITHGAREDDAU: Gwaith pâr

- Faint o'r strategaethau deall iaith ydych chi'n gallu cofio cyn edrych am help ar dudalen 10?

  Ar ôl **5 munud** gwiriwch eich atebion.
- Darllenwch: **Rysáit myffins sticlyd moron ac oren**

Mae'n gwneud:
12 myffin mawr ***neu*** *24 myffin bach*
Amser coginio: tua ***25 munud***

Bydd angen:
175g olew
175g siwgr brown
3 wy mawr
140g moron (wedi'u plicio a'u gratio)
100g resins
1 oren mawr (croen wedi'i gratio)
200g blawd codi
5ml soda pobi
5ml sinamon
5ml sbeis cymysg

Pobty/ffwrn: 180°/Marc nwy 4

- Defnyddiwch y strategaethau canlynol i'ch helpu i ddeall y rysáit.

Mae'r myffins yn edrych yn flasus iawn, wir!

Strategaeth	Deall y rysáit
Y teitl	'Rysáit'. Mae pawb yn gwybod sut mae rysáit yn edrych.
Cyd-destun	'Myffins'. Mae'n rhaid meddwl beth sy angen i wneud 'myffin' neu deisen o unrhyw fath.
Mathemateg	Sut mae rhifau yn y rysáit yn eich helpu i ddeall ystyr y gair pobty/ffwrn a'r cynhwysion.
Geiriau Saesneg	
Geiriau sy'n debyg i Saesneg	
Dyfalu	Blawd – mae hwn yn **bwysig** mewn teisen. Beth ydy e/o?

Cwblhewch y ddwy res yma eich hun.

What helps with READING tasks?

1 **Strategies for Understanding Language**

These can be found on page 11.

ACTIVITIES: Pair work.

- How many of the strategies for understanding language are you able to remember before looking for help on page 11?
  After **5 minutes** check your answers.
- Read: **Recipe for carrot and orange sticky muffins**

Mae'n gwneud:
12 myffin mawr neu 24 myffin bach
Amser coginio: tua 25 munud

Bydd angen:
175g olew
175g siwgr brown
3 wy mawr
140g moron (wedi'u plicio a'u gratio)
100g resins
1 oren mawr (croen wedi'i gratio)
200g blawd codi
5ml soda pobi
5ml sinamon
5ml sbeis cymysg

Pobty/ffwrn: 180°/Marc nwy 4

- Use the following strategies to understand the recipe.
  The muffins look very tasty indeed!

Strategy	Understanding the recipe
The title	'Rysáit'. Everyone knows how a recipe looks.
Context	'Myffins'. You have to think what's needed to make a muffin or any kind of cake.
Mathematics	Consider how the numbers above help you to understand the meaning of, e.g. pobty/ffwrn and the ingredients.
English words	
Words that are similar in Welsh and English	
Guess	Blawd – this is **important** in a cake. What is it?

Complete these two rows.

2 **Sgimio a Sganio** (Mae rhain ar gael ar dudalen 12.)

Mae'r darn darllen ar y dudalen nesaf yn rhan o weithlen y cylchgrawn mis Ebrill 2016 IAW.

Mae'n rhan o daflen ffeithiol sy'n dweud hanes **y trên sgrech**.

Ffocws iaith y daflen ydy:

(a) cymharu ansoddeiriau

(b) amser amhersonol y ferf

a) Cymharu ansoddeiriau Y Radd Eithaf

A	B	C
cyflym	cyflymaf	*tallest*
tal	talaf	*best*
hir	hiraf	*fastest*
da	gorau	*longest*

Pa air yn 'Colofn C' sy'n cyfieithu'r geiriau yn 'Colofn B'?

b) Yr Amhersonol

A	B	C
gweld	gwelwyd	*was seen*
agor	agorwyd	*was opened*
adeiladu	adeiladwyd	*was built*

Tasgau

- Ewch ati i gwblhau'r daflen **Cymharu ansoddeiriau** uchod a dysgwch y geiriau Cymraeg am *tallest, fastest, longest* a *best*. Bydd y geiriau hyn yn ddefnyddiol iawn wrth i chi siarad ac ysgrifennu yn Gymraeg.
- Edrychwch yn ofalus ar batrwm y frawddeg.

John ydy'r **talaf** yn y dosbarth.

- Dysgwch y geiriau yn tabl B: *was seen, was opened, was built*
- Patrwm y frawddeg y tro yma ydy: **Adeiladwyd** y tŷ yn 2005.
  Agorwyd yr ysgol yn 1961.
- Ysgrifennwch frawddegau (un ar gyfer pob berf) i ddangos eich bod yn deall ystyr y 7 berf yn y ddwy 'Colofn B' **a)** a **b)** uchod.
- Darllenwch hanes y trên sgrech ar y dudalen nesaf ac gwnewch y tasgau sy'n dilyn.

2 **Skimming and scanning** (These are available on page 13.)

The reading passage on the next page forms part of a worksheet that can be found in the April 2016 issue of the Urdd publication .

Part of the factual sheet tells the story of **'y trên sgrech'**.

The linguistic focus is:

(a) Comparison of adjectives

(b) Impersonal form of the verb

a) **Comparison of adjectives**

A	B	C
cyflym	cyflymaf	*tallest*
tal	talaf	*best*
hir	hiraf	*fastest*
da	gorau	*longest*

Which word in 'Colofn C' translates the word in 'Colofn B'?

b) **The Impersonal**

A	B	C
gweld	gwelwyd	*was seen*
agor	agorwyd	*was opened*
adeiladu	adeiladwyd	*was built*

Tasks

- Complete the **Cymharu ansoddeiriau** sheet above and learn the Welsh word for *tallest, fastest, longest* and *best.* These words will be very useful when speaking and writing in Welsh.
- Look carefully at the sentence pattern.

  John ydy'r **talaf** yn y dosbarth.

- Learn the words in table B: *was seen, was opened, was built*
- The sentence pattern this time is: **Adeiladwyd** y tŷ yn 2005.
  Agorwyd yr ysgol yn 1961.
- Write sentences (one for each verb) to show that you understand the meaning of the 7 verbs in the 'Colofn B' **a)** and **b)** above.
- Read about the roller coaster on the next page and complete the tasks that follow.

Hanes y Trên Sgrech

DARLLENWCH

Mae rhai pobl yn dweud mai ym Mharis yn 1804 gwelwyd trên sgrech cyntaf. Roedd problem weithiau achos roedd y cerbyd yn syrthio oddi ar y trac! Bobol bach!

OND ble mae'r trên sgrech cyflymaf, talaf – hynny ydy (*that is*) Y GORAU?

- Mae'r trên sgrech hiraf – y Steel Dragon – yn Mie, Siapan. Mae'r trac yn mesur 2,479 metr. Adeiladwyd yn 2000 – blwyddyn y ddraig yn Tsiena.
- Mae'r trên sgrech hiraf ym Mhrydain yn Swydd Efrog. Mae'r trac yn mesur 2,268 metr. Agorwyd yn 1991.
- Y trên sgrech talaf yn y byd ydy'r Kingda Ka yn America. Mae'n mesur 139 metr – mor dal ag adeilad 45 llawr. Adeiladwyd y Kingda Ka yn 2005. Y Kingda Ka oedd y trên sgrech cyflyma' yn y byd hefyd ond yn 2010 agorwyd y Formula Rossa yn Abu Dhabi.
- Y Formula Rossa ydy'r cyflymaf yn y byd erbyn hyn. Mae'n cyrraedd cyflymder o 240 cilometr yr awr ac mae pob cerbyd yn edrych fel car rasio Fformiwla Un. Mae'r teithwyr yn gwisgo gogls i ddiogelu eu llygaid.

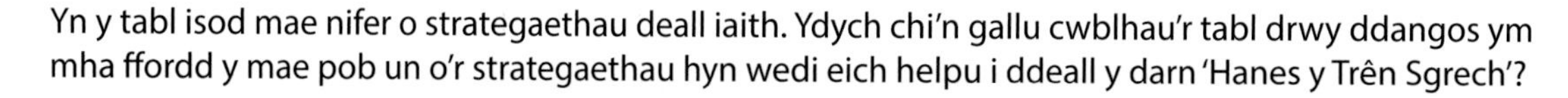

Yn y tabl isod mae nifer o strategaethau deall iaith. Ydych chi'n gallu cwblhau'r tabl drwy ddangos ym mha ffordd y mae pob un o'r strategaethau hyn wedi eich helpu i ddeall y darn 'Hanes y Trên Sgrech'?

Strategaethau deall iaith	
Teitl a chyd-destun	
Gwybodaeth flaenorol o'r Gymraeg	
Gwybodaeth am hanes, daearyddiaeth etc.	
Gwybodaeth am ieithoedd eraill	
Geiriau Cymraeg sy'n debyg i'r Saesneg	
Lluniau	
Rhan o air	
Dyfalu – cymryd risg!	e.e. cyflymder = *speed* (cliw= 240 cilometr yr awr).

Hanes y Trên Sgrech

DARLLENWCH

Mae rhai pobl yn dweud mai ym Mharis yn 1804 gwelwyd trên sgrech cyntaf. Roedd problem weithiau achos roedd y cerbyd yn syrthio oddi ar y trac! Bobol bach!

OND ble mae'r trên sgrech cyflymaf, talaf – hynny ydy (*that is*) Y GORAU?

- Mae'r trên sgrech hiraf – y Steel Dragon – yn Mie, Siapan. Mae'r trac yn mesur 2,479 metr. Adeiladwyd yn 2000 – blwyddyn y ddraig yn Tsiena.
- Mae'r trên sgrech hiraf ym Mhrydain yn Swydd Efrog. Mae'r trac yn mesur 2,268 metr. Agorwyd yn 1991.
- Y trên sgrech talaf yn y byd ydy'r Kingda Ka yn America. Mae'n mesur 139 metr – mor dal ag adeilad 45 llawr. Adeiladwyd y Kingda Ka yn 2005. Y Kingda Ka oedd y trên sgrech cyflyma' yn y byd hefyd ond yn 2010 agorwyd y Formula Rossa yn Abu Dhabi.
- Y Formula Rossa ydy'r cyflymaf yn y byd erbyn hyn. Mae'n cyrraedd cyflymder o 240 cilometr yr awr ac mae pob cerbyd yn edrych fel car rasio Fformiwla Un. Mae'r teithwyr yn gwisgo gogls i ddiogelu eu llygaid.

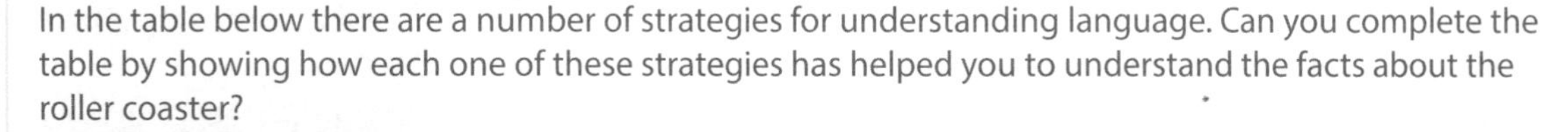

In the table below there are a number of strategies for understanding language. Can you complete the table by showing how each one of these strategies has helped you to understand the facts about the roller coaster?

Strategies for understanding language	
Title and context	
Prior knowledge of Welsh	
Knowledge of history, geography etc.	
Knowledge of other languages	
Welsh words which are similar to English	
Pictures	
Parts of words	
Guess – take a risk!	e.g. cyflymder = *speed* (clue= 240 cilometr yr awr).

C: ENGHREIFFTIAU O'R TASGAU

1 **Tasgau gydag ymatebion di-eiriau ac ysgrifenedig.**

(i) CLWB MYNYDDA CYMRU (*Mountaineering Club of Wales*)

Darllenwch y wybodaeth isod am Glwb Mynydda Cymru ac atebwch y cwestiynau sy'n dilyn.

aelodau – *members*

cymdeithasu – *to socialise*

hawdd – *easy*

llwybrau arfordir – *coastal paths*

Mae 350 o bobl yn **aelodau** o Glwb Mynydda Cymru. Maen nhw i gyd yn siarad Cymraeg neu yn dysgu Cymraeg ac yn mwynhau mynydda a **chymdeithasu** yn Gymraeg. Mae aelodau'r Clwb yn cyfarfod ar ddydd Sadwrn a dydd Mercher yn y de a'r gogledd.

Maen nhw'n mwynhau cerdded y mynyddoedd, dringo (gyda rhaffau) a sgrialu – dringo **hawdd** heb ddefnyddio rhaffau (*scramble*). Mae aelodau'r Clwb wedi bod yn mynydda yng Nghymru, Lloegr, Yr Alban, Iwerddon, India a Nepal.

Weithiau, mae'r Clwb yn trefnu teithiau ar **lwybrau arfordir** Cymru, er enghraifft, yn Sir Benfro ac Ynys Môn.

(a) Faint o aelodau sy yn y clwb?

(b) Enwch 3 pheth sy gan aelodau'r clwb yn gyffredin?

(c) Sawl gwaith yr wythnos mae'r clwb yn cwrdd?

(ch) Beth ydy'r enw Cymraeg am ddringo hawdd heb ddefnyddio rhaffau?

(d) Beth mae'r clwb yn wneud yn Sir Benfro ac Ynys Môn?

C: EXAMPLES OF THE TASKS

1 Tasks with non-verbal and written responses.

(i) CLWB MYNYDDA CYMRU (*Mountaineering Club of Wales*)

Read the information below about Clwb Mynydda Cymru and answer the questions that follow.

aelodau – *members*

cymdeithasu – *to socialise*

hawdd – *easy*

llwybrau arfordir – *coastal paths*

Mae 350 o bobl yn **aelodau** o Glwb Mynydda Cymru. Maen nhw i gyd yn siarad Cymraeg neu yn dysgu Cymraeg ac yn mwynhau mynydda a **chymdeithasu** yn Gymraeg. Mae aelodau'r Clwb yn cyfarfod ar ddydd Sadwrn a dydd Mercher yn y de a'r gogledd.

Maen nhw'n mwynhau cerdded y mynyddoedd, dringo (gyda rhaffau) a sgrialu - dringo **hawdd** heb ddefnyddio rhaffau (*scramble*). Mae aelodau'r Clwb wedi bod yn mynydda yng Nghymru, Lloegr, Yr Alban, Iwerddon, India a Nepal.

Weithiau, mae'r Clwb yn trefnu teithiau ar **lwybrau arfordir** Cymru, er enghraifft, yn Sir Benfro ac Ynys Môn.

(a) Faint o aelodau sy yn y clwb?

(b) Enwch 3 pheth sy gan aelodau'r clwb yn gyffredin?

(c) Sawl gwaith yr wythnos mae'r clwb yn cwrdd?

(ch) Beth ydy'r enw Cymraeg am ddringo hawdd heb ddefnyddio rhaffau?

(d) Beth mae'r clwb yn wneud yn Sir Benfro ac Ynys Môn?

(dd) **Edrychwch yn ofalus ar y wybodaeth isod ac atebwch y cwestiynau sy'n dilyn.**

Dyddiad	Amser	Ble	Taith	Arweinydd
Dydd Sadwrn, 8 Gorffennaf	09.15	Llanberis	Yr Wyddfa	Edward Humphreys
Dydd Sadwrn, 15 Medi	09.15	Caergybi	Dringo	Myfyr Lane
Dydd Mercher, 19 Tachwedd	09.15	Tyddewi, Sir Benfro	Cerdded llwybr yr arfordir	Alun Midgley
Dydd Sadwrn, 22 Rhagfyr	09.15	Y Fenni	Pen y Fâi	Chris Griffiths

Enghraifft o raglen y Clwb

Tref	Nifer aelodau	Tref	Nifer aelodau
Caergybi	10	Caernarfon	50
Bangor	40	Porthaethwy	49
Conwy	35	Llanfair yn Muallt	20
Aberhonddu	17	Caerdydd	23
Caerfyrddin	22	Casnewydd	8
Aberteifi	26	Yr Wyddgrug	20
Rhuthun	26	Dinbych	4

Ble mae aelodau Clwb Mynydda Cymru'n byw?

Rhowch gylch o amgylch yr ateb cywir.

1	I ble fydd taith y clwb yn mynd cyn y Nadolig?	Llanberis	Tyddewi	Y Fenni
2	Mae pob taith yn cychwyn ...	ar ôl cinio	yn y pnawn	yn y bore
3	Mae'r rhan fwyaf o aelodau'r clwb yn byw yn ...	Rhuthun	Caernarfon	Porthaethwy

(ii) **YMAELODI Â'R CLWB. Llenwch y ffurflen ymaelodi isod.**

Clwb Mynydda Cymru
Ffurflen Ymaelodi

Enw:

Cyfeiriad:

Côd Post:

Rhif ffôn cartref:
Rhif ffôn symudol:

Cyfeiriad ebost:

Clwb Mynydda Cymru

Pam ydych chi eisiau ymuno â'r clwb? (dwy frawddeg os gwelwch yn dda)

1.

2.

(dd) Look carefully at the information below and answer the questions that follow.

Dyddiad	Amser	Ble	Taith	Arweinydd
Dydd Sadwrn, 8 Gorffennaf	09.15	Llanberis	Yr Wyddfa	Edward Humphreys
Dydd Sadwrn, 15 Medi	09.15	Caergybi	Dringo	Myfyr Lane
Dydd Mercher, 19 Tachwedd	09.15	Tyddewi, Sir Benfro	Cerdded llwybr yr arfordir	Alun Midgley
Dydd Sadwrn, 22 Rhagfyr	09.15	Y Fenni	Pen y Fâi	Chris Griffiths

Enghraifft o raglen y Clwb

Tref	Nifer aelodau	Tref	Nifer aelodau
Caergybi	10	Caernarfon	50
Bangor	40	Porthaethwy	49
Conwy	35	Llanfair yn Muallt	20
Aberhonddu	17	Caerdydd	23
Caerfyrddin	22	Casnewydd	8
Aberteifi	26	Yr Wyddgrug	20
Rhuthun	26	Dinbych	4

Ble mae aelodau Clwb Mynydda Cymru'n byw?

Circle the correct answer.

1	I ble fydd taith y clwb yn mynd cyn y Nadolig?	Llanberis	Tyddewi	Y Fenni
2	Mae pob taith yn cychwyn ...	ar ôl cinio	yn y pnawn	yn y bore
3	Mae'r rhan fwyaf o aelodau'r clwb yn byw yn ...	Rhuthun	Caernarfon	Porthaethwy

(ii) Becoming a member of the club. Complete the application form below.

Clwb Mynydda Cymru
Ffurflen Ymaelodi

Enw:

Cyfeiriad:

Côd Post:

Rhif ffôn cartref:
Rhif ffôn symudol:

Cyfeiriad ebost:

Clwb Mynydda Cymru

Pam ydych chi eisiau ymuno â'r clwb?
(dwy frawddeg os gwelwch yn dda)

1.

2.

(iii) STADIWM Y PRINCIPALITY A CAMP NOU

(a) **Gwybodaeth am Stadiwm y Principality**

Darllenwch y wybodaeth isod am Stadiwm y Principality ac atebwch y cwestiynau sy'n dilyn.

Cofiwch y strategaethau deall iaith.

Mae Stadiwm y Principality yng Nghaerdydd, prifddinas Cymru. Roedd y gêm gyntaf yn y stadiwm ar 26 Mehefin 1999; gêm rygbi rhwng Cymru a De Affrica. Y sgôr oedd 29 i Gymru ac 19 i Dde Affrica.

Mae'r stadiwm yn dal 74,500 o bobl ac mae'n bosibl cau'r to os ydy hi'n wyntog neu'n bwrw glaw. Hefyd, mae llawer o gyngherddau gyda sêr byd enwog yn cael eu cynnal yno.

Mae llawer o gemau rygbi'n cael eu chwarae yn y stadiwm ond hefyd, mae chwaraeon eraill, er enghraifft Grand Prix Speedway Prydain Fawr a chwech o gemau terfynol y gwpan FA. Ar 3 Mehefin 2017, cafodd rownd derfynol Cynghrair y Pencampwyr ei chynnal yn y stadiwm.

(b) **Rhowch gylch o amgylch yr ateb cywir.**

1	Roedd y gêm rygbi gyntaf yn erbyn ...	Lloegr	De Affrica	Iwerddon
2	Capasiti'r stadiwm?	80,000	65,000	74,500
3	Pryd oedd rownd derfynol Cynghrair y Pencampwyr?	3 Mehefin 2017	25 Mai 2017	5 Mehefin 2017

(c) **Cwblhewch y brawddegau canlynol.**

1 ______________ ydy Prifddinas Cymru.
2 Dyddiad y gêm rygbi gyntaf yn y Stadiwm oedd ______________.
3 __________ enillodd y gêm gyntaf.
4 Pan mae'r tywydd yn ddrwg, maen nhw'n gallu ______________.
5 Y gêm bêl-droed fwyaf i gael ei chwarae yn y Stadiwm oedd ______________.

(iii) THE PRINCIPALITY STADIUM AND CAMP NOU

(a) Information about the Principality Stadium

Read the information about the Principality Stadium and answer the questions that follow.

Remember the strategies for understanding language.

Mae Stadiwm y Principality yng Nghaerdydd, prifddinas Cymru. Roedd y gêm gyntaf yn y stadiwm ar 26 Mehefin 1999; gêm rygbi rhwng Cymru a De Affrica. Y sgôr oedd 29 i Gymru ac 19 i Dde Affrica.

Mae'r stadiwm yn dal 74,500 o bobl ac mae'n bosibl cau'r to os ydy hi'n wyntog neu'n bwrw glaw. Hefyd, mae llawer o gyngherddau gyda sêr byd enwog yn cael eu cynnal yno.

Mae llawer o gemau rygbi'n cael eu chwarae yn y stadiwm ond hefyd, mae chwaraeon eraill, er enghraifft Grand Prix Speedway Prydain Fawr a chwech o gemau terfynol y gwpan FA. Ar 3 Mehefin 2017, cafodd rownd derfynol Cynghrair y Pencampwyr ei chynnal yn y stadiwm.

(b) Circle the correct answer.

1	Roedd y gêm rygbi gyntaf yn erbyn ...	Lloegr	De Affrica	Iwerddon
2	Capasiti'r stadiwm?	80,000	65,000	74,500
3	Pryd oedd rownd derfynol Cynghrair y Pencampwyr?	3 Mehefin 2017	25 Mai 2017	5 Mehefin 2017

(c) Complete the following sentences.

1 ________________ ydy Prifddinas Cymru.
2 Dyddiad y gêm rygbi gyntaf yn y Stadiwm oedd ________________.
3 ___________ enillodd y gêm gyntaf.
4 Pan mae'r tywydd yn ddrwg, maen nhw'n gallu ________________.
5 Y gêm bêl-droed fwyaf i gael ei chwarae yn y Stadiwm oedd ________________.

(ch) Cwblhewch y dasg isod.

Rydych chi eisiau tocynnau ar gyfer gêm rygbi Cymru v Lloegr ym mis Chwefror. Ysgrifennwch ebost at Undeb Rygbi Cymru i holi am docynnau.

Pa gêm hoffech chi fynd iddi?
Beth ydy dyddiad y gêm?
Faint o'r gloch mae'r gic gyntaf?
Sawl tocyn rydych chi eisiau?
Holwch faint mae'r tocynnau'n costio.

You want tickets for the rugby match Wales v England in February. Write an email to the Welsh Rugby Union to ask for tickets.

Which game you would like to attend?
What is the date of the game?
What time is kick off?
How many tickets do you need?
Enquire about the price of the tickets.

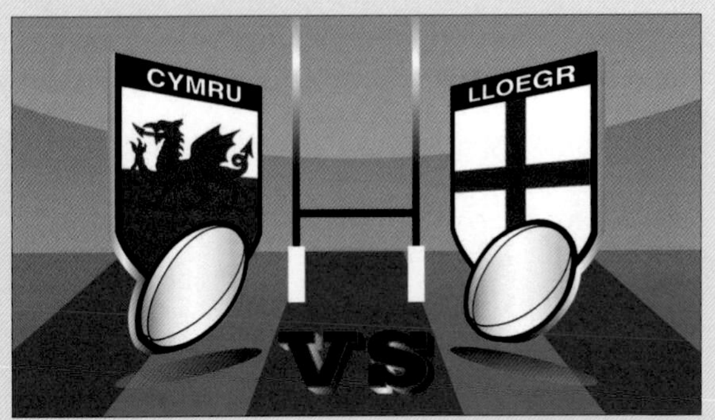

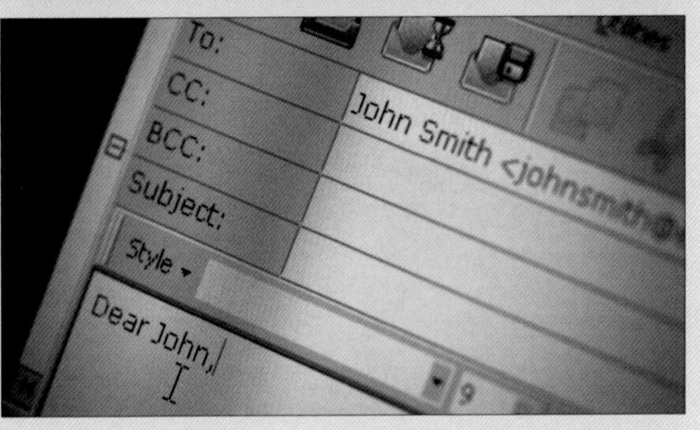

(d) Gwybodaeth am Camp Nou, Barcelona.

Mae stadiwm pêl-droed y Camp Nou yn Barcelona, prifddinas Catalunya. Rhan o Sbaen ydy Catalunya ond, fel Cymru, mae llawer o'r bobl yn siarad **eu hiaith eu hunain**, Catalaneg.

Yn Catalaneg, Camp Nou ydy Cae Newydd. **Cafodd** Camp Nou ei adeiladu yn 1957 ac mae'r stadiwm yn dal 99,354 o bobl. Pan mae Barcelona yn chwarae Real Madrid, mae'r stadiwm **dan ei sang**!

Mae ymwelwyr i Barcelona yn gallu mwynhau'r *Camp Nou Experience* a chael taith o gwmpas y stadiwm. Maen nhw'n gallu eistedd yn yr **eisteddleoedd**, gweld ystafelloedd newid y chwaraewyr a cherdded i lawr twnel y chwaraewyr.

Hefyd, mae **amgueddfa** Clwb Pêl-droed Barcelona lle mae pobl yn gallu gweld lluniau, crysau, cwpanau a ffilmiau sy'n dangos hanes y clwb.

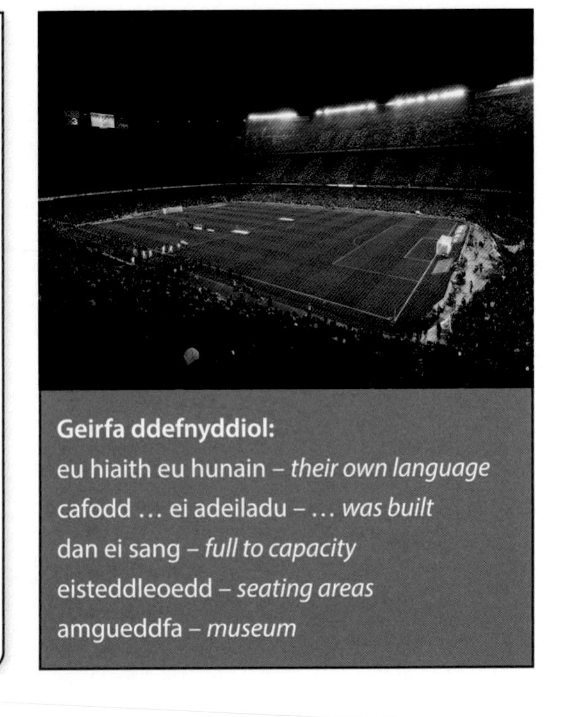

Geirfa ddefnyddiol:

eu hiaith eu hunain – *their own language*
cafodd … ei adeiladu – *… was built*
dan ei sang – *full to capacity*
eisteddleoedd – *seating areas*
amgueddfa – *museum*

(ch) Complete the task below.

Rydych chi eisiau tocynnau ar gyfer gêm rygbi Cymru v Lloegr ym mis Chwefror. Ysgrifennwch ebost at Undeb Rygbi Cymru i holi am docynnau.

Pa gêm hoffech chi fynd iddi?
Beth ydy dyddiad y gêm?
Faint o'r gloch mae'r gic gyntaf?
Sawl tocyn rydych chi eisiau?
Holwch faint mae'r tocynnau'n costio.

You want tickets for the rugby match Wales v England in February. Write an email to the Welsh Rugby Union to ask for tickets.

Which game you would like to attend?
What is the date of the game?
What time is kick off?
How many tickets do you need?
Enquire about the price of the tickets.

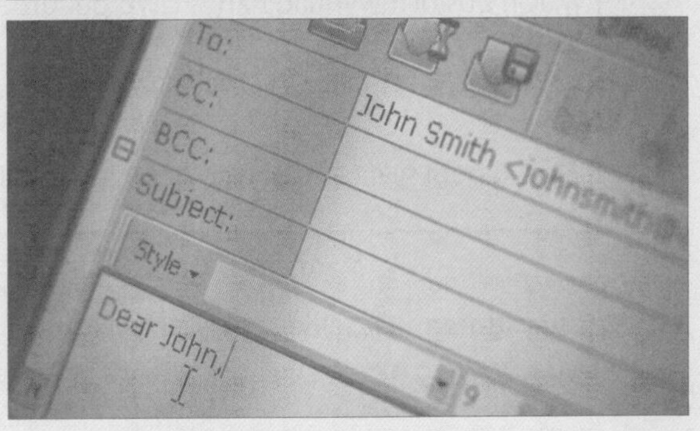

(d) Information about Camp Nou, Barcelona.

Mae stadiwm pêl-droed y Camp Nou yn Barcelona, prifddinas Catalunya. Rhan o Sbaen ydy Catalunya ond, fel Cymru, mae llawer o'r bobl yn siarad **eu hiaith eu hunain**, Catalaneg.

Yn Catalaneg, Camp Nou ydy Cae Newydd. **Cafodd** Camp Nou ei adeiladu yn 1957 ac mae'r stadiwm yn dal 99,354 o bobl. Pan mae Barcelona yn chwarae Real Madrid, mae'r stadiwm **dan ei sang**!

Mae ymwelwyr i Barcelona yn gallu mwynhau'r *Camp Nou Experience* a chael taith o gwmpas y stadiwm. Maen nhw'n gallu eistedd yn yr **eisteddleoedd**, gweld ystafelloedd newid y chwaraewyr a cherdded i lawr twnel y chwaraewyr.

Hefyd, mae **amgueddfa** Clwb Pêl-droed Barcelona lle mae pobl yn gallu gweld lluniau, crysau, cwpanau a ffilmiau sy'n dangos hanes y clwb.

***Useful vocabulary*:**
eu hiaith eu hunain – *their own language*
cafodd … ei adeiladu – … *was built*
dan ei sang – *full to capacity*
eisteddleoedd – *seating areas*
amgueddfa – *museum*

Ydych chi wedi darllen y wybodaeth am camp Nou ar y dudalen flaenorol?
Mae gennych y bocs **geirfa defnyddiol** a hefyd strategaethau deall iaith i'ch helpu i ateb y cwestiynau canlynol:

Cwblhewch y brawddegau canlynol:

Prifddinas Catalunya ydy ______________________

Blwyddyn adeiladu'r Camp Nou oedd ______________________

Mae'n bosibl mwynhau hanes clwb pêl-droed Barcelona yn ______________________

Mae pob sedd yn y stadiwm yn llawn pan fydd ______________________

Nifer o bobl sy'n gallu gwylio gêm yn y stadiwm ydy ______________________

(dd) Tasg ysgrifennu'n seiliedig ar Camp Nou.
Dyma ychydig o help cyn i chi fynd ati i ysgrifennu'r adroddiad.

Pwrpas

Pwrpas adroddiad ydy disgrifio rhywbeth sydd wedi digwydd.

Beth ydy adroddiad?

Mae sawl gwahanol fath o adroddiad:
- adroddiad mewn papur newydd
- adroddiad mewn cylchgrawn
- adroddiad ar y we
- adroddiad llafar ar y radio neu'r teledu

I ysgrifennu adroddiad da mae'n rhaid:
- cynnwys digon o fanylion
  - ✓ Pwy?
  - ✓ Beth?
  - ✓ Ble?
  - ✓ Pryd?
  - ✓ Pam?
  - ✓ Sut?
- dewis pennawd trawiadol
- defnyddio paragraff newydd ar gyfer bob pwynt
- dweud beth sy wedi digwydd yn syml, yn drefnus ac yn glir
- defnyddio'r gorffennol (*–**on ni*** etc) ac Roedd (*was*) i sôn am y tywydd etc.

Iaith ddefnyddiol:
Yn gyntaf …
Yn ail …
Yna …
Wedyn …
Ar ôl …
Cyn … / Cyn hyn …

Have you read the information about Camp Nou on the previous page?

You have the Useful vocabulary box and the strategies for understanding language to help you to answer the following questions.

Complete the following sentences:

Prifddinas Catalunya ydy ______________________________

Blwyddyn adeiladu'r Camp Nou oedd ______________________________

Mae'n bosibl mwynhau hanes clwb pêl-droed Barcelona yn ______________________________

Mae pob sedd yn y stadiwm yn llawn pan fydd ______________________________

Nifer o bobl sy'n gallu gwylio gêm yn y stadiwm ydy ______________________________

(dd) A writing task based on Camp Nou.

Writing a report but with a little help to start.

Purpose

The purpose of a report is to describe something that has happened.

What is a report?

There are several different kinds of reports:

- a report in a newspaper
- a report in a magazine
- a report on a website
- an oral report on television or radio

To write a good report it is necessary to:

- include plenty of information
  - ✓ Who?
  - ✓ What?
  - ✓ Where?
  - ✓ When?
  - ✓ Why?
  - ✓ How?
- choose a striking heading
- use a new paragraph for every point
- describe what has happened simply, clearly and in an organised way
- use past tense (*–**on ni*** etc) a *Roedd* (was) to mention the weather etc.

Useful language:

First …
Second …
Then …
Afterwards …
After …
Before … / Before this …

(e) **TASG ysgrifennu:**

Rydych chi wedi bod ar daith gyda'r clwb ieuenctid i weld Barcelona yn chwarae Real Madrid. Mae arweinydd y clwb ieuenctid wedi gofyn i chi ysgrifennu **adroddiad** am y daith i'ch papur bro lleol (tua 150 o eiriau).

Gallwch chi gynnwys:

- pryd aethoch chi – *when you went*
- pwy oedd ar y daith – *who was on the trip*
- sut deithioch chi a ble arhosoch chi – *how did you travel and where did you stay*
- pa fath o fwyd gawsoch chi – *what kind of food did you have*
- am y tywydd – *about the weather*
- am gyffro'r Camp Nou – *about the excitement of Camp Nou*
- am y gêm – *about the game*
- beth arall wnaethoch chi/welsoch chi – *what else you did or saw*

Huw Stephens

(iv) **Huw Stephens**

(a) **Ffeil-o-ffaith**

Darllenwch y ffeithiau isod am Huw Stephens yn ofalus ac yna atebwch y cwestiynau ar y dudalen nesaf.

Enw llawn:	Huw Stephens
Dyddiad geni:	25 Mai 1981
Man geni:	Caerdydd
Ieithoedd:	Cymraeg a Saesneg
Gyrfa:	Gorsaf Radio Ysbyty *Rockwood Sound*, Caerdydd Ymuno â Radio 1 yn 2005 Wedi gweithio ar raglenni One Music, Radio 1 *22.00 - 01.00 show*, Radio 1 C2, Radio Cymru Bandit, S4C *Other voices*, RTE
Gwyliau cerddorol:	Wedi bod yn DJ yn: Eisteddfod Genedlaethol Cymru Glastonbury Reading Leeds T in the Park Gŵyl y Green Man
Cylchgronau a phapurau newydd:	Wedi ysgrifennu a golygu erthyglau yn: NME The Independent The Western Mail The Guardian
Seremonïau gwobrwyo:	BAFTA Cymru

(e) **Writing task:**

Rydych chi wedi bod ar daith gyda'r clwb ieuenctid i weld Barcelona yn chwarae Real Madrid. Mae arweinydd y clwb ieuenctid wedi gofyn i chi ysgrifennu **adroddiad** am y daith i'ch papur bro lleol (tua 150 o eiriau).

You have been on a trip with the youth club to watch Barcelona play Real Madrid. The leader of the Youth Club has asked you to write a report for your local papur bro about the trip (about 150 words).

Gallwch chi gynnwys/*you can include*:

- pryd aethoch chi – *when you went*
- pwy oedd ar y daith – *who was on the trip*
- sut deithioch chi a ble arhosoch chi – *how did you travel and where did you stay*
- pa fath o fwyd gawsoch chi – *what kind of food did you have*
- am y tywydd – *about the weather*
- am gyffro'r Camp Nou – *about the excitement of Camp Nou*
- am y gêm – *about the game*
- beth arall wnaethoch chi/welsoch chi – *what else you did or saw*

(iv) **Huw Stephens**

(a) **Ffeil-o-ffaith**

Darllenwch y ffeithiau isod am Huw Stephens yn ofalus ac yna atebwch y cwestiynau ar y dudalen nesaf.

Read the facts below about Huw Stephens carefully and answer the questions on the next page.

Huw Stephens

Enw llawn:	Huw Stephens
Dyddiad geni:	25 Mai 1981
Man geni:	Caerdydd
Ieithoedd:	Cymraeg a Saesneg
Gyrfa:	Gorsaf Radio Ysbyty *Rockwood Sound*, Caerdydd Ymuno â Radio 1 yn 2005 Wedi gweithio ar raglenni One Music, Radio 1 *22.00 - 01.00 show*, Radio 1 C2, Radio Cymru Bandit, S4C *Other voices*, RTE
Gwyliau cerddorol:	Wedi bod yn DJ yn: Eisteddfod Genedlaethol Cymru Glastonbury Reading Leeds T in the Park Gŵyl y Green Man
Cylchgronau a phapurau newydd:	Wedi ysgrifennu a golygu erthyglau yn: NME The Independent The Western Mail The Guardian
Seremonïau gwobrwyo:	BAFTA Cymru

(i) Rhowch gylch o amgylch yr ateb cywir.

Cafodd Huw Stephens ei eni yn ...	Gogledd Cymru	De Cymru	Canolbarth Cymru
Mae Huw wedi gweithio i sianel deledu yn ...	Iwerddon	Yr Alban	Ffrainc
Mae Huw wedi ysgrifennu i bapur newydd ...	The Sun	Daily Post	The Guardian

(ii) Ble, yng Nghaerdydd, oedd Huw Stephens yn gweithio?
(iii) Sawl iaith mae Huw yn gallu siarad?
(iv) Ym mha ŵyl Gymreig y mae e/o wedi gweithio?
(v) I ba gylchgrawn y mae e/o wedi ysgrifennu?

(b) Sgript sy'n cyflwyno Huw Stephens.

Mae Huw Stephens yn ymweld â'ch ysgol ac mae'r Pennaeth wedi gofyn i chi ei gyflwyno. Defnyddiwch y wybodaeth yn y **ffeil-o-ffaith** i baratoi sgript ar gyfer eich cyflwyniad. (Tua 100 o eiriau).

Gallwch chi gynnwys:
- o ble mae'n dod
- beth mae o/e wedi ei gyflawni
- rhywbeth rydych chi'n hoffi am ei waith.

2 Cyfieithu: Y gwaith paratoi

Yn arholiad UNED 3 bydd UN dasg cyfieithu testun o'r Saesneg i'r Gymraeg. Bydd tua 25-35 gair yn y testun. Wrth gyfieithu, mae'n bwysig eich bod yn:
- darllen y testun i gyd cyn dechrau ar y dasg. (Bydd hyn yn rhoi syniad i chi am y pwnc dan sylw)
- darllen y testun eto a thynnu llinell o dan pob gair rydych yn gwybod beth ydy'r fersiwn Gymraeg ohono
- defnyddio geiriad y cwestiwn i helpu gyda geiriau anghyfarwydd
- defnyddio gweddill y papur i helpu
- ceisio cyfieithu un frawddeg ar y tro ac os ydych chi wedi anghofio beth ydy gair yn Gymraeg, ewch ymlaen i'r frawddeg nesaf
- cofio am yr idiomau, e.e. *to give up* = rhoi'r ffidil yn y to
- rhoi sylw i 'effaith', e.e. *Cardiff played excellent rugby*. Efallai eich bod wedi anghofio'r gair Cymraeg am *excellent*, felly, defnyddiwch air arall tebyg, e.e. gwych/bendigedig
- darllen y darn i chi eich hun ar ôl cwblhau'r dasg a gwirio'r gwaith.

(i) Circle the correct answer.

Cafodd Huw Stephens ei eni yn ...	Gogledd Cymru	De Cymru	Canolbarth Cymru
Mae Huw wedi gweithio i sianel deledu yn ...	Iwerddon	Yr Alban	Ffrainc
Mae Huw wedi ysgrifennu i bapur newydd ...	The Sun	Daily Post	The Guardian

(ii) Ble, yng Nghaerdydd, oedd Huw Stephens yn gweithio?
(iii) Sawl iaith mae Huw yn gallu siarad?
(iv) Ym mha ŵyl Gymreig y mae e/o wedi gweithio?
(v) I ba gylchgrawn y mae e/o wedi ysgrifennu?

(b) A script introducing Huw Stephens.

Huw Stephens is visiting your school and the Headteacher has asked you to introduce him. Use the information in the **ffeil-o-ffaith** as a basis to write a script for your introduction. (About 100 words).

You can include:

- from where he originates
- what he has achieved
- something that you like about his work.

2 **Translation: The preparation**

In the UNIT 3 examination there will be ONE task which involves translating a text from English to Welsh. There will be about 25-35 words in the text. When translating, it is important that you:

- read the entire text before starting the task. (This will give you an idea about the subject in question)
- read the text again, this time underlining all the words for which you know the Welsh equivalent
- use the wording of the question to help you with any unfamiliar words
- use the remainder of the exam paper to help
- try translating one sentence at a time and if you have forgotten a Welsh word, go on to the next sentence
- remember the idioms, e.g. *to give up* = rhoi'r ffidil yn y to
- pay attention to 'effect', e.g. Cardiff played excellent rugby. Perhaps you have forgotten the Welsh word for *excellent*, therefore, use another similar word, e.g. *gwych/bendigedig*
- read the text to yourself after completing the task and check your work.

CYFIEITHU adroddiad. Sut fasech chi'n defnyddio'r strategaethau i'ch helpu i gyfieithu'r adroddiad ar ran aelod o *Clwb Mynydda Cymru*?

Mae aelod o *Clwb Mynydda Cymru* wedi ysgrifennu adroddiad am daith a ddigwyddodd dros y penwythnos. Mae arweinydd y daith wedi clywed eich bod chi'n gallu cyfieithu'r adroddiad i'r Gymraeg iddo.

Walk: Glyder Fawr.

Date: **Saturday**, 10 **January**.

Leader: Chris Humphreys.

There were ten people walking on Saturday. There were two from Ruthin, three from **Denbigh**, four from **Newport** and myself (from **Cardiff**). It was very cold when we started to climb and at 10 o'clock it started to snow. We arrived at the **summit** at lunchtime and we enjoyed our sandwiches and coffee before going back down the mountain.

summit = copa

Beth oedd yn helpu?

Geiriad y cwestiwn

Bwyd

Y tywydd

Rhifau, dyddiau'r wythnos, amser a'r misoedd

Clwb Mynydda Cymru (Cw. 1i)

TRANSLATING a report. How would you use the strategies to help you to translate the report on behalf of a member of *Clwb Mynydda Cymru*?

A member of *Clwb Mynydda Cymru* has written a report about the club's walk which took place over the weekend. The leader has heard that you are able to translate the report into Welsh for him.

Walk: Glyder Fawr.
Date: **Saturday**, 10 **January**.
Leader: Chris Humphreys.

There were ten people walking on Saturday. There were two from Ruthin, three from **Denbigh**, four from **Newport** and myself (from **Cardiff**). It was very cold when we started to climb and at 10 o'clock it started to snow. We arrived at the **summit** at lunchtime and we enjoyed our sandwiches and coffee before going back down the mountain.

summit = copa

Beth oedd yn helpu?

Geiriad y cwestiwn

Bwyd

Y tywydd

Rhifau, dyddiau'r wythnos, amser a'r misoedd

Clwb Mynydda Cymru (Cw. 1i)

3 YMARFERION CYFIEITHU

(i) **Mae Mrs Jenkins, mam Sara, eisiau anfon neges at Mr Jones, athro Sara. Mae hi wedi gofyn i chi gyfieithu'r neges. Mae help ar gael yn y blwch glas ond bydd rhaid i chi aildrefnu'r geiriau.**

7 October

Dear Mr Jones

Sara will not be in school on Thursday. She has a hospital appointment.
If there is a problem, phone me on 07827 368900.

Thank you,
Elinor Jenkins

Darllenwch y neges yn y bocs coch.
Tanlinellwch y geiriau rydych chi'n meddwl sy'n gyfarwydd i chi.
Chwiliwch am y geiriau hynny yn y blwch glas.
Defnyddiwch atalnodi (prilythrennau , atalnod llawn, coma etc.)
Dechreuwch gyfieithu.
Gwiriwch eich gwaith ar ôl i chi orffen.

Mr Jones   Diolch yn fawr,   Ddydd Iau

apwyntiad ysbyty.   Fydd Sara ddim

Mae ___ gyda hi/ganddi hi   ffoniwch fi

Os oes problem,   Annwyl   yn yr ysgol

ar 07827 368900   Elinor Jenkins

3 **TRANSLATION EXERCISES**

(i) **Mrs Jenkins, Sara's mother, wants to send a message to Mr Jones, Sara's teacher. She has asked you to translate the message. There is help in the blue box but you will have to rearrange the words.**

7 October

Dear Mr Jones

Sara will not be in school on Thursday. She has a hospital appointment.
If there is a problem, phone me on 07827 368900.

Thank you,
Elinor Jenkins

Read the message in the red box.

Underline the words that you think are familiar to you.

Look for those words in the blue box.

Use punctuation (capital letters, full stop, commas etc.)

Start translating.

Check your work when you have finished.

Mr Jones Diolch yn fawr, Ddydd Iau

apwyntiad ysbyty. Fydd Sara ddim

Mae ___ gyda hi/ganddi hi ffoniwch fi

Os oes problem, Annwyl yn yr ysgol

ar 07827 368900 Elinor Jenkins

(ii) Rydych chi'n helpu yn y llyfrgell. Mae'r rheolwr eisiau rhoi nodyn ar ddrws y llyfrgell i esbonio'r problemau presennol. Mae'n rhaid i chi gyfieithu'r nodyn i'r Gymraeg.

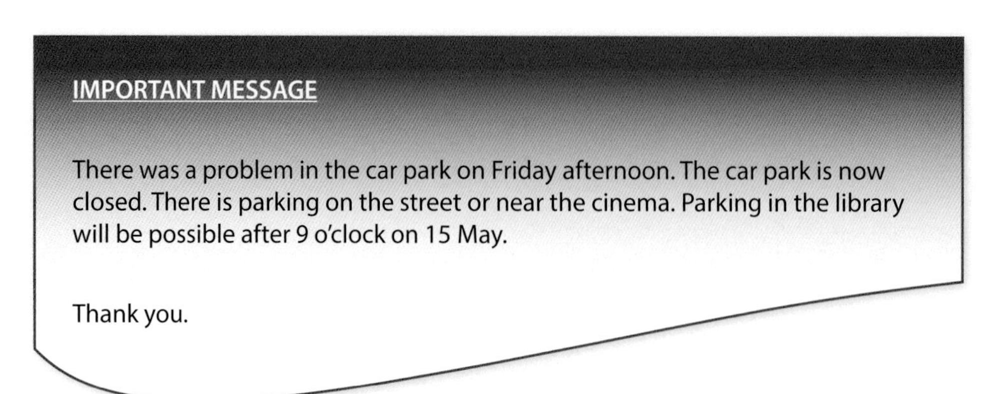

IMPORTANT MESSAGE

There was a problem in the car park on Friday afternoon. The car park is now closed. There is parking on the street or near the cinema. Parking in the library will be possible after 9 o'clock on 15 May.

Thank you.

(iii) Mae eich ffrind yn paratoi i ddathlu diwedd yr arholiadau. Mae hi eisiau anfon gwahoddiad i ffrindiau eraill yn Gymraeg. Rydych chi wedi cytuno i gyfieithu'r neges.

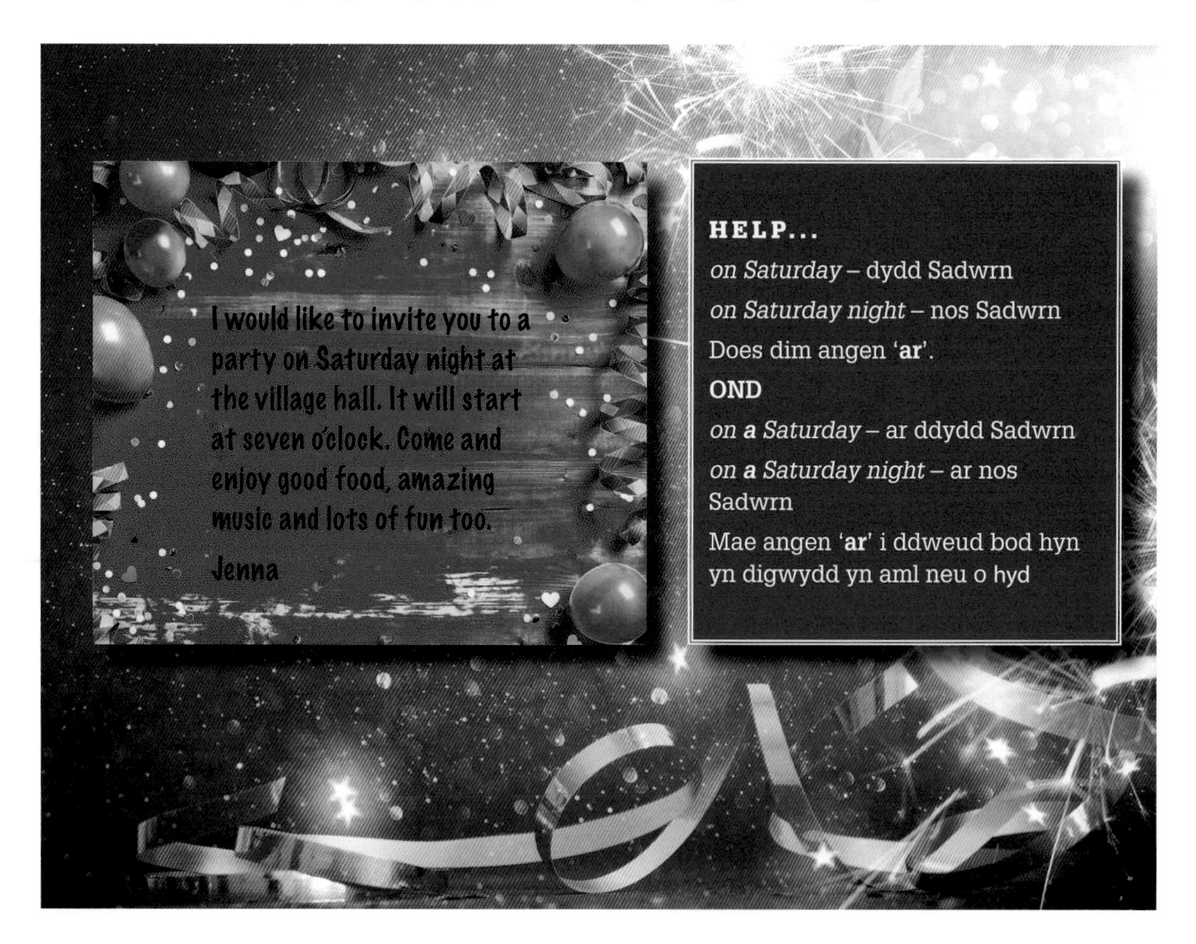

I would like to invite you to a party on Saturday night at the village hall. It will start at seven o'clock. Come and enjoy good food, amazing music and lots of fun too.

Jenna

HELP...

on Saturday – dydd Sadwrn

on Saturday night – nos Sadwrn

Does dim angen '**ar**'.

OND

*on **a** Saturday* – ar ddydd Sadwrn

*on **a** Saturday night* – ar nos Sadwrn

Mae angen '**ar**' i ddweud bod hyn yn digwydd yn aml neu o hyd

(ii) You are helping in the library. The manager wants to put a note on the door of the library explaining the present problems. You must translate the note into Welsh.

> **IMPORTANT MESSAGE**
>
> There was a problem in the car park on Friday afternoon. The car park is now closed. There is parking on the street or near the cinema. Parking in the library will be possible after 9 o'clock on 15 May.
>
> Thank you.

(iii) Your friend is arranging to celebrate the end of the exams. She wants to send an invitation to other friends in Welsh. You have agreed to translate the message.

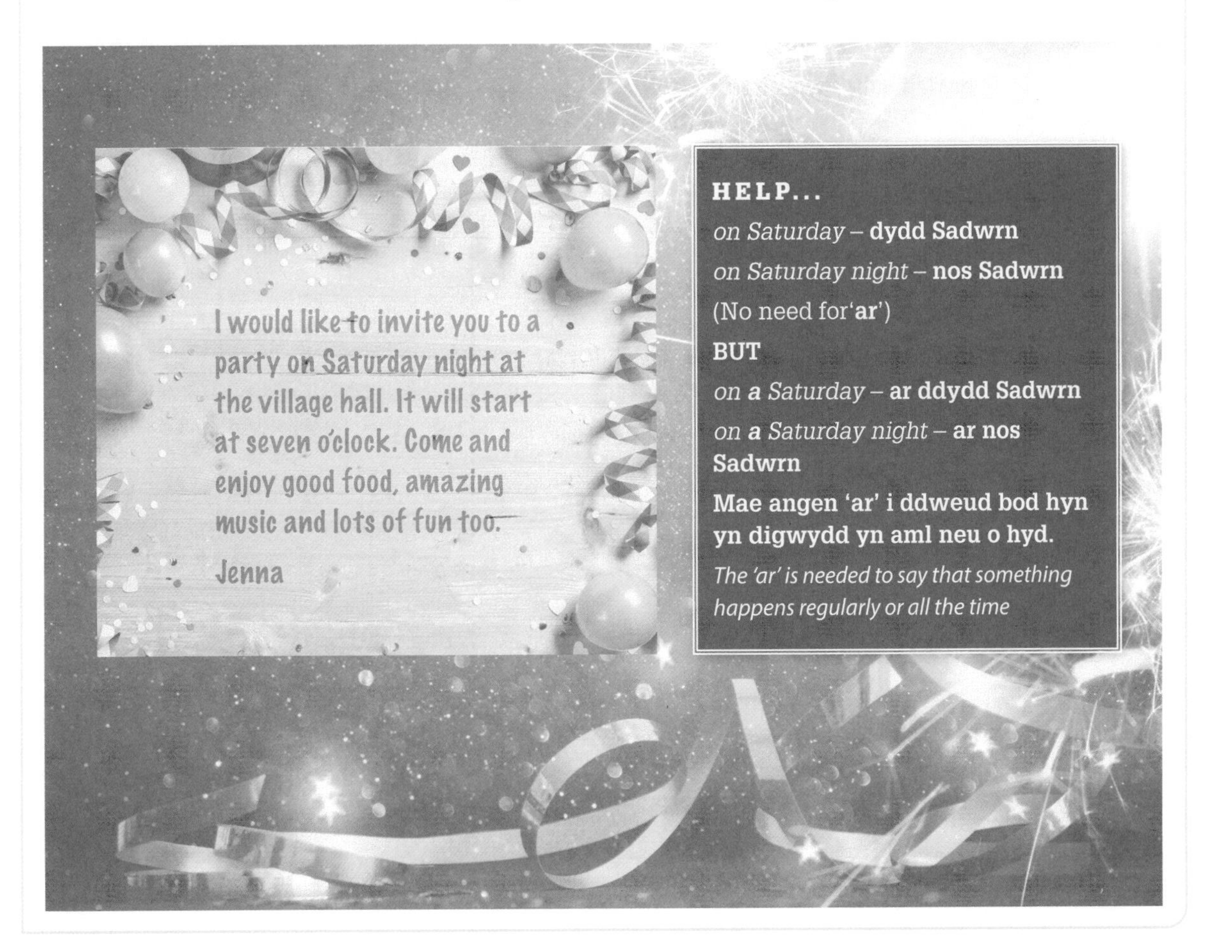

HELP...

on Saturday – **dydd Sadwrn**

on Saturday night – **nos Sadwrn**

(No need for '**ar**')

BUT

*on **a** Saturday* – **ar ddydd Sadwrn**

*on **a** Saturday night* – **ar nos Sadwrn**

Mae angen 'ar' i ddweud bod hyn yn digwydd yn aml neu o hyd.

The 'ar' is needed to say that something happens regularly or all the time

4 **PRAWF DDARLLEN: y gwaith paratoi**

Yn yr arholiad UNED 3 bydd disgwyl i chi brawf ddarllen a chywiro testun rhwng 45-55 gair. Wrth brawf ddarllen a chywiro, mae'n bwysig eich bod yn:

- dysgu gramadeg y Gymraeg
- darllen trwy'r darn yn gyntaf er mwyn gweld sut mae'n 'swnio' ac yn edrych i chi
- rhoi sylw gofalus i atalnodi, priflythrennau, trefn enwau ac ansoddeiriau etc.
- darllen pob gair yn ofalus er mwyn gwneud yn siŵr eu bod wedi'u sillafu'n gywir
- darllen y testun am yn ôl – bydd gwneud hyn yn eich helpu i weld unrhyw gamsillafu
- darllen y darn i chi eich hun ar ôl i chi ei brawf ddarllen a'i gywiro.

PRAWF DDARLLEN ebost. Sut fasech chi'n defnyddio'r strategaethau uchod i'ch helpu i brawf ddarllen ebost ar ran eich ffrind?

Mae eich ffrind wedi drafftio ebost at hostel yng Nghaerdydd yn holi am le i aros dros benwythnos y gêm rygbi rhwng Cymru a Lloegr yn Stadiwm y Principality. Mae 10 camgymeriad yn yr ebost ac felly rydych chi wedi cytuno i'w cywiro. Nodwch y cywiriadau yn y grid wrth ochr yr ebost.

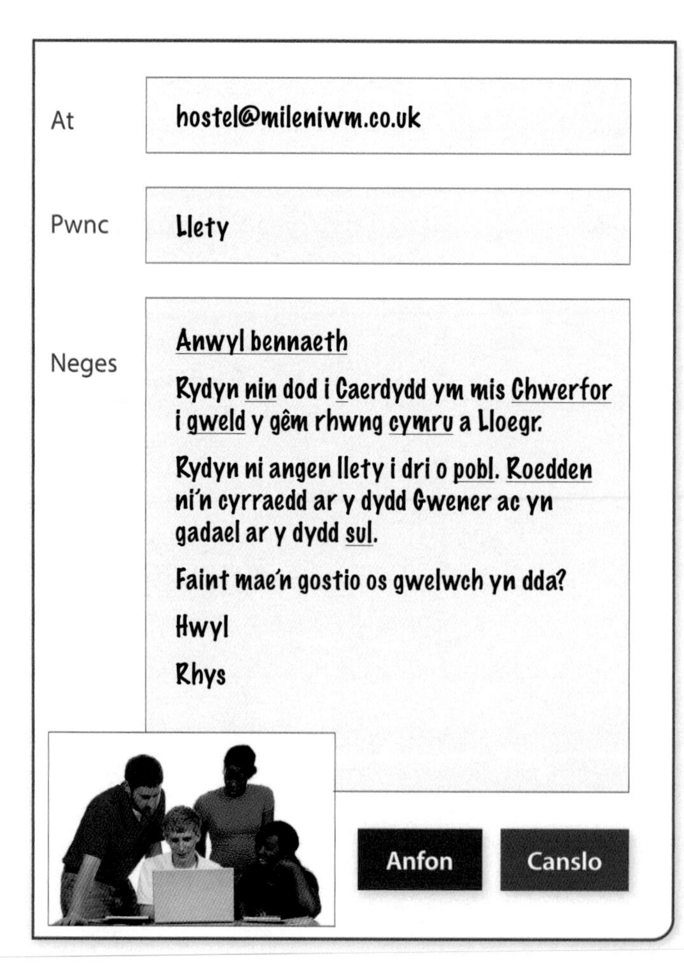

At: hostel@mileniwm.co.uk

Pwnc: Llety

Neges:

Anwyl bennaeth

Rydyn nin dod i Caerdydd ym mis Chwerfor i gweld y gêm rhwng cymru a Lloegr.

Rydyn ni angen llety i dri o pobl. Roedden ni'n cyrraedd ar y dydd Gwener ac yn gadael ar y dydd sul.

Faint mae'n gostio os gwelwch yn dda?

Hwyl

Rhys

Anfon | Canslo

Mae 10 gwall
5 x gwall atalnodi
2 x gwall sillafu
2 x gwall treiglo
1 x gwall gramadeg

1	2
3	4
5	6
7	8
9	10

4 PROOF READING: the preparation

In the UNIT 3 examination you will be expected to proof read and correct a text of between 45-55 words. When proof reading and correcting text it is important that you:

- learn the Welsh grammar
- read through the text first to decide how it 'sounds' and looks to you
- pay careful attention to punctuation, capital letters, the order of words, adjectives etc.
- read every word carefully to make sure that it is spelt correctly
- read the text backwards – doing this will help you to spot any spelling errors
- read the text to yourself after you have edited and corrected it.

PROOF READING an email. How would you use the above strategies to help you edit an email on behalf of your friend?

Your friend has drafted an email to be sent to a hostel in Cardiff enquiring about accommodation during the weekend of the rugby game between Wales and England at the Principality Stadium. There are 10 mistakes in the email and therefore you have agreed to correct them. Note the mistakes in the grid at the side of the email.

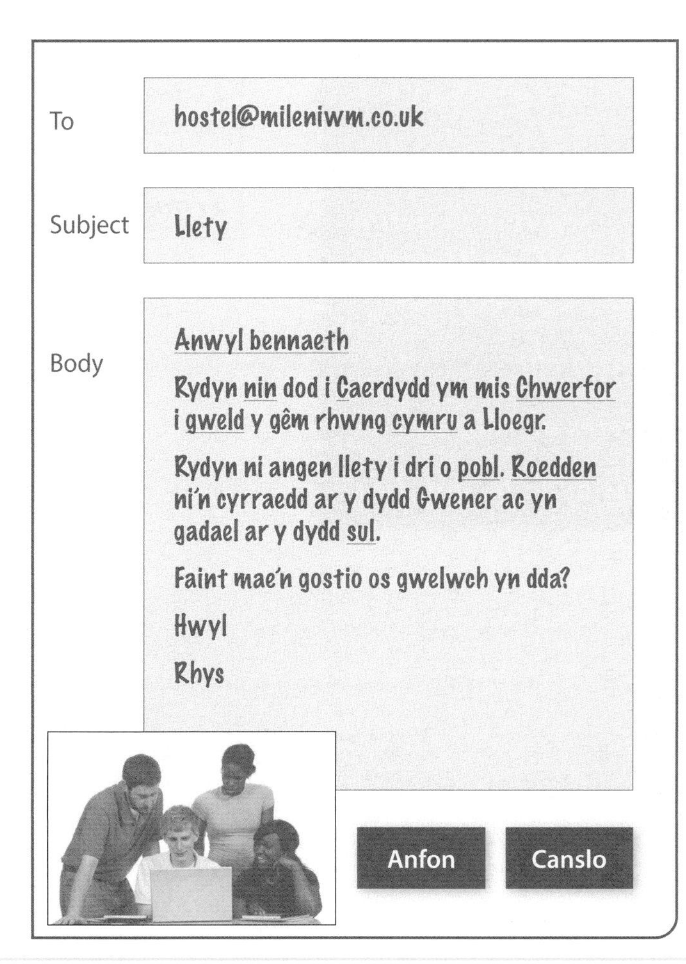

To: hostel@mileniwm.co.uk

Subject: Llety

Body:

Anwyl bennaeth

Rydyn nin dod i Caerdydd ym mis Chwerfor i gweld y gêm rhwng cymru a Lloegr.

Rydyn ni angen llety i dri o pobl. Roedden ni'n cyrraedd ar y dydd Gwener ac yn gadael ar y dydd sul.

Faint mae'n gostio os gwelwch yn dda?

Hwyl

Rhys

Anfon | Canslo

There are 10 mistakes
5 x punctuation
2 x spelling
2 x mutations
1 x grammatical

1	2
3	4
5	6
7	8
9	10

5 **YMARFER PRAWF DDARLLEN**

Defnyddiwch yr help ar dudalen 128 i gwblhau'r ymarferion prawf ddarllen canlynol.

(i) Mae cwmni drama lleol wedi cysylltu â chi. Mae'r cwmni eisiau rhoi posteri yn yr ysgolion lleol ond mae camgymeriadau ar y poster. Mae'r aelodau wedi gofyn am eich help i gywiro'r poster. Ysgrifennwch y cywiriadau yn y grid.

3 x gwall treiglo
2 x gwall gramadegol
3 x gwall sillafu
2 x gwall atalnodi

1	2	3	4	5
6	7	8	9	10

Mae mwy o dasgau enghreifftiol **Uned 3** i'w cael yn y Tasgau Ychwanegol.

5 PROOFREADING EXERCISE

Use the help available on page 129 to complete the following proofreading exercises.

(i) A local drama company has contacted you. The company wants to put up posters in the local schools but there are mistakes on the poster. The members have asked for your help to correct the poster. Write the corrections in the grid.

There are 10 mistakes
3 x mutations
2 x grammatical
3 x spelling
2 x punctuation

1	2	3	4	5
6	7	8	9	10

There are more exemplar tasks for **Uned 3** in the Additional Tasks.

Adroddiadol, penodol a chyfarwyddiadol:

GWEITHGAREDDAU

1 Rhedeg i gadw'n ffit

Fyddwch chi'n hoffi cadw'n ffit? Sut fyddwch chi'n gwneud hynny? Fyddwch chi'n rhedeg weithiau? Darllenwch y darn isod am Iwan Roberts ac yna cwblhewch y tasgau sy'n dilyn.

Mae Iwan Roberts o Gaergybi wedi rhedeg mewn 100 marathon **ym mhob rhan** o'r byd. Mae o wedi rhedeg yn Fietnam, California, Canada, Yr Aifft a Gwlad yr Iâ. Aeth Cylchgrawn *Golwg* i siarad ag o cyn iddo hedfan i Seland Newydd i **drio ei lwc** mewn marathon eithaf (*ultra marathon*).

Dyma Griffith Morgan neu Guto Nyth Brân (1700 – 1737). Cafodd ei eni yn Llwyncelyn, fferm ger Pontypridd. Roedd e'n enwog achos roedd e'n gallu rhedeg yn gyflym. Fe oedd Usain Bolt y 18fed ganrif.

Darllenwch gyfweliad (*interview*) Iwan Roberts gyda *Golwg*.

Pryd ddechreuoch chi redeg?

Dechreuais redeg, ddeg mlynedd yn ôl pan oeddwn i'n 28 oed.

Pam wnaethoch chi benderfynu dechrau rhedeg?

Un bore, edrychais yn y drych a doeddwn i ddim yn hoffi beth oeddwn i'n weld. **Ar y pryd**, roeddwn i'n **smocio** ugain o sigaréts bob dydd ac yn mynd allan am beint tua pedair gwaith yr wythnos. Roeddwn yn gweithio mewn swyddfa ac felly'n eistedd i lawr trwy'r dydd. Ar ôl cyrraedd gartref o'r gwaith, roeddwn i'n bwyta bwyd oedd **ddim yn iach iawn** ac yn eistedd o flaen y teledu. Roedd rhaid i bethau newid!

Sut ddechreuoch chi redeg?

Y tro cyntaf es i allan i redeg, roeddwn i'n gwisgo jîns a siaced ac ar ôl tua tri munud, roeddwn i allan o wynt! Ymunais i â Chlwb Rhedeg Caergybi a chefais gefnogaeth ardderchog gan y rhedwyr eraill. Prynais grys T, siorts a threinyrs da ac, **o dipyn i beth**, roeddwn i'n rhedeg bron pob dydd ac yn dod yn fwy a mwy ffit. **Ymhen** chwe mis, roeddwn i wedi rhedeg hanner marathon a thri mis wedyn, marathon llawn.

Beth rydych chi'n fwyta ac yfed?

Yn gyntaf, mae'n bwysig dros ben i yfed llawer o ddŵr. Ie, dŵr; dw i ddim yn hoffi y **diodydd egni** sy ar werth mewn siopau achos bod gormod o siwgr ynddyn nhw. Dw i'n mwynhau bwyta pasta achos bod o'n dda i chi o ran cynnal **lefelau egni** a **does dim o'i le** mewn bar bach o siocled a **gwydriad** bach o win coch ar nos Sadwrn yn dilyn ras!

Beth ydy'ch rhaglen ymarfer chi?

Dw i'n rhedeg am awr bob dydd cyn mynd i'r gwaith a bob bore dydd Sul. Ar ddydd Llun, dydd Mercher a dydd Iau, bydda i'n rhedeg deg milltir o amgylch Mynydd Caergybi. Ar ddydd Sadwrn, bydda i'n cymryd rhan mewn râs. Ar ddydd Gwener, bydda i'n ymlacio.

Narrative, specific and instructional:

ACTIVITIES

1 **Rhedeg i gadw'n ffit**

Fyddwch chi'n hoffi cadw'n ffit? Sut fyddwch chi'n gwneud hynny? Fyddwch chi'n rhedeg weithiau? Darllenwch y darn isod am Iwan Roberts ac yna cwblhewch y tasgau sy'n dilyn.

Mae Iwan Roberts o Gaergybi wedi rhedeg mewn 100 marathon **ym mhob rhan** o'r byd. Mae o wedi rhedeg yn Fietnam, California, Canada, Yr Aifft a Gwlad yr Iâ. Aeth Cylchgrawn *Golwg* i siarad ag o cyn iddo hedfan i Seland Newydd i **drio ei lwc** mewn marathon eithaf (*ultra marathon*).

Dyma Griffith Morgan neu Guto Nyth Brân (1700 – 1737). Cafodd ei eni yn Llwyncelyn, fferm ger Pontypridd. Roedd e'n enwog achos roedd e'n gallu rhedeg yn gyflym. Fe oedd Usain Bolt y 18fed ganrif.

Darllenwch gyfweliad (*interview*) Iwan Roberts gyda *Golwg*.

Pryd ddechreuoch chi redeg?

Dechreuais redeg, ddeg mlynedd yn ôl pan oeddwn i'n 28 oed.

Pam wnaethoch chi benderfynu dechrau rhedeg?

Un bore, edrychais yn y drych a doeddwn i ddim yn hoffi beth oeddwn i'n weld. ***Ar y pryd***, roeddwn i'n ***smocio*** ugain o sigaréts bob dydd ac yn mynd allan am beint tua pedair gwaith yr wythnos. Roeddwn yn gweithio mewn swyddfa ac felly'n eistedd i lawr trwy'r dydd. Ar ôl cyrraedd gartref o'r gwaith, roeddwn i'n bwyta bwyd oedd ***ddim yn iach iawn*** ac yn eistedd o flaen y teledu. Roedd rhaid i bethau newid!

Sut ddechreuoch chi redeg?

Y tro cyntaf es i allan i redeg, roeddwn i'n gwisgo jîns a siaced ac ar ôl tua tri munud, roeddwn i allan o wynt! Ymunais i â Chlwb Rhedeg Caergybi a chefais gefnogaeth ardderchog gan y rhedwyr eraill. Prynais grys T, siorts a threinyrs da ac, ***o dipyn i beth***, roeddwn i'n rhedeg bron pob dydd ac yn dod yn fwy a mwy ffit. ***Ymhen*** chwe mis, roeddwn i wedi rhedeg hanner marathon a thri mis wedyn, marathon llawn.

Beth rydych chi'n fwyta ac yfed?

Yn gyntaf, mae'n bwysig dros ben i yfed llawer o ddŵr. Ie, dŵr; dw i ddim yn hoffi y ***diodydd egni*** sy ar werth mewn siopau achos bod gormod o siwgr ynddyn nhw. Dw i'n mwynhau bwyta pasta achos bod o'n dda i chi o ran cynnal ***lefelau egni*** a ***does dim o'i le*** mewn bar bach o siocled a ***gwydriad*** bach o win coch ar nos Sadwrn yn dilyn ras!

Beth ydy'ch rhaglen ymarfer chi?

Dw i'n rhedeg am awr bob dydd cyn mynd i'r gwaith a bob bore dydd Sul. Ar ddydd Llun, dydd Mercher a dydd Iau, bydda i'n rhedeg deg milltir o amgylch Mynydd Caergybi. Ar ddydd Sadwrn, bydda i'n cymryd rhan mewn râs. Ar ddydd Gwener, bydda i'n ymlacio.

Defnyddiwch strategaethau deall iaith i ddod o hyd i ystyr y geiriau/ymadroddion mewn coch yn y cyfweliad gydag Iwan Roberts a hefyd yn 'Colofn A'.

I'ch helpu mae'r geiriau yn Saesneg yn 'Colofn B' ond dydyn nhw ddim yn y drefn gywir!

Ysgrifennwch ddeg brawddeg gan ddefnyddio pob un o'r geiriau/ymadroddion hyn (un ar gyfer pob un) a gofynnwch i ffrind eu darllen nhw.

Colofn A	Colofn B
ym mhob rhan ...	*little by little*
trio ei lwc	*There's nothing wrong*
Ar y pryd	*glassful*
smocio	*At the end of*
ddim yn iach iawn	*in every part*
O dipyn i beth	*energy drinks*
Ymhen	*try his luck*
diodydd egni	*to smoke*
does dim o'i le	*At the time*
gwydriad	*not very healthy*

Atebwch y cwestiynau isod am Iwan Roberts.

(i) Ym mha wledydd eraill mae Iwan wedi rhedeg?

(ii) Ble mae ei râs nesaf?

(iii) Beth oedd Iwan yn wneud yn ei amser hamdden cyn dechrau rhedeg?

(iv) Mewn faint o amser, ar ôl dechrau rhedeg, redodd Iwan farathon am y tro cyntaf?

(v) Beth mae o'n hoffi fwyta ac yfed erbyn hyn?

(vi) Disgrifiwch batrwm ymarfer Iwan.

Rydych chi eisiau ymuno â chlwb Rhedeg Caergybi. Mae'n rhaid i chi gyflwyno cais trwy ebost.

Ysgrifennwch ebost at Ysgrifennydd y Clwb.

Bydd rhaid i chi gynnwys:

enw llawn:
cyfeiriad:
oed:
rhif ffôn:
cyfeiriad ebost:

a hefyd rhwng 50 a 70 o eiriau'n dweud pam yr hoffech chi ymuno.

Mae eich ffrind eisiau dechrau clwb rhedeg Blwyddyn 11 ac mae o wedi gofyn i chi gyfieithu'r ebost isod i'r Gymraeg.

To: Year 11 pupils

Subject: New Running Club

Message: After talking to several friends, I have decided to start a new running club in the school. The club will meet outside the main entrance after school every Tuesday and Thursday.

If you are interested, send me an email please.

Use strategies for understanding language to find out the meanings of the words/phrases that are in red print in the interview with Iwan Roberts and also in 'Colofn A'. To help you, the English words are in 'Colofn B' but they are not in the correct order!

Colofn A	Colofn B
ym mhob rhan ...	*little by little*
trio ei lwc	*There's nothing wrong*
Ar y pryd	*glassful*
smocio	*At the end of*
ddim yn iach iawn	*in every part*
O dipyn i beth	*energy drinks*
Ymhen	*try his luck*
diodydd egni	*to smoke*
does dim o'i le	*At the time*
gwydriad	*not very healthy*

Write ten sentences using each one of these words/ phrases and ask a friend to read them.

Answer the questions below about Iwan Roberts.

(i) Ym mha wledydd eraill mae Iwan wedi rhedeg?
(ii) Ble mae ei râs nesaf?
(iii) Beth oedd Iwan yn wneud yn ei amser hamdden cyn dechrau rhedeg?
(iv) Mewn faint o amser, ar ôl dechrau rhedeg, redodd Iwan farathon am y tro cyntaf?
(v) Beth mae o'n hoffi fwyta ac yfed erbyn hyn?
(vi) Disgrifiwch batrwm ymarfer Iwan.

You want to join Clwb Rhedeg Caergybi. You have to apply through email.

Write an email to the Club Secretary.
You must include:
full name:
address:
age:
phone number:
email address:
and also between 50 and 70 words explaining why you would like to join.

Your friend wants to start a Year 11 running club and he has asked you to translate this email to Welsh.

To: Year 11 pupils

Subject: New Running Club

Message: After talking to several friends, I have decided to start a new running club in the school. The club will meet outside the main entrance after school every Tuesday and Thursday.

If you are interested, send me an email please.

2 Rhys Ifans

Darllenwch y darn isod

Ganwyd Rhys Ifans yn Hwlffordd, Sir Benfro yn 1967 cyn i'r teulu symud i Rhuthun, Sir Ddinbych. Mae ganddo un brawd sydd hefyd yn actor. Ei enw o ydy Llŷr Ifans.

Mae Rhys Ifans yn actor **byd enwog** ac mae wedi actio mewn llawer o ffilmiau ym Mhrydain, **Unol Daleithiau** America, Gweriniaeth Tsiec ac yn Yr Almaen. Cyn iddo fod yn enwog y **tu hwnt** i Gymru, actiodd Rhys a'i frawd, Llŷr yn y ffilm *Twin Town* a oedd wedi **ei lleoli** yn Abertawe. Cyn hynny, roedd o wedi actio ar lwyfannau theatrau yn y West End ac mewn **cynyrchiadau** Cymraeg ar S4C.

Daeth Rhys yn fyd-enwog pan ymddangosodd, yn gwisgo trons budr, yn y ffilm poblogaidd *Notting Hill* gyda Hugh Grant a Julia Roberts. Roedd Rhys wedi paratoi ar gyfer y rhan yn y ffilm drwy beidio â glanhau ei ddannedd nag ymolchi am ddyddiau!

Mae Rhys wedi bod yn mynd allan gyda merched smart dros ben, er enghraifft, Anna Friel a **chyn hynny**, Sienna Miller. Mae o hefyd yn ffrindiau mawr gyda'r super model, Kate Moss ac mae o wrth ei fodd yn mwynhau eu hun.

Mae'r iaith Gymraeg yn bwysig dros ben i Rhys ac mae o'n mwynhau dod gartref i Gymru i **ymweld â**'i deulu a'i ffrindiau sy'n siarad yr iaith. Pan oedd yn ddisgybl ysgol uwchradd yn Yr Wyddgrug, roedd o'n aelod o Gymdeithas yr Iaith Gymraeg.

Pa eiriau mewn **print trwm** yn y darn sy'n dweud ...?

United States   *visit*   *appeared*
was born   *beyond*   *before that*
world famous   *located*   *member of*
productions

Pa strategaethau ydych chi am ddefnyddio.

e.e. *was born* – Bydd enw person yn dod wedyn.
United States – Oes sôn am *America* rhywle?
located – Bydd *in* ac enw lle'n dod wedyn

Cwblhewch y grid isod

Darllenwch y darn am Rhys Ifans eto ac yna cwblhewch y dasg isod.

Y Dasg

Symudodd teulu Rhys Ifans i fyw yn ...
Ydy Rhys yn unig blentyn?
Mae Rhys wedi actio yn y gwledydd hyn:
Cyn actio yn *Twin Town*, roedd o wedi ...
Roedd Rhys wedi paratoi at ei ran yn *Notting Hill* drwy ...
Enwau dwy o gyn gariadon Rhys ydy (i) ... (ii) ...
Sut mae o'n teimlo am yr iaith Gymraeg?
Ydy teulu Rhys yn siarad Cymraeg?
Aeth Rhys i'r ysgol yn Rhuthun?

2 Rhys Ifans

Darllenwch y darn isod

Ganwyd Rhys Ifans yn Hwlffordd, Sir Benfro yn 1967 cyn i'r teulu symud i Rhuthun, Sir Ddinbych. Mae ganddo un brawd sydd hefyd yn actor. Ei enw o ydy Llŷr Ifans.

Mae Rhys Ifans yn actor **byd enwog** ac mae wedi actio mewn llawer o ffilmiau ym Mhrydain, **Unol Daleithiau** America, Gweriniaeth Tsiec ac yn Yr Almaen. Cyn iddo fod yn enwog y **tu hwnt** i Gymru, actiodd Rhys a'i frawd, Llŷr yn y ffilm *Twin Town* a oedd wedi **ei lleoli** yn Abertawe. Cyn hynny, roedd o wedi actio ar lwyfannau theatrau yn y West End ac mewn **cynyrchiadau** Cymraeg ar S4C.

Daeth Rhys yn fyd-enwog pan ymddangosodd, yn gwisgo trons budr, yn y ffilm poblogaidd *Notting Hill* gyda Hugh Grant a Julia Roberts. Roedd Rhys wedi paratoi ar gyfer y rhan yn y ffilm drwy beidio â glanhau ei ddannedd nag ymolchi am ddyddiau!

Mae Rhys wedi bod yn mynd allan gyda merched smart dros ben, er enghraifft, Anna Friel a **chyn hynny**, Sienna Miller. Mae o hefyd yn ffrindiau mawr gyda'r super model, Kate Moss ac mae o wrth ei fodd yn mwynhau eu hun.

Mae'r iaith Gymraeg yn bwysig dros ben i Rhys ac mae o'n mwynhau dod gartref i Gymru i **ymweld â'i** deulu a'i ffrindiau sy'n siarad yr iaith. Pan oedd yn ddisgybl ysgol uwchradd yn Yr Wyddgrug, roedd o'n aelod o Gymdeithas yr Iaith Gymraeg.

Which words printed in **bold** mean ...?

United States	*visit*	*appeared*
was born	*beyond*	*before that*
world famous	*located*	*member of*
	productions	

Which strategies will you use?

e.g.	*was born*	–	A person's name will follow.
	United States	–	Is America mentioned somewhere?
	located	–	*in* and a place name will follow.

Cwblhewch y grid isod

Darllenwch y darn am Rhys Ifans eto ac yna cwblhewch y dasg isod.

The task

Symudodd teulu Rhys Ifans i fyw yn ...
Ydy Rhys yn unig blentyn?
Mae Rhys wedi actio yn y gwledydd hyn:
Cyn actio yn *Twin Town*, roedd o wedi ...
Roedd Rhys wedi paratoi at ei ran yn *Notting Hill* drwy ...
Enwau dwy o gyn gariadon Rhys ydy (i) ... (ii) ...
Sut mae o'n teimlo am yr iaith Gymraeg?
Ydy teulu Rhys yn siarad Cymraeg?
Aeth Rhys i'r ysgol yn Rhuthun?

Mae eich ffrind wedi ysgrifennu darn byr am Rhys Ifans ar gyfer arddangosfa yn y dosbarth. Mae camgymeriadau sillafu, atalnodi, gramadeg a threigladau ynddo.

Nodwch y cywiriadau yn y grid ar waelod y dudalen.

Rhys Ifans
Dw i wrth fy <u>bodd</u> gyda Rhys Ifans. Mae e'n <u>gwych actor</u>. Roeddwn i'n <u>hofi</u> e yn *Twin Town* <u>acos</u> dw i'n byw yn Abertawe. Es i i <u>gweld</u> Rhys yn *King Lear* ar lwyfan The <u>old vic</u> yn Llundain. <u>teithion</u> ni o Abertawe ar y <u>train</u>. Roedd <u>hi'n</u> actio rhan y 'fool' ac roedd o'n dda dros ben. Hoffwn i <u>gyfrafod</u> Rhys a Kate Moss.

1	2	3	4	5
6	7	8	9	10

Y Dasg

Darllenwch y darn am Rhys Ifans ar dudalen 136 eto

- meddyliwch am **5** cwestiwn yn seiliedig ar y wybodaeth yn y darn ac **ysgrifennwch sgwrs rhyngddoch chi â Rhys**. (e.e. oed, teulu, ffilmiau, cariadon, ysgol, yr iaith Gymraeg)
- meddyliwch am 1 cwestiwn hoffech chi ofyn i gael gwybodaeth sy ddim yn y darn.

Mae eich ffrind wedi ysgrifennu darn byr am Rhys Ifans ar gyfer arddangosfa yn y dosbarth. Mae camgymeriadau sillafu, atalnodi, gramadeg a threigladau ynddo.

Nodwch y cywiriadau yn y grid ar waelod y dudalen.

> Rhys Ifans
> Dw i wrth fy bodd gyda Rhys Ifans. Mae e'n gwych actor. Roeddwn i'n hofi e yn *Twin Town* acos dw i'n byw yn Abertawe. Es i i gweld Rhys yn *King Lear* ar lwyfan The old vic yn Llundain. teithion ni o Abertawe ar y train. Roedd hi'n actio rhan y 'fool' ac roedd o'n dda dros ben. Hoffwn i gyfrafod Rhys a Kate Moss.

1	2	3	4	5
6	7	8	9	10

The task

Read the passage about Rhys Ifans on page 137 again.

- think of five questions, based on what you have read and write a **conversation between yourself and Rhys** (e.g. age, family, films, girlfriends, school, the Welsh language)
- think of one question, which is not in the piece to which you would like an answer

3 BRYN WILLIAMS, PORTH EIRIAS

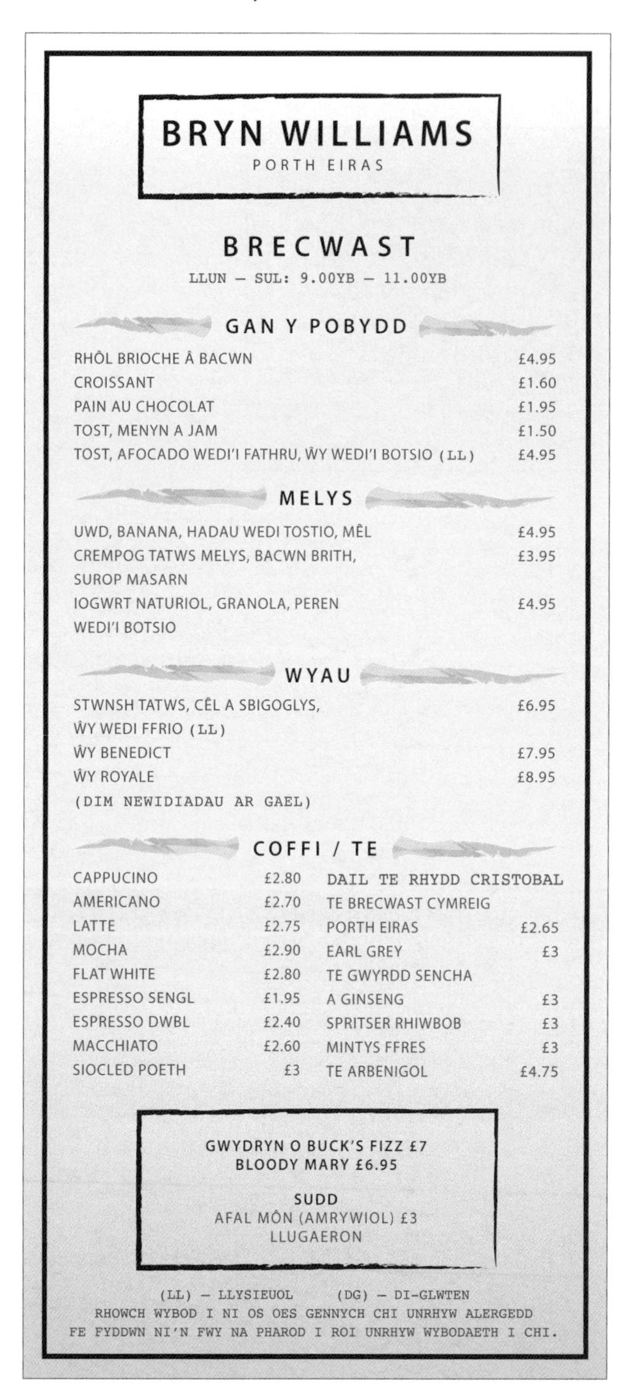

BRYN WILLIAMS
PORTH EIRAS

BRECWAST
LLUN – SUL: 9.00YB – 11.00YB

GAN Y POBYDD

RHÔL BRIOCHE Â BACWN	£4.95
CROISSANT	£1.60
PAIN AU CHOCOLAT	£1.95
TOST, MENYN A JAM	£1.50
TOST, AFOCADO WEDI'I FATHRU, ŴY WEDI'I BOTSIO (LL)	£4.95

MELYS

UWD, BANANA, HADAU WEDI TOSTIO, MÊL	£4.95
CREMPOG TATWS MELYS, BACWN BRITH, SUROP MASARN	£3.95
IOGWRT NATURIOL, GRANOLA, PEREN WEDI'I BOTSIO	£4.95

WYAU

STWNSH TATWS, CÊL A SBIGOGLYS, ŴY WEDI FFRIO (LL)	£6.95
ŴY BENEDICT	£7.95
ŴY ROYALE	£8.95
(DIM NEWIDIADAU AR GAEL)	

COFFI / TE

CAPPUCINO	£2.80	DAIL TE RHYDD CRISTOBAL	
AMERICANO	£2.70	TE BRECWAST CYMREIG	
LATTE	£2.75	PORTH EIRAS	£2.65
MOCHA	£2.90	EARL GREY	£3
FLAT WHITE	£2.80	TE GWYRDD SENCHA	
ESPRESSO SENGL	£1.95	A GINSENG	£3
ESPRESSO DWBL	£2.40	SPRITSER RHIWBOB	£3
MACCHIATO	£2.60	MINTYS FFRES	£3
SIOCLED POETH	£3	TE ARBENIGOL	£4.75

GWYDRYN O BUCK'S FIZZ £7
BLOODY MARY £6.95

SUDD
AFAL MÔN (AMRYWIOL) £3
LLUGAERON

(LL) – LLYSIEUOL (DG) – DI-GLWTEN
RHOWCH WYBOD I NI OS OES GENNYCH CHI UNRHYW ALERGEDD
FE FYDDWN NI'N FWY NA PHAROD I ROI UNRHYW WYBODAETH I CHI.

Astudiwch y fwydlen BRECWAST a darllenwch am Bryn Williams a bwyty **Porth Eirias.**

Dyma **Bryn Williams**, perchennog bwyty Porth Eirias. Mae o'n Gymro Cymraeg ac yn dod o Ddinbych yn wreiddiol. Mae'n amlwg bod yr iaith Gymraeg yn bwysig iddo fo. Mae nifer o staff y bwyty'n siarad Cymraeg ac mae'r bwydlenni a'r wefan yn ddwyieithog.

Bwyty Porth Eirias

Ger y môr a thraeth **godidog** Porth Eirias mae bwyty Bryn Williams. Mae'r fwydlen yn llawn cynnyrch o Gymru a **mor lleol a phosibl.** Mae'r bwyty agored, anffurfiol yn **cynnig** bwyd syml a thymhorol sy'n creu prydau arbennig. Mae dewis gwych o fwyd y môr o **gimychiaid** a **phenfras i gregyn gleision** ond mae cig a phrydau **llysieuol** yr un mor bwysig. Yn wir, mae rhywbeth at **ddant pawb!**

Ar y dudalen nesaf mae tasgau'n seiliedig ar y fwydlen BRECWAST, Bryn Williams a'i fwyty, Porth Eirias.
www.portheirias.com

3 BRYN WILLIAMS, PORTH EIRIAS

BRYN WILLIAMS
PORTH EIRAS

BRECWAST
LLUN – SUL: 9.00YB – 11.00YB

GAN Y POBYDD

RHÔL BRIOCHE Â BACWN	£4.95
CROISSANT	£1.60
PAIN AU CHOCOLAT	£1.95
TOST, MENYN A JAM	£1.50
TOST, AFOCADO WEDI'I FATHRU, ŴY WEDI'I BOTSIO (LL)	£4.95

MELYS

UWD, BANANA, HADAU WEDI TOSTIO, MÊL	£4.95
CREMPOG TATWS MELYS, BACWN BRITH, SUROP MASARN	£3.95
IOGWRT NATURIOL, GRANOLA, PEREN WEDI'I BOTSIO	£4.95

WYAU

STWNSH TATWS, CÊL A SBIGOGLYS, ŴY WEDI FFRIO (LL)	£6.95
ŴY BENEDICT	£7.95
ŴY ROYALE	£8.95

(DIM NEWIDIADAU AR GAEL)

COFFI / TE

CAPPUCINO	£2.80	DAIL TE RHYDD CRISTOBAL	
AMERICANO	£2.70	TE BRECWAST CYMREIG	
LATTE	£2.75	PORTH EIRAS	£2.65
MOCHA	£2.90	EARL GREY	£3
FLAT WHITE	£2.80	TE GWYRDD SENCHA	
ESPRESSO SENGL	£1.95	A GINSENG	£3
ESPRESSO DWBL	£2.40	SPRITSER RHIWBOB	£3
MACCHIATO	£2.60	MINTYS FFRES	£3
SIOCLED POETH	£3	TE ARBENIGOL	£4.75

GWYDRYN O BUCK'S FIZZ £7
BLOODY MARY £6.95

SUDD
AFAL MÔN (AMRYWIOL) £3
LLUGAERON

(LL) – LLYSIEUOL (DG) – DI-GLWTEN
RHOWCH WYBOD I NI OS OES GENNYCH CHI UNRHYW ALERGEDD
FE FYDDWN NI'N FWY NA PHAROD I ROI UNRHYW WYBODAETH I CHI.

Study the breakfast menu and read about Bryn Williams and his restaurant at **Porth Eirias.**

Dyma **Bryn Williams**, perchennog bwyty Porth Eirias. Mae o'n Gymro Cymraeg ac yn dod o Ddinbych yn wreiddiol. Mae'n amlwg bod yr iaith Gymraeg yn bwysig iddo fo. Mae nifer o staff y bwyty'n siarad Cymraeg ac mae'r bwydlenni a'r wefan yn ddwyieithog.

Bwyty Porth Eirias

Ger y môr a thraeth **godidog** Porth Eirias mae bwyty Bryn Williams. Mae'r fwydlen yn llawn cynnyrch o Gymru a **mor lleol a phosibl**. Mae'r bwyty agored, anffurfiol yn **cynnig** bwyd syml a thymhorol sy'n creu prydau arbennig. Mae dewis gwych o fwyd y môr o **gimychiaid** a **phenfras i gregyn gleision** ond mae cig a phrydau **llysieuol** yr un mor bwysig. Yn wir, mae rhywbeth at **ddant pawb!**

On the next page, there are tasks based on the breakfast menu at Porth Eirias. www.portheirias.com

Hwyl gyda geiriau

Edrychwch ar y geiriau bwyd yn y fwydlen brecwast ar y dudalen flaenorol.

Mae rhai geiriau yn Gymraeg, mae eraill yn eiriau Ffrangeg, ac ambell i air yn Saesneg etc. Gosodwch y geiriau sy yn y fwydlen yn y golofn gywir yn y tabl isod.

Cymraeg	Ffrangeg	Saesneg	Ieithoedd eraill

Defnyddiwch strategaethau deall iaith i ddod o hyd i ystyr y geiriau Cymraeg.

e.e. **crempog**: Defnyddiwch eiriadur i ddod o hyd i'r ystyr.

surop masarn: Mae 'surop' yn debyg i'r Saesneg felly dyfalwch beth ydy 'masarn' drwy feddwl am y math o surop sy'n boblogaidd ar grempog.

sbigoglys: Defnyddiwch eiriadur i ddod o hyd i'r ystyr yna gofynnwch i bartner ddyfalu'r ystyr trwy ddweud bod Popeye yn mwynhau bwyta sbigoglys.

brecwast llawn: Edrychwch ar y pris. Beth fyddech chi'n ddisgwyl am £8.95?

Darllenwch y fwydlen BRECWAST a'r darnau darllen am Bryn Williams a'i fwyty Porth Eirias eto ac yna atebwch y cwestiynau canlynol.

1. Faint o'r gloch mae amser brecwast yn gorffen?
2. Sawl dewis llysieuol sy ar y fwydlen?
3. Beth ydy'r peth mwyaf costus ar y fwydlen?
4. Ydy Bryn Williams yn siarad Cymraeg?
5. Sut rydych chi'n gwybod bod y Gymraeg yn bwysig i Bryn?
6. Ydy'r bwyty Porth Eirias ar lan y môr?
7. Enwch 4 gair sy'n disgrifio'r bwyty a'r bwyd.
8. Oes dewis da o bysgod ar y fwydlen?

Rydych chi wedi cael gwahoddiad gan ffrind i fynd i fwyty Porth Eirias i gael brecwast.

(i) Beth fyddwch chi'n ddewis i fwyta ac yfed? Rhowch resymau i esbonio'ch dewis.

(ii) Beth fydd hyn yn gostio i'ch ffrind?

(iii) Beth fasech chi byth yn ddewis i fwyta ac yfed. Pam?

Ysgrifennwch 5 brawddeg yn esbonio pam ddylai pobl fynd i fwyty Bryn Williams.

Meini Prawf Llwyddiant:

Dylech gyfeirio at:

- y fwydlen
- Bryn Williams
- y bwyty ei hun.

Fun with words

Look at the breakfast menu on the previous page. Some words are Welsh, others are in French etc. Place them in the correct column in the table below.

Cymraeg	Ffrangeg	Saesneg	Ieithoedd eraill

Use strategies for understanding language to find out the meanings of the Welsh words.

e.g. **crempog**: use a dictionary to find out the meaning.

surop masarn: 'surop' sounds similar to an English word; guess the meaning of 'masarn' by thinking about what type of syrup is a popular choice to put on pancakes.

sbigoglys: Use a dictionary to find the meaning and ask a partner to guess its meaning when you say that Popeye enjoys sbigoglys.

brecwast llawn: Look at the price. What would you expect for £8.95?

Read the breakfast menu and the passages about Bryn Williams and Porth Eirias again and then answer the following questions.

1. Faint o'r gloch mae amser brecwast yn gorffen?
2. Sawl dewis llysieuol sy ar y fwydlen?
3. Beth ydy'r peth mwyaf costus ar y fwydlen?
4. Ydy Bryn Williams yn siarad Cymraeg?
5. Sut rydych chi'n gwybod bod y Gymraeg yn bwysig i Bryn?
6. Ydy'r bwyty Porth Eirias ar lan y môr?
7. Enwch 4 gair sy'n disgrifio'r bwyty a'r bwyd.
8. Oes dewis da o bysgod ar y fwydlen?

Rydych chi wedi cael gwahoddiad gan ffrind i fynd i fwyty Porth Eirias i gael brecwast.

(i) Beth fyddwch chi'n ddewis i fwyta ac i yfed? Rhowch resymau i esbonio'ch dewis.
(ii) Beth fydd hyn yn gostio i'ch ffrind?
(iii) Beth fasech chi byth yn ddewis i fwyta ac yfed. Pam?

Write five sentences explaining why people should gp to Bryn Williams' restaurant.

Success criteria:

You should refer to:

- the menu
- Bryn Williams
- the restaurant itself.

A: YR ASESIAD

1 Hyd yr asesiad: 1 awr a 30 munud

2 Sawl marc: **100**

3 **Y sgiliau**

Darllen: 10%

Ysgrifennu: 15%

Felly, mae'r **pwyslais** yn Uned 4 ar yr **Ysgrifennu**

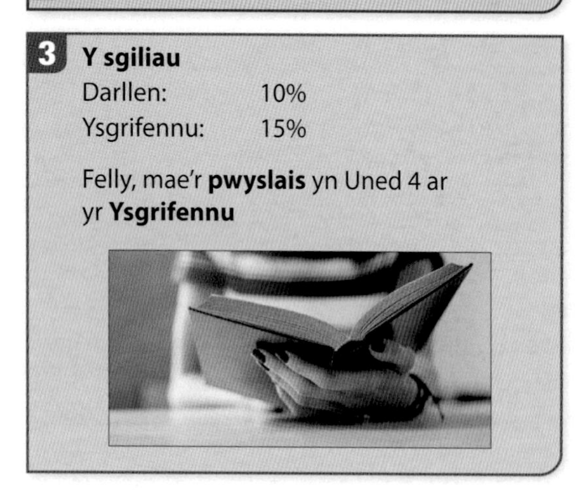

B: Y TASGAU

DARLLEN

***Mae'n rhaid gwneud y tasgau hyn heb ddefnyddio geiriadur.**
OND, mae'r geiriadur yma neu un tebyg yn wych ar gyfer y dosbarth.

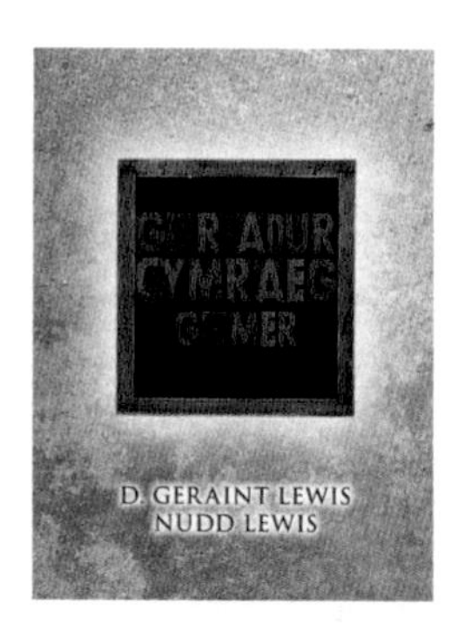

Pa fath o dasgau **DARLLEN**?

A: The assessment

1 Duration of the assessment: 1 hour and 30 minutes

2 How many marks: **100**

3 **Skills**

Reading: 10%

Writing: 15%

Therefore, the **emphasis** in Unit 4 is on **Writing**.

B: THE TASKS

READING

*These tasks must be completed without the use of a dictionary.

BUT, this dictionary or a similar one is great in the class.

What kind of **READING** tasks?

Non-verbal response **TASKS**

Written response **TASKS**

e.g. put a ✓ in a box or ◯ around a word/words

Beth sy'n helpu gyda'r tasgau DARLLEN?

1 **Strategaethau Deall Iaith**

Mae rhain ar gael ar dudalen 10.

GWEITHGAREDDAU: Gwaith pâr

- Faint o'r strategaethau deall iaith ydych chi'n gallu cofio cyn edrych am help ar dudalen 10?

  Ar ôl **5 munud** gwiriwch eich atebion.
- Darllenwch: **Llythyr 1af at ffrind post**

Bonjour! Fy enw ydy Marie-Claire. Dw i'n 16 oed ym mis Mawrth a dw i'n byw mewn tŷ yn y Bois Colombes, 9 cilometr tu allan i Paris gyda fy mam, fy nhad a fy mrawd bach, André. Mae e'n 10 oed.

Ar y penwythnos, dw i'n mwynhau beicio gyda fy ffrindiau a dw i wrth fy modd yn mynd i Paris i siopa a cherdded yn y parc. Hefyd, dw i'n mwynhau gwrando ar fiwsig pop ar fy *iPhone*.

Bob nos Wener, dw i'n cael gwersi dawnsio. Dw i'n hoff iawn o ddawnsio *ballet*.

Yn yr ysgol, dw i'n hoffi dysgu Saesneg ond fy hoff bwnc ydy mathemateg.

- Defnyddiwch y strategaethau canlynol i'ch helpu i ddeall y llythyr.

Strategaeth	Deall y llythyr
Y teitl a chyd-destun	Llythyr cyntaf. Beth ydych chi eisiau gwybod am Marie-Claire ?
Mathemateg	Pa wybodaeth ydyn ni'n gael gan y rhifau 16, 9, 10 ?
Geiriau Saesneg	
Geiriau sy'n debyg i Saesneg	
Gwybodaeth flaenorol	
Dyfalu	**e.e.** 'gwrando ar' = *listen to*. Y cliw ydy 'miwsig pop' ac '*iPhone*'.

Cwblhewch y dair rhes yma eich hun.

What helps with READING tasks?

1 **Strategies for Understanding Language**

These can be found on page 11.

ACTIVITIES: Pair work

- How many of the strategies for understanding language are you able to remember before looking for help on page 11? After **5 minutes** check your answers.
- Read: **1st letter to a pen friend**

Bonjour! Fy enw ydy Marie-Claire. Dw i'n 16 oed ym mis Mawrth a dw i'n byw mewn tŷ yn y Bois Colombes, 9 cilometr tu allan i Paris gyda fy mam, fy nhad a fy mrawd bach, André. Mae e'n 10 oed.

Ar y penwythnos, dw i'n mwynhau beicio gyda fy ffrindiau a dw i wrth fy modd yn mynd i Paris i siopa a cherdded yn y parc. Hefyd, dw i'n mwynhau gwrando ar fiwsig pop ar fy *iPhone*.

Bob nos Wener, dw i'n cael gwersi dawnsio. Dw i'n hoff iawn o ddawnsio *ballet*.

Yn yr ysgol, dw i'n hoffi dysgu Saesneg ond fy hoff bwnc ydy mathemateg.

- Use the following strategies to understand the letter.

Strategy	Understanding the letter
Title and context	First letter. What do you want to know about Marie-Claire ?
Mathemateg	What information is provided by the numbers 6, 9, 10 ?
English words	
English sounding words	
Previous knowledge	
Guessing	**e.g.** 'gwrando ar' = *listen to*. Y cliw ydy 'miwsig pop' ac '*iPhone*'

Complete these three rows yourself.

Pwy?

Pam?

Pryd?

Sut?

Ble?

2 **Sgimio a Sganio**
Mae rhain ar gael ar dudalen 12 yn Adran 1.

Ateb cwestiynau
Pwy ...?
Chwiliwch am:
priflythrennau
enwau pobl
sôn am bobl, e.e. y dyn drws nesa, tafarnwr
Mr./Mrs.
gwaith pobl, e.e. pennaeth/doctor.
Pwy ddywedodd ...?
dyfynodau (pan mae rhywun yn/wedi
dweud rhywbeth, e.e. " Es i allan i'r ..."
meddai Siôn)
meddai/atebodd/awgrymodd etc.
Pam ...? –
Chwiliwch am: achos ...
Ble?
yn/yn y/ar/ar y/mewn etc. arddodiaid
o/gan
enw lle
Sawl?/Faint o ...?/Faint ?
Chwiliwch am rifau (fel rhif neu'n llawn)
e.e. 9 oed/naw oed

GWEITHGAREDD:
Sut i ddefnyddio'r cliwiau
sy'n y ddau flwch
yma i'ch helpu i ateb
cwestiynau sy'n gofyn:

Pwy ddywedodd?

Pryd? – chwiliwch am:
blwyddyn, e.e. 2018 (dwy fil un deg wyth)
tymor, e.e. yr haf
mis, e.e. mis Ionawr
diwrnod, e.e. dydd Llun
amser, e.e. chwech o'r gloch
cyfnod, e.e. bore/prynhawn/ddoe/heddiw/
yfory/
ar ôl/cyn
Sut ...?
Chwiliwch am:
yn gyflym/yn araf
yn hapus
yn drist
yn y ... , yn y car
ar ... , ar y bws
mewn ... , mewn awyren

Edrychwch ar yr enghraifft

Mae Jinnat yn **10** oed ac mae hi'n byw **mewn** slym **yn** Dhaka. Mae plant y slyms eisiau mynd i'r ysgol ond, yn aml, does dim siawns.

Mae Jinnat yn lwcus **achos**, diolch i brosiect o'r enw BRAC, mae hi'n mynd i ysgol yn ymyl ei thŷ.

Mae prosiect BRAC yn defnyddio arian Comic Relief i ddysgu sgiliau llythrennedd a rhifedd i blant fel Jinnat. Rŵan mae ganddi'r cyfle i weithio'n galed i fod yn feddyg **ar ôl** gadael y brifysgol.

"Heb BRAC fasai Jinnat ddim yn gallu mynd i'r ysgol. Dw i'n falch bod Jinnat yn bwyta'**n dda** yn yr ysgol ac mae hi'n sâff pan dw i yn y gwaith," **meddai** ei mam.

Darllenwch am Jinnat.

1. **Faint** ydy oed Jinnat?
   (faint = *number*)
2. **Ble** mae hi'n byw (ble = *preposition*)
3. **Pam** mae Jinnat yn lwcus?
   (pam = achos)
4. **Pryd** mae Jinnat eisiau bod yn feddyg?
   (pryd = *period of time*)
5. **Sut** mae Jinnat yn bwyta yn yr ysgol?
   (sut = yn + *adjective* = *adverb*)
6. **Pwy** ddywedodd ei bod hi'n hapus bod Jinnat yn saff yn yr ysgol?
   (pwy ddywedodd = " ...")

Atebwch y cwestiynau **yn Gymraeg.**

Pwy?
Pam?
Pryd?
Sut?
Ble?

2 **Skimming and scanning**
These are available on page 13 in Section 1.

Answering questions
Pwy ...?
Look for:
capital letters
people's names
reference to people, e.g. 'y dyn drws nesa', 'tafarnwr', Mr./Mrs.
people's work, e.g. 'pennaeth'/'doctor'.
Pwy ddywedodd ...?
quotation marks (when somebody has said something, e.g. " Es i allan i'r ..." meddai Siôn)
meddai/atebodd/awgrymodd etc.
Pam ...? –
Look for: 'achos ...'
Ble?
Look for: yn/yn y/ar/ar y/mewn etc.
prepositions
o/gan
place names
Sawl? / Faint o ...?/Faint ?
Look for numbers , e.g. 9 oed / naw oed

ACTIVITY:
How to use clues that are in these two boxes to help you answer the questions that ask:

Pwy ddywedodd?

Pryd? – look for:
year, e.g. 2018 (dwy fil un deg wyth)
term or season, e.g. yr haf
month, e.g. mis Ionawr
day, e.g. dydd Llun
time, e.g. chwech o'r gloch
period of time, e.g. bore/prynhawn/ddoe/heddiw/yfory/
ar ôl/cyn
Sut ...?
Look for:
yn gyflym/yn araf
yn hapus
yn drist
yn y ... , yn y car
ar ... , ar y bws
mewn ... , mewn awyren

Look at the example

Mae Jinnat yn **10** oed ac mae hi'n byw **mewn** slym **yn** Dhaka. Mae plant y slyms eisiau mynd i'r ysgol ond, yn aml, does dim siawns.

Mae Jinnat yn lwcus **achos**, diolch i brosiect o'r enw BRAC, mae hi'n mynd i ysgol yn ymyl ei thŷ.

Mae prosiect BRAC yn defnyddio arian Comic Relief i ddysgu sgiliau llythrennedd a rhifedd i blant fel Jinnat. Rŵan mae ganddi'r cyfle i weithio'n galed i fod yn feddyg **ar ôl** gadael y brifysgol.

"Heb BRAC fasai Jinnat ddim yn gallu mynd i'r ysgol. Dw i'n falch bod Jinnat yn bwyta'**n dda** yn yr ysgol ac mae hi'n sâff pan dw i yn y gwaith," **meddai** ei mam.

Read about Jinnat.

1. **Faint** ydy oed Jinnat?
   (faint = *number*)
2. **Ble** mae hi'n byw (ble = *preposition*)
3. Pam mae Jinnat yn lwcus?
   (pam = achos)
4. Pryd mae Jinnat eisiau bod yn feddyg?
   (pryd = *period of time*)
5. Sut mae Jinnat yn bwyta yn yr ysgol?
   (sut = yn + *adjective* = *adverb*)
6. Pwy ddywedodd ei bod hi'n hapus bod Jinnat yn saff yn yr ysgol?
   (pwy ddywedodd = " ...")

Answer the questions **in Welsh.**

3 DARLLEN y papur arholiad i gyd cyn cychwyn. **Pam**?
Mae'n bosibl bydd **geiriau** NEU **ymadroddion** NEU **batrymau iaith** mewn **un rhan** o'r papur yn help i ateb cwestiynau mewn **rhan arall** o'r papur.

4 Cwblhau pob cwestiwn a **MEDDWL!**

C: ENGHREIFFTIAU O'R TASGAU

Cyn mynd ymlaen i ddarllen y darnau ac ateb y cwestiynau yn yr adran hon, **dysgwch** y geiriau a'r patrymau canlynol. Mae'n bosibl y byddan nhw'n ymddangos yn aml pan mae darn darllen yn sôn am bobl, adeiladau etc.

Cafodd … ei eni	*… was born (masculine)*
Cafodd … ei geni	*… was born (feminine)*
Cafodd … ei fagu	*… was brought up (masculine)*
Cafodd … ei magu	*… was brought up (feminine)*
Bu farw … yn …	*… died in …*
Cafodd … ei adeiladu	*… was built*
Cafodd … ei greu gan …	*… was created by …*

Gweithiwch gyda phartner.
(i) Ysgrifennwch frawddegau sy'n defnyddio'r patrymau uchod.
(ii) Darllenwch eich brawddegau ar goedd.
(iii) Ysgrifennwch y brawddegau yn y tabl isod yn Gymraeg.
Maen nhw'n ddefnyddiol dros ben.

The book was written	
The story was read	
The food was eaten	
The game was played	
The house was built	
The car was bought	
Welsh was spoken	
The door was painted	

3 READ the whole exam paper before you start. **Why?**
It's possible that **words** OR **phrases** OR **language patterns** in **one part** of the paper will help you answer questions in **another section** of the paper.

4 Complete every question and **THINK!**

C: EXAMPLES OF THE TASKS

Before going on to read the passages and answer the questions in this section, **learn** the following words and language patterns. It is possible that they will appear often in passages that are about people, buildings etc.

Cafodd … ei eni	*… was born (masculine)*
Cafodd … ei geni	*… was born (feminine)*
Cafodd … ei fagu	*… was brought up (masculine)*
Cafodd … ei magu	*… was brought up (feminine)*
Bu farw … yn …	*… died in …*
Cafodd … ei adeiladu	*… was built*
Cafodd … ei greu gan …	*… was created by …*

Work with a partner.
(i) Write sentences that use the above patterns.
(ii) Read your sentences aloud.
(iii) Write the sentences in the table below in Welsh. They are very useful.

The book was written	
The story was read	
The food was eaten	
The game was played	
The house was built	
The car was bought	
Welsh was spoken	
The door was painted	

1 Tasgau gydag ymatebion di-eiriau

(i) Mae Alex Jones yn enwog iawn. Darllenwch ychydig amdani hi isod ac yna atebwch y cwestiynau sy'n dilyn.

Alex Jones

Cafodd Alex Jones ei geni yn Rhydaman, Sir Gaerfyrddin ar 18 Mawrth 1977 ac mae ganddi hi un chwaer o'r enw Jennie. Roedd Alex yn siarad Saesneg yn y tŷ ond aeth hi i Ysgol Maes yr Yrfa ac felly mae hi'n siarad Cymraeg a Saesneg **yn rhugl**.

Yn y brifysgol, yn Aberystwyth, roedd hi'n astudio theatr, ffilm a theledu. Erbyn hyn mae hi'n enwog achos mae hi'n **cyflwyno** *The One Show* gyda Matt Baker.

yn rhugl – *fluently*

cyflwyno – *to present*

(a) Rhowch gylch o amgylch yr ateb cywir.

Sawl brawd a chwaer sy gan Alex?	dau frawd	dwy chwaer	dim brawd na chwaer	un chwaer
Ble ddysgodd Alex siarad Cymraeg?	Yn y tŷ	Yn yr ysgol	Yn y coleg	Yn y brifysgol
Mae Alex yn enwog achos …	mae hi'n cyflwyno sioe	mae hi'n byw yn Aberystwyth	mae hi'n siarad Cymraeg a Saesneg	mae hi mewn ffilm

(b) Ydy pen-blwydd Alex yn yr haf? Ydy / Nac ydy

(c) Ydy Alex yn unig blentyn? Ydy / Nac ydy

(ch) Ydy Alex yn gallu siarad Cymraeg yn dda? Ydy / Nac ydy

1 **Tasks with non-verbal responses**

(i) Alex Jones is very famous.
Read a little about her below and then answer the questions that follow.

Alex Jones

Cafodd Alex Jones ei geni yn Rhydaman, Sir Gaerfyrddin ar 18 Mawrth 1977 ac mae ganddi hi un chwaer o'r enw Jennie. Roedd Alex yn siarad Saesneg yn y tŷ ond aeth hi i Ysgol Maes yr Yrfa ac felly mae hi'n siarad Cymraeg a Saesneg **yn rhugl**.

Yn y brifysgol, yn Aberystwyth, roedd hi'n astudio theatr, ffilm a theledu. Erbyn hyn mae hi'n enwog achos mae hi'n **cyflwyno** *The One Show* gyda Matt Baker.

yn rhugl – *fluently*

cyflwyno – *to present*

(a) Rhowch gylch o amgylch yr ateb cywir.

Sawl brawd a chwaer sy gan Alex?	dau frawd	dwy chwaer	dim brawd na chwaer	un chwaer
Ble ddysgodd Alex siarad Cymraeg?	Yn y tŷ	Yn yr ysgol	Yn y coleg	Yn y brifysgol
Mae Alex yn enwog achos ...	mae hi'n cyflwyno sioe	mae hi'n byw yn Aberystwyth	mae hi'n siarad Cymraeg a Saesneg	mae hi mewn ffilm

(b) Ydy pen-blwydd Alex yn yr haf? Ydy / Nac ydy

(c) Ydy Alex yn unig blentyn? Ydy / Nac ydy

(ch) Ydy Alex yn gallu siarad Cymraeg yn dda? Ydy / Nac ydy

(ii) Fel Alex Jones, mae Tanni Grey-Thompson yn enwog hefyd.
Darllenwch ychydig amdani hi isod ac yna atebwch y cwestiynau sy'n dilyn.

Tanni Grey-Thompson

Cafodd Tanni Grey-Thompson ei geni yng Nghaerdydd ar 26 Gorffennaf 1969 ac aeth hi i Ysgol Uwchradd St Cyres, Penarth. Yn yr ysgol roedd hi'n hoff iawn o nofio, pêl-fasged, marchogaeth a saethu.

Erbyn hyn mae hi'n byw yn Stockton-on-Tees ac mae ganddi hi ferch o'r enw Carys.

Mae hi'n athletwr enwog iawn ac mae hi wedi ennill 16 medal paralympaidd **yn cynnwys** 11 medal aur a hefyd mae hi wedi dal 30 record y byd. Hefyd mae hi wedi ennill Marathon Llundain chwe(ch) gwaith. Tipyn o gamp, ynte?

Ysgrifennodd hi lyfr, *Seize the Day*, yn 2011. Mae hi wedi dysgu siarad Cymraeg.

yn cynnwys – *including*

(a) Pa un sy'n gywir? Ticiwch (✓) y bocs priodol.

Ble mae Tanni'n byw?	Caerdydd	Penarth	Stockton- on-Tees
✓			

(b) Pa un sy'n gywir? Ticiwch (✓) y bocs priodol.

	✓
Mae gan Tanni Grey-Thompson 30 medal aur	
Mae ganddi hi 11 medal aur	
Mae ganddi hi 16 medal aur	

(c) Pa un sy'n gywir? Ticiwch (✓) y bocs priodol.

	✓
Mae pen-blwydd Tanni yn yr haf	
Dysgodd Tanni siarad Cymraeg yn 2011	
Roedd hi'n mwynhau drama yn yr ysgol	

(ii) Similar to Alex Jones ,Tanni Grey-Thompson is famous too.
Read a little about her below and then answer the questions that follow.

Tanni Grey-Thompson

Cafodd Tanni Grey-Thompson ei geni yng Nghaerdydd ar 26 Gorffennaf 1969 ac aeth hi i Ysgol Uwchradd St Cyres, Penarth. Yn yr ysgol roedd hi'n hoff iawn o nofio, pêl-fasged, marchogaeth a saethu.

Erbyn hyn mae hi'n byw yn Stockton-on-Tees ac mae ganddi hi ferch o'r enw Carys.

Mae hi'n athletwr enwog iawn ac mae hi wedi ennill 16 medal paralympaidd **yn cynnwys** 11 medal aur a hefyd mae hi wedi dal 30 record y byd. Hefyd mae hi wedi ennill Marathon Llundain chwe(ch) gwaith. Tipyn o gamp, ynte?

Ysgrifennodd hi lyfr, *Seize the Day*, yn 2011. Mae hi wedi dysgu siarad Cymraeg.

yn cynnwys – *including*

(a) Pa un sy'n gywir? Ticiwch (✓) y bocs priodol.

Ble mae Tanni'n byw?	Caerdydd	Penarth	Stockton- on-Tees
✓			

(b) Pa un sy'n gywir? Ticiwch (✓) y bocs priodol.

	✓
Mae gan Tanni Grey-Thompson 30 medal aur	
Mae ganddi hi 11 medal aur	
Mae ganddi hi 16 medal aur	

(c) Pa un sy'n gywir? Ticiwch (✓) y bocs priodol.

	✓
Mae pen-blwydd Tanni yn yr haf	
Dysgodd Tanni siarad Cymraeg yn 2011	
Roedd hi'n mwynhau drama yn yr ysgol	

(iii) Mae Mark J Williams yn enwog fel chwaraewr snwcer proffesiynol. Darllenwch ychydig amdano fe isod ac yna atebwch y cwestiynau sy'n dilyn.

Mark J Williams

Cafodd Mark J Williams ei eni yn Cwm, Glynebwy ar 21 Mawrth 1975.

Mark oedd y Cymro cyntaf i wneud brêc o 147 yn Theatr y Crucible yn Sheffield yn ystod Pencampwriaeth Snwcer y Byd. 147 ydy'r brêc mwyaf posibl. I wneud y brêc potiodd e 15 pêl goch ac 15 pêl ddu ac yna'r lliwiau i gyd (melyn, gwyrdd, brown, glas, pinc ac yna'r du) mewn naw munud!

Mae Mark wedi ennill Pencampwriaeth Snwcer y Byd dwywaith – yn 2000 ac yn 2003 a fe oedd y **chwaraewr llaw chwith** cyntaf i ennill y bencampwriaeth.

Mae e'n hapus i fod yn Gymro ac mae ganddo datŵ o'r ddraig goch. Mae e'n cefnogi tîm Man U. Mae ganddo 3 mab – Connor, Kian a Joel ac mae e'n ffrindiau gyda Matthew Stevens, Stephen Hendry a'r bocsiwr Joe Calzaghe. Cafodd e'r MBE yn 2004.

chwaraewr llaw chwith – *left-handed player*

(a) Pa un sy'n gywir? Ticiwch (✓) y bocs priodol.

	✓
Potiodd Mark 27 pêl i wneud y brêc mwyaf posibl.	
Potiodd Mark 147 pêl i wneud y brêc mwyaf posibl.	
Potiodd Mark 36 pêl i wneud y brêc mwyaf posibl.	

(b) Pa un sy'n gywir? Ticiwch (✓) y bocs priodol.

	✓
Mae Mark Williams yn mwynhau gwylio pêl-droed.	
Mae Mark Williams yn mwynhau gwylio bocsio.	
Mae Mark Williams yn cefnogi tîm pêl-droed Cymru.	

(c) Rhowch gylch o amgylch yr ateb cywir.

Mark oedd y Cymro cyntaf i wneud brêc o 147…	yng Nglynebwy	yn Man U	yn y Crucible	yng Nghymru
Sawl munud gymrodd Mark i wneud y brêc o 147?	3 munud	9 munud	15 munud	21 munud

(iii) Mark J Williams is a famous professional snooker player.
Read a little about him below and then answer the questions that follow.

Mark J Williams

Cafodd Mark J Williams ei eni yn Cwm, Glynebwy ar 21 Mawrth 1975.

Mark oedd y Cymro cyntaf i wneud brêc o 147 yn Theatr y Crucible yn Sheffield yn ystod Pencampwriaeth Snwcer y Byd. 147 ydy'r brêc mwyaf posibl. I wneud y brêc potiodd e 15 pêl goch ac 15 pêl ddu ac yna'r lliwiau i gyd (melyn, gwyrdd, brown, glas, pinc ac yna'r du) mewn naw munud!

Mae Mark wedi ennill Pencampwriaeth Snwcer y Byd dwywaith – yn 2000 ac yn 2003 a fe oedd y **chwaraewr llaw chwith** cyntaf i ennill y bencampwriaeth.

Mae e'n hapus i fod yn Gymro ac mae ganddo datŵ o'r ddraig goch. Mae e'n cefnogi tîm Man U. Mae ganddo 3 mab – Connor, Kian a Joel ac mae e'n ffrindiau gyda Matthew Stevens, Stephen Hendry a'r bocsiwr Joe Calzaghe. Cafodd e'r MBE yn 2004.

chwaraewr llaw chwith – *left-handed player*

(a) Pa un sy'n gywir? Ticiwch (✓) y bocs priodol.

	✓
Potiodd Mark 27 pêl i wneud y brêc mwyaf posibl.	
Potiodd Mark 147 pêl i wneud y brêc mwyaf posibl.	
Potiodd Mark 36 pêl i wneud y brêc mwyaf posibl.	

(b) Pa un sy'n gywir? Ticiwch (✓) y bocs priodol.

	✓
Mae Mark Williams yn mwynhau gwylio pêl-droed.	
Mae Mark Williams yn mwynhau gwylio bocsio.	
Mae Mark Williams yn cefnogi tîm pêl-droed Cymru.	

(c) Rhowch gylch o amgylch yr ateb cywir.

Mark oedd y Cymro cyntaf i wneud brêc o 147...	yng Nglynebwy	yn Man U	yn y Crucible	yng Nghymru
Sawl munud gymrodd Mark i wneud y brêc o 147?	3 munud	9 munud	15 munud	21 munud

2 **Tasgau gydag ymateb ysgrifenedig**

Cyn mynd ati i ymateb yn ysgrifenedig i'r tasgau, mae'n rhaid meddwl am y strategaethau sy'n mynd i helpu gyda'r gwaith.

Beth sy'n mynd i helpu gyda'r ysgrifennu? Mae'n bwysig eich bod chi'n:

- integreiddio'r sgiliau iaith: defnyddio'r darnau darllen i'ch helpu i ymateb yn ysgrifenedig i'r darllen a hefyd i'ch helpu i ysgrifennu'n ddisgrifiadol, yn greadigol ac yn ddychmygus yn **ADRAN C** y papur arholiad.
- ysgrifennu'n syml a **MEDDWL YN GYMRAEG**.
- defnyddio'r meini prawf llwyddiant neu'r awgrymiadau sy'n y dasg, e.e.

> Mae'n rhaid i chi ysgrifennu am …
>
> Gallwch chi gynnwys:
>
> - manylion personol
> - diddordebau
> - eich rhesymau dros …
>
> Ble rydych chi'n …?
>
> Beth sy …?
>
> Beth hoffech chi …?

- Yn **ADRAN C** (Ysgrifennu), mae dewis gyda chi. Cofiwch ddewis yn ofalus, e.e.

> Ysgrifennwch bortread o un o enwogion Cymru.
>
> **neu**
>
> Ysgrifennwch bortread o berson rydych chi'n edmygu.

- peidiwch ysgrifennu mwy na sydd rhaid
- deall gofynion y cynllun marcio

2 **Tasks which require a written response**

Before you make a start on the tasks which require a written response, you need to think of the strategies that will help you with the work.

What is going to help with the written work? It is important that you:

- integrate the language skills: use the reading passages to help you with your written response to reading and also to help you with the descriptive, creative and imaginative writing in **SECTION C** of the exam paper.
- write simply and **THINK IN WELSH**.
- use the success criteria or the suggestions which are in the task, e.g.

> You must write about …
> You could include:
> - personal details
> - interests
> - your reasons for …
>
> Ble rydych chi'n …?
> Beth sy …?
> Beth hoffech chi …?

- In **SECTION C** (Writing), you have a choice. Remember to choose carefully, e.g.

> Write a portrayal of a famous Welsh person.
> **or**
> Write a portrayal of a person whom you admire.

- don't write more than is needed
- understand the requirements of the marking scheme

Ydych chi'n barod i gwblhau tasgau gydag ymateb ysgrifenedig nawr?

Cofiwch gyfeirio at y pwyntiau ar dudalen 158 yn aml i'ch atgoffa am y pethau sy'n mynd i'ch helpu i gael y marciau gorau posibl.

Alex Jones

(i) Mae Alex Jones yn enwog achos mae hi'n cyflwyno *The One Show* gyda Matt Baker.

(a) Ydych chi'n hoffi gwylio *The One Show* ar y teledu? Rhowch 2 reswm **yn Gymraeg**.
(b) Pa raglen arall ydych chi'n hoffi ar y teledu? Pam? Ysgrifennwch 2 frawddeg **yn Gymraeg**.

Darllenwch eich atebion i'ch partner. Ydych chi'n cytuno neu'n anghytuno gyda fe/hi?

(ii) Mae Tanni Grey-Thompson yn athletwr enwog dros ben sy wedi ennill 11 medal aur ac wedi ennill Marathon Llundain 6 gwaith. Mae hi'n ffit iawn, wrth gwrs.

Tanni Grey-Thompson

(a) Ydych chi'n gwneud rhywbeth i gadw'n ffit?
(b) Ysgrifennwch 3 brawddeg yn Gymraeg i esbonio **beth** rydych chi'n wneud i gadw'n ffit, **ble**, **pryd** a **gyda phwy**.
(c) Gofynnwch y cwestiwn i bartner ac ysgrifennwch yr ateb yn y 3ydd person.

Gofynnwch y cwestiwn i aelodau eraill y dosbarth. Beth ydy'r ffordd mwyaf poblogaidd o gadw'n ffit?

Are you ready to complete tasks which require a written response now?

Remember to refer to the points made on page 159 to remind you of the things that will help you to get the best possible marks in every question.

(i) Mae Alex Jones yn enwog achos mae hi'n cyflwyno *The One Show* gyda Matt Baker.

Alex Jones

(a) Ydych chi'n hoffi gwylio *The One Show* ar y teledu?
*Give two reasons in **Welsh**.*

(b) Pa raglen arall ydych chi'n hoffi ar y teledu? Pam?
Write two sentences in Welsh.

Darllenwch eich atebion i'ch partner. Ydych chi'n cytuno neu'n anghytuno gyda fe/hi?

(ii) Mae Tanni Grey-Thompson yn athletwr enwog dros ben sy wedi ennill 11 medal aur ac wedi ennill Marathon Llundain 6 gwaith. Mae hi'n ffit iawn, wrth gwrs.

Tanni Grey-Thompson

(a) *Do you do anything to keep fit?*

(b) *Write 3 sentences in Welsh to explain what you do to keep fit, where, when and with who.*

(c) *Ask your partner the same question and write down the answer in the third person.*

Ask the same question to other members of your class. What is the most popular way to keep fit?

Ac un arall ...

(iii) Mae Mark Williams wedi ennill Pencampwriaeth Snwcer y Byd ddwywaith, yn 2000 ac eto yn 2003. Mae e'n dalentog iawn, yn wir.

Mark Williams

(a) Beth ydy'ch talent chi? Beth ydych chi'n gallu wneud yn dda?
(b) Ydych chi'n gallu enwi rhywun arall rydych chi'n meddwl sy'n dalentog?
(c) Ysgrifennwch 3 brawddeg **yn Gymraeg** sy'n dweud:
  (i) Pwy ydy'r person
  (ii) Pam mae e'n/hi'n dalentog
  (iii) Fasech chi'n hoffi bod yn dalentog fel y person yma? Pam?

Gwrandewch ar bartner yn darllen ei atebion. Nawr, mae'n rhaid i chi fynegi barn ar atebion eich partner a'i gefnogi gyda rheswm.

3 Ymateb i destunau parhaus er enghraifft ... cerddi.

Fyddwch chi'n darllen IAW bob mis? Cylchgrawn Yr Urdd i ddysgwyr ydy IAW ac mae llawer o erthyglau diddorol, llythyron, storïau, cerddi a gweithlen i helpu gyda dysgu iaith ar gyfer yr arholiad TGAU yn y cylchgrawn bob mis. (Medi – Mehefin).

Yn rhifyn mis Tachwedd 2016 o IAW mae dwy gerdd *Gwahoddiad* ac *Yr Ateb* gan Non ap Emlyn. Yn y gerdd *Gwahoddiad* mae Ceri yn anfon gwahoddiad at Lyn, ei ffrind, i barti. Yn y gerdd *Yr Ateb* mae Lyn yn ateb Ceri, wrth gwrs!

AND ONE MORE …

(iii) Mae Mark Williams wedi ennill Pencampwriaeth Snwcer y Byd ddwywaith, yn 2000 ac eto yn 2003. Mae e'n dalentog iawn, yn wir.

Mark Wlliams

(a) *What is your talent? What can you do well?*
(b) *Can you name anyone else who you think is talented?*
(c) *Write 3 sentences in* **Welsh** *saying:*
  (i) *Who the person is*
  (ii) *Why he/she is talented*
  (iii) *Would you like to be as talented as this person? Why?*

Gwrandewch ar bartner yn darllen ei atebion. Nawr, mae'n rhaid i chi fynegi barn ar atebion eich partner a'i gefnogi gyda rheswm.

3 **Responding to continuous texts for example … poems.**

Do you read IAW every month?
IAW is the Urdd magazine for those who are learning Welsh as a second language. Each month (September - June), there are interesting articles, letters, stories, poems and worksheets which will help you to learn the skills and language needed in the GCSE exam.

In the November 2016 issue of IAW there are two poems ***Gwahoddiad*** and ***Yr Ateb*** by Non ap Emlyn. In the poem ***Gwahoddiad*** Ceri sends her friend, Lyn, an invitation to her party. In the poem *Yr Ateb* Lyn sends her response to Ceri, of course!

Darllenwch y ddwy gerdd yn ofalus ac yna atebwch y cwestiynau sy'n dilyn.

Os ydych chi'n mwynhau'r ddwy gerdd, wel, dyma'r llyfr i chi.
www.atebol.com

GWAHODDIAD

Annwyl Lyn
Dw i'n cael fy mhen-blwydd dydd Sadwrn yma.
Bydd parti mawr a thrip i'r sinema.
Cyfarfod tu allan i'r sinema am dri
Ac yna am fwyd yn ôl yn tŷ ni.
Bydd jeli a pizza a sglodion di-ri,
Gemau a dawnsio a llawer o sbri.

Wyt ti'n dod?
Ceri.

YR ATEB

Annwyl Ceri
Diolch yn fawr am dy wahoddiad di.
Dw i'n gallu dod i'r hwyl a'r sbri.
Dw i'n edrych ymlaen at y parti'n fawr.
Tan ddydd Sadwrn, pob hwyl am nawr.
Lyn

(i) Pa luniau fydd yn addas i Ceri roi ar y gwahoddiad?
Ticiwch y 3 llun gorau.

(ii) Rhowch gylch o amgylch yr ateb cywir.

(a)	**Beth mae Ceri'n ddweud am y sglodion?**	Bydd llawer o sglodion	Bydd sglodion gyda physgod	Bydd y sglodion yn flasus	Bydd pawb yn bwyta sglodion am dri o'r gloch
(b)	**Beth ydy ateb Lyn?**	Dydy hi ddim yn siŵr	Dydy hi ddim yn hoffi parti	Mae hi'n gyffrous iawn	Dydy hi ddim eisiau dod, diolch
(c)	**Pam mae Lyn yn edrych ymlaen?**	Mae hi'n hoffi dydd Sadwrn	Mae hi wrth ei bodd gyda pharti	Mae hi'n hoffi'r gwahoddiad	Mae hi'n mwynhau'r bwyd

(ch) Ydy Ceri'n cael ei phen-blwydd ar y penwythnos? Ydy / Nac ydy
(d) Ydy Ceri'n cael y bwyd yn yn y sinema? Ydy / Nac ydy
(dd) Ydy Ceri wedi anfon gwahoddiad i llawer o bobl? Ydy / Nac ydy

Read both poems carefully and then answer the questions that follow.

If you enjoy reading these poems, this is the book for you.
www.atebol.com

GWAHODDIAD

Annwyl Lyn
Dw i'n cael fy mhen-blwydd dydd Sadwrn yma.
Bydd parti mawr a thrip i'r sinema.
Cyfarfod tu allan i'r sinema am dri
Ac yna am fwyd yn ôl yn tŷ ni.
Bydd jeli a pizza a sglodion di-ri,
Gemau a dawnsio a llawer o sbri.

Wyt ti'n dod?
Ceri.

YR ATEB

Annwyl Ceri
Diolch yn fawr am dy wahoddiad di.
Dw i'n gallu dod i'r hwyl a'r sbri.
Dw i'n edrych ymlaen at y parti'n fawr.
Tan ddydd Sadwrn, pob hwyl am nawr.
Lyn

(i) *Which pictures would be suitable for Ceri to put on her invitation? Tick the best 3 pictures.*

(ii) *Circle the correct answer.*

(a)	**Beth mae Ceri'n ddweud am y sglodion?**	Bydd llawer o sglodion	Bydd sglodion gyda physgod	Bydd y sglodion yn flasus	Bydd pawb yn bwyta sglodion am dri o'r gloch
(b)	**Beth ydy ateb Lyn?**	Dydy hi ddim yn siŵr	Dydy hi ddim yn hoffi parti	Mae hi'n gyffrous iawn	Dydy hi ddim eisiau dod, diolch
(c)	**Pam mae Lyn yn edrych ymlaen?**	Mae hi'n hoffi dydd Sadwrn	Mae hi wrth ei bodd gyda pharti	Mae hi'n hoffi'r gwahoddiad	Mae hi'n mwynhau'r bwyd

(ch) Ydy Ceri'n cael ei phen-blwydd ar y penwythnos? Ydy / Nac ydy
(d) Ydy Ceri'n cael y bwyd yn yn y sinema? Ydy / Nac ydy
(dd) Ydy Ceri wedi anfon gwahoddiad i llawer o bobl? Ydy / Nac ydy

(iii) Mae'r gerdd yn disgrifio parti pen-blwydd Ceri ond beth am eich pen-blwydd chi? **Yn Gymraeg**, disgrifiwch sut byddwch chi'n dathlu eich pen-blwydd fel arfer.

(a) Pryd mae eich pen-blwydd?
(b) Ble fyddwch chi'n hoffi cael eich parti? Pam?
(c) Pwy fydd yn cael gwahoddiad i'r parti?
(ch) Pa fath o fwyd fyddwch chi'n gael yn y parti?

(iv) Rydych chi wedi derbyn y gwahoddiad isod gan Becky, un o'ch ffrindiau. Ysgrifennwch ebost, **yn Gymraeg**, yn derbyn neu'n gwrthod y gwahoddiad.

Mae'n rhaid i chi:

- ddiolch am y gwahoddiad
- dweud os ydych chi'n hoffi'r syniad a pham
- dweud os ydych chi'n derbyn neu beidio a pham
- sôn am y bwyd.

Ydych chi'n gallu defnyddio'r gerdd i'ch helpu? e.e. y geiriau a'r patrymau iaith mewn 'bold'.

Yn y cylchgrawn IAW bob mis hefyd mae cyfweliad gydag aelodau o fandiau Cymraeg, actorion a chyflwynwyr teledu (*television presenters*). Maen nhw'n ddiddorol iawn ac yn ymarfer da ar gyfer darllen darnau parhaus a byr yn yr arholiad TGAU.

(iii) The poem describes Ceri's birthday party but what about your birthday? **In Welsh**, describe how you like to celebrate your birthday.

(a) When is your birthday?

(b) Where do you like to have your party? Why?

(c) Who will receive an invitation to the party?

(ch) What kind of food will you have in the party?

(iv) You've received the invitation below from Becky, one of your friends. Write an email, **in Welsh**, either accepting or declining the invitation.

You must:

- thank her for the invitation
- say whether you think it's a good idea and why
- say if you are accepting or not and why
- mention the food.

Does the poem itself help you? e.g. the words and language patterns in bold print.

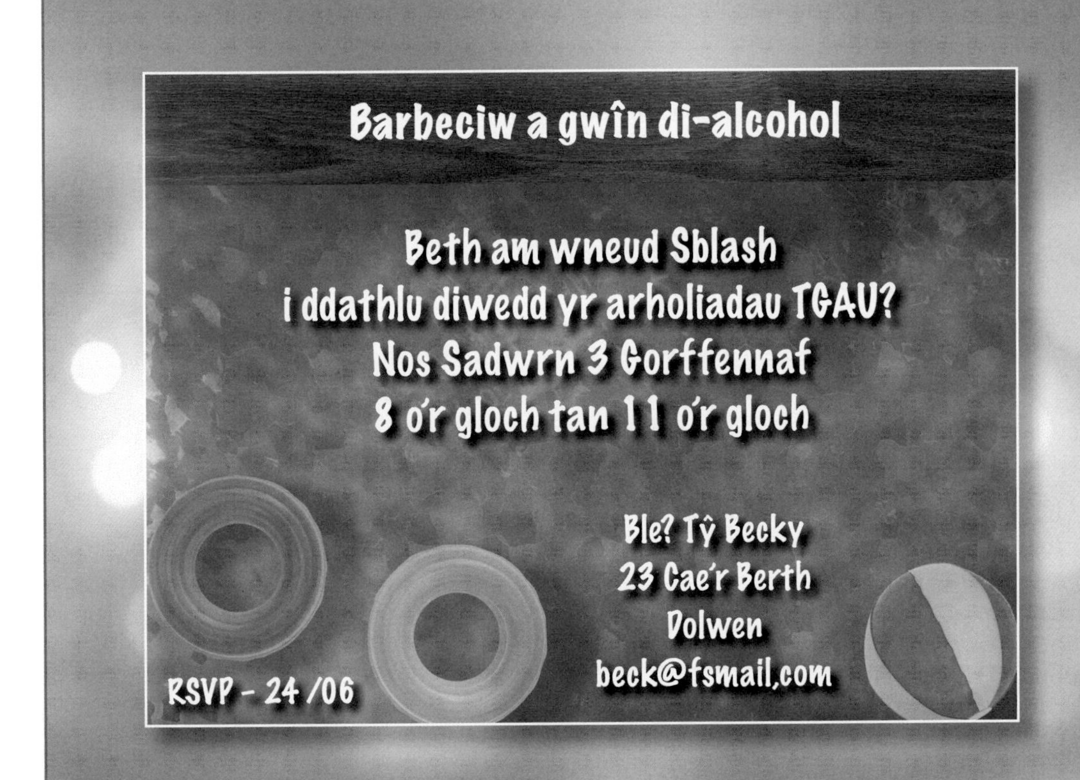

In the magazine IAW every month there are also interviews with members of Welsh bands, actors and television presenters. These are very interesting and good preparation in readiness for reading continuous and short texts in the GCSE exam.

4 **Ymateb i destunau parhaus er enghraifft … ysgrifennu personol.**
Darllenwch y ddau ddarn isod am Miriam Isaac, y cyflwynydd teledu a Jac Williams o'r band Ffracas.

Ydych chi'n deall y teitl? Ydych chi'n gwybod beth mae'r darn yn sôn amdano?

Mae'r geiriau sy wedi'u tanlinellu yn rhai Saesneg neu'n debyg i rai Saesneg.

Rydych chi'n deall enwau pobl, enwau'r bandiau etc.

Mae gair gyda priflythyren (e.e. Jac) yn gallu ateb y cwestiwn 'Pwy?'

Jac Williams o'r band 'Ffracas'

Y Band 'Ffracas'

Pwy ydy Ffracas?

Band ifanc o Benllyn ydy Ffracas; Jac Williams (llais a bas), Siôn Williams (gitâr), Owain Lloyd (drymiau) a Ceri Humphreys (gitâr).

Mae'r pedwar ohonyn nhw'n dal yn yr ysgol ond maen nhw wedi bod yn canu gyda'i gilydd ers blynyddoedd.

Dyma beth sy gan Jac i ddweud wrth IAW.

Mae ein steil ni'n galllu newid lot yn dibynnu ar y mood neu pryd rydyn ni'n ysgrifennu'r gân. Hefyd rydyn ni'n gallu newid y sŵn i siwtio gigs gwahanol … Mae o'n eitha *chilled* a laid back. Rydyn ni'n mwynhau lot o gerddoriaeth gwahanol fel *New Order, Beach Fossils, Stone Roses, David Bowie, Beatles …*

Yn ddiweddar rydyn ni wedi ymuno â recordiau 'I KA CHING' ac rydyn ni'n gobeithio rhyddhau sengl ac *EP* neu albwm yn y dyfodol agos.

Beth am y dyfodol? Does gen i ddim syniad ble fydda i wythnos nesaf heb sôn am mewn blwyddyn neu fwy. Mae'n bwysig *jyst* mwynhau bywyd.

Beth sy gan y cylchgrawn Cymraeg '*Y Seler*' i ddweud am Ffracas? "Dydyn nhw ddim yn swnio fel band ysgol. Mae'r miwsig, y geiriau … yr holl becyn yn aeddfed," meddai'r cylchgrawn.

Meddyliwch am y geiriau Cymraeg rydych chi'n gwybod yn barod.

Mae'r ddwy frawddeg olaf yn ateb y cwestiwn 'Pwy sy'n dweud …?' neu 'Pwy ddywedodd? neu 'Beth ddywedodd …?'

Faint o eiriau yn y darn ydych chi'n deall yn barod?
Pa eiriau anghyfarwydd sy ar ôl? Dim llawer!
Strategaeth deall iaith: **DYFALWCH!**

(i) (a) Sawl aelod sy'n y band Ffracas?
(b) Ydy'r band yn chwarae miwsig i siwtio'r bobl ifanc yn y gig?
(c) Beth mae'r band yn gobeithio wneud gyda I KA CHING?
(ch) Beth mae cylchgrawn 'Y Seler' yn feddwl o'r band?

Cyn darllen y darn am Miriam Isaac:
✓ darllenwch beth sydd yn y bocsys o amgylch y darn am Jac Williams.
✓ defnyddiwch y strategaethau hyn i'ch helpu i ddeall y darn am Miriam.
✓ meddyliwch am strategaethau eraill i'ch helpu.

Darllenwch y cwestiynau sy'n dilyn y darn.
Darllenwch y darn am Miriam Isaac.
Atebwch y cwestiynau **yn Gymraeg**.

4 **Read the two pieces below about the television presenter, Miriam Isaac and Jac Williams from the band Ffracas.**

Do you understand the heading? Do you know what the text is about?

Those which are underlined are English or English sounding words.

You do understand people's names and names of bands etc.

A word with a Capital letter (e.g. Jac) can answer the question 'Pwy?'

Jac Williams o'r band 'Ffracas'

Y Band 'Ffracas'

Pwy ydy Ffracas?

Band ifanc o Benllyn ydy Ffracas; Jac Williams (llais a bas), Siôn Williams (gitâr), Owain Lloyd (drymiau) a Ceri Humphreys (gitâr).

Mae'r pedwar ohonyn nhw'n dal yn yr ysgol ond maen nhw wedi bod yn canu gyda'i gilydd ers blynyddoedd.

Dyma beth sy gan Jac i ddweud wrth IAW.

Mae ein steil ni'n galllu newid lot yn dibynnu ar y mood neu pryd rydyn ni'n ysgrifennu'r gân. Hefyd rydyn ni'n gallu newid y sŵn i siwtio gigs gwahanol … Mae o'n eitha chilled a laid back. Rydyn ni'n mwynhau lot o gerddoriaeth gwahanol fel *New Order*, *Beach Fossils*, *Stone Roses*, *David Bowie*, *Beatles* …

Yn ddiweddar rydyn ni wedi ymuno â recordiau 'I KA CHING' ac rydyn ni'n gobeithio rhyddhau *sengl* ac EP neu *albwm* yn y dyfodol agos.

Beth am y dyfodol? Does gen i ddim syniad ble fydda i wythnos nesaf heb sôn am mewn blwyddyn neu fwy. Mae'n bwysig *jyst* mwynhau bywyd.

Beth sy gan y cylchgrawn Cymraeg '*Y Seler*' i ddweud am Ffracas? "Dydyn nhw ddim yn swnio fel band ysgol. Mae'r miwsig, y geiriau … yr holl becyn yn aeddfed," meddai'r cylchgrawn.

Think of all the Welsh words with which you are familiar.

The last two sentences serve to answer the questions 'Pwy sy'n dweud …?' or 'Pwy ddywedodd?' or 'Beth ddywedodd …?'

How many words in the text do you already know?
Which unfamiliar words remain? Not many!
Language comprehension strategy: **GUESS!**

(i) (a) Sawl aelod sy'n y band Ffracas?
(b) Ydy'r band yn chwarae miwsig i siwtio'r bobl ifanc yn y gig?
(c) Beth mae'r band yn gobeithio wneud gyda I KA CHING?
(ch) Beth mae cylchgrawn 'Y Seler' yn feddwl o'r band?

Before reading the piece about Miriam Isaac:
- ✓ *read what is written in the boxes around the piece about Jac Williams.*
- ✓ *use these strategies to help you to understand the piece about Miriam.*
- ✓ *think about other strategies which may help.*

Read the questions which follow the piece.
Read the piece about Miriam Isaac.
*Answer the questions **in Welsh**.*

Miriam Isaac

Helo! Miriam Isaac ydw i a dw i'n cyd-gyflwyno TAG, slot i bobl ifanc ar S4C, bob nos Fawrth a nos Wener gydag Owain Williams. Mae cyflwyno TAG yn brofiad grêt. Dydy o ddim yn teimlo fel gwaith achos mae Owain a fi'n cael gymaint o hwyl ac rydyn ni'n ffrindiau da hefyd felly mae'n teimlo fel parti bob wythnos.

Dw i wedi cael y cyfle i gwrdd â lot fawr o 'selebs'. Ces i gyfle i wneud darn tu ôl i'r llenni gyda'r rhaglen *X Factor* a chyfweld â'r cystadleuwyr. Ces i gyfle hefyd i gwrdd â Dermot O'Leary.

Fy hoff ganwr ar hyn o bryd ydy Alys Williams. Mae ganddi hi lais hyfryd ac mae *soul* yn ei chanu hi ac mae hi'n berson hyfryd. Mae Bruno Mars bob amser yn llwyddo i greu *hit* hefyd.

Dw i wrth fy modd yn mynd i barti. Ces i barti pen-blwydd gwisg ffansi tua tair blynedd yn ôl ac roedd rhaid i bawb wisgo fel Michael Jackson. Hefyd, es i i barti fel *Superwoman* unwaith. Mae hi mor bwysig bod menywod cryf ar y teledu sy'n ysbrydoli merched ifanc.

(d) Ydy'r rhaglen TAG ar y teledu yn ystod y dydd?
(dd) Pam mae Miriam wrth ei bodd gyda'i gwaith? (2 reswm)
(e) Pam mae Alys Williams yn apelio at Miriam?
(f) Yn eich barn chi, pa fath o berson ydy Miriam Isaac?

(ii) **Nodwch un peth sy'n debyg ac un peth sy'n wahanol rhwng Jac a Miriam.**

	Jac o'r band Ffracas a Miriam
Beth sy'n debyg?	
Beth sy'n wahanol	

(iii) Mae Jac yn dweud, "Mae'n bwysig jyst mwynhau bywyd." Ydych chi'n cytuno gyda Jac? Rhowch reswm dros eich ateb, **yn Gymraeg**.

(iv) Mae Miriam yn dweud, "Dw i wrth fy modd yn mynd i barti." Ydych chi'n cytuno gyda Miriam? Rhowch reswm dros eich ateb, **yn Gymraeg**.

Miriam Isaac

Helo! Miriam Isaac ydw i a dw i'n cyd-gyflwyno TAG, slot i bobl ifanc ar S4C, bob nos Fawrth a nos Wener gydag Owain Williams. Mae cyflwyno TAG yn brofiad grêt. Dydy o ddim yn teimlo fel gwaith achos mae Owain a fi'n cael gymaint o hwyl ac rydyn ni'n ffrindiau da hefyd felly mae'n teimlo fel parti bob wythnos.

Dw i wedi cael y cyfle i gwrdd â lot fawr o 'selebs'. Ces i gyfle i wneud darn tu ôl i'r llenni gyda'r rhaglen *X Factor* a chyfweld â'r cystadleuwyr. Ces i gyfle hefyd i gwrdd â Dermot O'Leary.

Fy hoff ganwr ar hyn o bryd ydy Alys Williams. Mae ganddi hi lais hyfryd ac mae *soul* yn ei chanu hi ac mae hi'n berson hyfryd. Mae Bruno Mars bob amser yn llwyddo i greu *hit* hefyd.

Dw i wrth fy modd yn mynd i barti. Ces i barti pen-blwydd gwisg ffansi tua tair blynedd yn ôl ac roedd rhaid i bawb wisgo fel Michael Jackson. Hefyd, es i i barti fel *Superwoman* unwaith. Mae hi mor bwysig bod menywod cryf ar y teledu sy'n ysbrydoli merched ifanc.

(d) Ydy'r rhaglen TAG ar y teledu yn ystod y dydd?
(dd) Pam mae Miriam wrth ei bodd gyda'i gwaith? (2 reswm)
(e) Pam mae Alys Williams yn apelio at Miriam?
(f) Yn eich barn chi, pa fath o berson ydy Miriam Isaac?

(ii) **Note one thing that is similar and one thing that is different between Jac and Miriam.**

	Jac o'r band Ffracas a Miriam
Beth sy'n debyg?	
Beth sy'n wahanol	

(iii) *Jac says, "It's important just to enjoy life". Do you agree with Jac? Give a reason for your answer,* ***in Welsh****.*

(iv) *Miriam says, "I love going to a party." Do you agree with Miriam? Give a reason for your answer,* ***in Welsh****.*

Tipyn bach o help

Mae'n eitha hawdd ateb y cwestiwn: Ydych chi'n cytuno gyda Jac?
Ydych chi'n cytuno gyda Miriam?

OND mae rhoi 'rheswm dros eich ateb' yn dipyn bach mwy anodd. Mae'n bwysig eich bod yn:

✓ meddwl yn Gymraeg
✓ defnyddio'r wybodaeth sy gennych chi
✓ defnyddio'r darn/au darllen i'ch helpu
✓ defnyddio rhannau eraill o'r papur i'ch helpu, e.e.

Mae Jac yn dweud bod y band yn eitha *chilled a relaxed.*
Mae Jac yn defnyddio geiriau fel 'mwynhau' a 'gobeithio'.
Mae Miriam yn sôn am 'gael hwyl'.
Mae Miriam hefyd yn dweud ei bod hi ac Owain yn ffrindiau da.
Mae hi wrth ei bodd yn mynd i barti.
Yn y gerdd *Yr Ateb* mae Lyn yn dweud ei bod hi'n 'edrych ymlaen …yn fawr'.

Ydy'r syniadau hyn yn help?, e.e.
Dw i'n cytuno gyda … pan mae hi'n dweud ei bod hi wrth ei bodd yn mynd i barti **achos** dw i'n hoffi cael hwyl a dw i'n edrych ymlaen yn fawr pan dw i'n cael gwahoddiad gan ffrind. Dw i'n hoff iawn o barti gwisg ffansi.

Dysgwch y patrwm mewn print bras

(v) Mae Jac yn canu ac yn chwarae gitâr fas mewn band ac mae Miriam yn cyd-gyflwyno rhaglen deledu i bobl ifanc. Beth hoffech chi wneud?

Hoffech chi …

- fod yn aelod o fand, fel Jac?
- gyflwyno rhaglen i bobl ifanc fel Miriam?
- chwarae pêl-droed yn broffesiynol?
- fod yn *super model*?
- wneud rhywbeth arall?

Rhowch ddau reswm dros eich dewis.

Ychydig mwy o help

e.e.
Hoffwn i fod yn actor/actores.

Rheswm 1: Dw i'n mwynhau drama yn yr ysgol a dw i wedi actio mewn dwy sioe gerdd, *Les Miserable* a *Grease*.

Rheswm 2: Mae actorion yn ennill llawer o arian ac wrth gwrs hoffwn i fod yn enwog. Baswn i'n hoffi gyrru car *Lamborghini* melyn a byw mewn tŷ mawr yn LA.

A little bit of help

It's quite easy to answer the question: Ydych chi'n cytuno gyda Jac?
Ydych chi'n cytuno gyda Miriam?

BUT giving a reason for your answer is rather more difficult. It's important that you:

✓ think in Welsh
✓ use the information that you have
✓ use the reading text/s to help you
✓ use other parts of the exam paper to help you, e.g.

Mae Jac yn dweud bod y band yn eitha *chilled a relaxed.*
Mae Jac yn defnyddio geiriau fel 'mwynhau' a 'gobeithio'.
Mae Miriam yn sôn am 'gael hwyl'.
Mae Miriam hefyd yn dweud ei bod hi ac Owain yn ffrindiau da.
Mae hi wrth ei bodd yn mynd i barti.
Yn y gerdd *Yr Ateb* mae Lyn yn dweud ei bod hi'n 'edrych ymlaen …yn fawr'.

Ydy'r syniadau hyn yn help?, e.e.
Dw i'n cytuno gyda … pan mae hi'n dweud ei bod hi wrth ei bodd yn mynd i barti **achos** dw i'n hoffi cael hwyl a dw i'n edrych ymlaen yn fawr pan dw i'n cael gwahoddiad gan ffrind. Dw i'n hoff iawn o barti gwisg ffansi.

Learn the pattern in bold print

(v) *Jac sings and plays bass guitar in a band and Miriam co-presents a programme for young people. What would you like to do?*

Hoffech chi … / *Would you like to …*

- fod yn aelod o fand, fel Jac? (*be a member of a band like Jac?*)
- gyflwyno rhaglen i bobl ifanc fel Miriam? (*co-present a programme for young people like Miriam*)
- chwarae pêl-droed yn broffesiynol? (*play football professionally?*)
- fod yn *super model*? (*be a super model?*)
- wneud rhywbeth arall? (*do something else*)

Rhowch ddau reswm dros eich dewis. (*Give 2 reasons for your choice*)

A little more help

e.e.
Hoffwn i fod yn actor/actores.

Rheswm 1: Dw i'n mwynhau drama yn yr ysgol a dw i wedi actio mewn dwy sioe gerdd, *Les Miserable* a *Grease*.

Rheswm 2: Mae actorion yn ennill llawer o arian ac wrth gwrs hoffwn i fod yn enwog. Baswn i'n hoffi gyrru car *Lamborghini* melyn a byw mewn tŷ mawr yn LA.

5 **Ysgrifennu'n ddisgrifiadol, yn greadigol ac yn ddychmygus.**

Adran C y papur arholiad

(i) **Gofynion y dasg – Beth fydd rhaid i chi wneud?**

Yn yr adran yma bydd un cwestiwn a bydd rhaid i chi ddangos eich bod chi'n gallu defnyddio ystod o wahanol ffurfiau ysgrifenedig, er enghraifft, llythyr, neges, ebost, erthygl, dyddiadur, poster, stori neu blog.

Mae llawer iawn o help i'w gael gyda'r ffurfiau hyn yn Saesneg ac yn Gymraeg.

Mae'r llyfr *Serenni wrth 'Sgrifennu* yn un o'r rhai gorau.

Ewch i:

www.canolfanpeniarth.org

(ii) **Paratoi at ysgrifennu ebost, blog, llythyr, portread, dyddiadur etc.**

Mae'n bwysig eich bod yn:

- trafod nodweddion y genre (ffurf) dan sylw
- creu meini prawf llwyddiant yn seiliedig ar y trafod uchod
- darllen enghraifft o'r genre yn erbyn y meini prawf llwyddiant
- adnabod y math o iaith
- ymarfer defnyddio'r iaith.

Iaith dyddiadur

- person 1af
- iaith anffurfiol
- idiomau
- berfenwau (yn lle berfau llawn)
- ebychiadau, e.e. bobol bach
- geiriau Saesneg
- geiriau sy'n debyg i rai Saesneg

Technegau:

- creu awyrgylch
- defnyddio hiwmor
- brawddegau hir/byr
- defnyddio hepgoriad
- cynnwys cwestiynau
- cynnig atebion
- mynegi teimlad
- mynegi barn
- cyfleu siom/amheuon/gobaith/cyfrinachau
- ymateb i ddigwyddiadau/amgylchiadau/pobl eraill

5 Descriptive, creative and imaginative writing.

Section C of the exam paper

(i) The requirements of the task – What will you have to do?

In this section there will be one question and you will be required to show that you are able to use a range of different writing forms, for example, letter, message, email, article, diary, poster, story or blog.

There is a lot of help to be had with these forms in English and in Welsh.

The publication *Serennu wrth 'Sgrifennu* is one of the best.

Visit:

www.canolfanpeniarth.org

(ii) Preparing to write an email, blog, letter, portrayal, diary etc.

It is important that you:

- discuss the specific features of the genre (form) in question
- create success criteria based on the discussion above
- read an example of the genre against the success criteria
- identify the language needed
- practise using the language.

Diary language

- 1st person
- informal language
- idioms
- infinitives (rather than full verbs)
- interjections, e.g. **bobol bach**
- English words
- words that are similar to English

Techniques:

- create atmosphere
- use humour
- short/long sentences
- use elipses
- include questions
- offer responses
- express feeling
- express opinion
- imply disappointment/ doubt/hope/secrets
- respond to events/ circumstances/other people

Nos Wener a dw i wedi cael llond bol. Pam? Wel, mae'r Pennaeth wedi banio ffonau symudol. Gormod o blant yn tecstio yn y gwersi! *Really*? Syniad twp. Annheg iawn. Mae pawb yn cytuno bod ffôn symudol yn handi. Ond, dyna ni. Rheolau dwl sy'n ein hysgol ni. Dim *chewing gum*, dim *logos* ar eich côt, dim peiriant creision a siocled a dim caniau pop … jyst dŵr. Be' nesa, tybed? Nefi blŵ, does dim rhyfedd mod i wedi cael llond bol nag oes? Mae hyn wedi **difetha'r** penwythnos **yn llwyr** i mi.

Y Dasg

Oes enghreifftiau o'r iaith a'r technegau hyn yn y rhan yma o ddyddiadur Connor?:

person cyntaf
iaith anffurfiol
ebychiadau
idiomau
hiwmor
mynegi barn, teimlad, ymateb etc.

Trafodwch sut fasech chi'n gwella'r darn.

Darllenwch ychydig o ddyddiadur Connor. Ydych chi'n cofio'r sgwrs rhwng Connor, Bethan ac Anna yn Uned 1?, 'Banio ffonau symudol …'?

Beth ydy portread?

Mewn portread mae'n rhaid:

- disgrifio sut mae person yn edrych
- dweud pa fath o berson ydy e/hi.

Mae'n rhaid dweud:

- beth ydy enw'r person
- pryd cafodd y person ei eni/ei geni
- faint ydy oed y person
- ble mae'r person yn byw
- pwy sydd yn y teulu
- beth mae'r person yn wneud gweithio/mynd i'r ysgol/wedi ymddeol.

Hefyd mae'n bwysig dweud:

- beth mae e'n/hi'n hoffi
- beth dydy e/hi ddim yn hoffi
- pam mae e'n/hi'n arbennig/enwog.

Iaith

Mewn portread mae angen llawer o eiriau sy'n disgrifio (ansoddeiriau).

Rhannau'r corff: trwyn, llygaid, wyneb etc.

CORFF	LLYGAID	CYMHARU
byr	brown	llygaid fel
tal	glas	trwyn fel
tenau	hapus	
tew	drygionus	

GWALLT	CYMERIAD	WYNEB
byr	caredig	crwn
brown	diog	pert/tlws
cyrliog	swil	golygus
golau	swnllyd	
hir	tawel	
syth	doniol	
tywyll		

Pwrpas

Pwrpas portread ydy disgrifio person dychmygus neu real.

Nos Wener a dw i wedi cael llond bol. Pam? Wel, mae'r Pennaeth wedi banio ffonau symudol. Gormod o blant yn tecstio yn y gwersi! *Really*? Syniad twp. Annheg iawn. Mae pawb yn cytuno bod ffôn symudol yn handi. Ond, dyna ni. Rheolau dwl sy'n ein hysgol ni. Dim *chewing gum*, dim *logos* ar eich côt, dim peiriant creision a siocled a dim caniau pop … jyst dŵr. Be' nesa, tybed? Nefi blŵ, does dim rhyfedd mod i wedi cael llond bol nag oes? Mae hyn wedi **difetha'r** penwythnos **yn llwyr** i mi.

The task

Are there examples of this language and techniques in Connor's diary?:

first person
informal language
exclamations
idioms
humor
expression of opinion, feeling, response etc.

Discuss how you would improve the piece.

Read some of Connor's diary. Do you remember the conversation between Connor, Bethan and Anna in Uned 1?, 'Banio ffonau symudol …'?

What is a portrayal?

In a portrayal you must:

- describe a person's looks
- say what kind of person he/she is.

You must mention:

- the person's name
- when he/she was born
- the person's age
- where the person lives
- family members
- the person's work (gweithio/mynd i'r ysgol/wedi ymddeol (retired)).

Also it's important that you mention:

- what he/she likes
- what he/she doesn't like
- why he/she is special/famous.

Language

In a portrayal you need a lot of describing words (adjectives).
Parts of the body: trwyn, llygaid, wyneb etc.

CORFF	LLYGAID	CYMHARU
byr	brown	llygaid fel
tal	glas	trwyn fel
tenau	hapus	
tew	drygionus	

GWALLT	CYMERIAD	WYNEB
byr	caredig	crwn
brown	diog	pert/tlws
cyrliog	swil	golygus
golau	swnllyd	
hir	tawel	
syth	doniol	
tywyll		

Purpose

The purpose of a portrayal is to describe an imaginary or a real person.

(iii) Enghraifft: **BLOG**

Pwrpas

Pwrpas **blog** ydy dweud beth sy wedi digwydd.

Beth ydy blog?

Dyddiadur ar lein ydy blog. Mewn blog rydych chi'n gallu:

- ysgrifennu am ddigwyddiad arbennig, e.e. parti pen-blwydd, trip, gwyliau
- dweud sut rydyn ni'n teimlo neu mynegi barn am rywbeth sy wedi digwydd
- adolygu ffilm neu lyfr.

Fel arfer, rydyn ni'n

- ysgrifennu'n gronolegol
- defnyddio paragraff newydd i bob pwynt.

Mae dyddiadur yn bersonol iawn ond mae blog yn gyhoeddus.
Mae pobl eraill yn gallu darllen blog.

Iaith

Mewn blog mae'n bwysig:

- dewis teitl sy'n mynd i dynnu sylw
- defnyddio person 1af y ferf fel arfer
- defnyddio amser gorffennol ar gyfer pethau sy wedi digwydd
- defnyddio brawddegau byr a syml
- defnyddio iaith pob dydd yn hytrach na iaith ffurfiol.

Iaith ddefnyddiol:
Dyma fi'n ysgrifennu …
Mae('r) … wedi …
Roedd … yn/wedi …
Mae … wedi bod yn …
Es i …
Penderfynais i …

Ymadroddion defnyddiol:
Yn y cyfamser … *In the meantime*
Cyn bo hir … *Before long*
Yn fuan wedyn … *Soon after*
O'r diwedd … *At last*

(iii) Example: **BLOG**

Purpose

The purpose of a **blog** is to say what has happened.

What is a blog?

A blog is an online diary. In a blog you can:

- write about special events, e.g. birthday party, trip, holiday
- say how we feel or express our opinion about something that has happened
- review a film or a book.

Usually we:

- write chronologically
- use a new paragraph for every point.

A diary is very personal whereas a blog is public.
Other people are able to read a blog.

Language

It's important in a blog to:

- choose a title that will attract attention
- use the 1st person of the verb usually
- use the past tense to say what has happened
- use short, simple sentences
- use everyday language rather than formal language.

Useful language:
Dyma fi'n ysgrifennu …
Mae('r) … wedi …
Roedd … yn/wedi …
Mae … wedi bod yn …
Es i …
Penderfynais i …

Useful phrases:
Yn y cyfamser … *In the meantime*
Cyn bo hir … *Before long*
Yn fuan wedyn … *Soon after*
O'r diwedd … *At last*

(iv) ADRAN C – Tasg ysgrifennu

Y Dasg

- Unwaith eto yn **Uned 4** mae'n bwysig eich bod yn gwybod beth ydy gofynion y Cynllun Marcio.
- Y ffordd orau i ddod i wybod **yn union** beth sy'n rhaid i chi wneud mewn asesiad neu arholiad ydy marcio atebion enghreifftiol.
- Darllenwch y Cynllun Marcio yn ofalus a gwnewch yn siŵr eich bod yn deall y gofynion. Bydd hyn yn eich helpu i gael y marc/gradd gorau posibl.

Ar ôl gwneud yn siŵr eich bod yn deall gofynion y Cynllun Marcio:
Ysgrifennwch gofnod dyddiadur (2 neu 3 diwrnod) o'ch gwyliau. (150 gair)

Neu

Ysgrifennwch gofnod dyddiadur o'ch parti pen-blwydd neu barti pen-blwydd eich ffrind.

Gallwch gynnwys:
- y diwrnod, yr amser a'r lleoliad
- y bobl yn y parti
- y bwyd
- y gweithgareddau
- beth fwynheuoch chi a pham
- rhywbeth doeddech chi ddim yn hoffi a pham

Yn olaf, mae'n rhaid i chi werthuso'ch gwaith (a gwaith eraill) yn erbyn gofynion y Cynllun Marcio i benderfynu:
(a) beth rydych chi wedi'i wneud yn dda
(b) beth sydd angen i chi wneud i wella'ch gwaith

Mae mwy o dasgau enghreifftiol **Uned 4** i'w cael yn y Tasgau Ychwanegol.

(iv) SECTION C – Writing task

The task

- Once again, in **Uned 4**, it is important that you know the requirements of the Marking Scheme.
- The best way to get to know **exactly** what is required of you in an assessment or an exam is to mark exemplar answers.
- Read the Marking Scheme carefully, making sure that you understand the requirements. This will help you to achieve the best possible mark/grade.

Having made sure that you fully understand the requirements of the Marking Scheme:

Write a diary entry (2 or 3 days) of your holiday. (150 word)

Or

Write a diary entry of your birthday party or your friend's birthday party.

You can include:

- the day, the time and the place
- the people in the party
- the food
- the activities
- what you enjoyed and why
- something you didn't like and why

Finally, you must evaluate your work (and that of others) against the requirements of the Marking Scheme in order to decide:

(a) what you have done well

(b) what you must do to improve your work

There are more exemplar tasks for **Uned 4** in the Additional Tasks.

Disgrifiadol, creadigol a dychmygus

1 Tasg gydag ymateb di-eiriau

Mae Anni Llŷn yn enwog achos rhwng mis Mai 2015 a mis Mai 2017 hi oedd Bardd Plant Cymru. Mae hyn yn debyg i'r *Children's Laureate* yn Lloegr.

Darllenwch ychydig amdani hi yn y ffeil-o-ffaith isod ac yna atebwch y cwestiynau sy'n dilyn ar y dudalen nesaf.

Anni Llŷn

Os ydych chi eisiau darllen mwy am Anni Llŷn darllenwch IAW mis Mehefin 2017.

Hefyd, mae Bardd Plant newydd ers mis Mai 2017.

Ewch ar y wê i gael gwybodaeth amdano fo/amdani hi ac ysgrifennwch ffeil-o-ffaith tebyg i'r un am Anni Llŷn.

Man geni/dod yn wreiddiol	Sarn Mellteyrn, ger Pwllheli
Byw rŵan/nawr	Caerdydd
Teulu	Gŵr o'r enw Tudur Philips
Pen-blwydd	11 Mai
Mwynhau	Gweithio gyda phlant, ysgrifennu llyfrau a barddoniaeth
Addysg	Ysgol Gynradd Pont-y-Gof Ysgol Uwchradd Botwnnog Coleg Meirion Dwyfor Prifysgol Caerdydd (i astudio Cymraeg)
Gwaith	Cyflwynydd ar S4C, cantores, awdur, bardd
Llyfrau barddoniaeth	*Dim Ond Traed Brain* (Gomer 2016 www.gomer.co.uk *Geiriau Bach chwareus* (Carreg Gwalch 2016) www.carreg-gwalch.co.uk

Mae Anni'n canu ar YouTube ac mae ganddi dudalen ar *Facebook*. Rydych chi hefyd yn gallu dilyn hi ar *Twitter*.

Descriptive, creative and imaginative

1 **Task with a non-verbal response**

Anni Llŷn is famous because between May 2015 and May 2017 she was Bardd Plant Cymru. This is similar to the Children's Laureate.

Read a little about her in the fact file below and then answer the questions that follow on the next page.

Anni Llŷn

If you want to read more about Anni Llŷn read the June 2017 issue of IAW.

Also, there is a new Bardd Plant Cymru since May 2017.

Search on line to get information about him/her and write a similar fact file to the one on Anni Llŷn.

Man geni/dod yn wreiddiol	Sarn Mellteyrn, ger Pwllheli
Byw rŵan/nawr	Caerdydd
Teulu	Gŵr o'r enw Tudur Philips
Pen-blwydd	11 Mai
Mwynhau	Gweithio gyda phlant, ysgrifennu llyfrau a barddoniaeth
Addysg	Ysgol Gynradd Pont-y-Gof Ysgol Uwchradd Botwnnog Coleg Meirion Dwyfor Prifysgol Caerdydd (i astudio Cymraeg)
Gwaith	Cyflwynydd ar S4C, cantores, awdur, bardd
Llyfrau barddoniaeth	*Dim Ond Traed Brain* (Gomer 2016 www.gomer.co.uk *Geiriau Bach chwareus* (Carreg Gwalch 2016) www.carreg-gwalch.co.uk

You can listen to Anni singing on You Tube and she has a *Facebook*. You can also follow her on *Twitter*.

(a) Cywir neu Anghywir? Rhowch ✓ yn y bocs.

		Cywir	Anghywir
(i)	Mae Anni Llŷn yn byw ger Pwllheli ar hyn o bryd.		
(ii)	Mae hi'n briod â Tudur Philips.		
(iii)	Mae pen-blwydd Anni yn y gaeaf.		
(iv)	Mae hi'n gweithio yn y brifysgol yng Nghaerdydd.		
(v)	Ysgrifennodd hi ddau lyfr barddoniaeth yn ystod 2016.		
(vi)	Mae Anni'n mwynhau gwylio You Tube.		

2 Tasgau gydag ymateb ysgrifenedig.

Mae Anni Llŷn yn ymweld a'ch ysgol ac mae'r Pennaeth wedi gofyn i chi ysgrifennu proffil ohoni ar gyfer cylchgrawn yr ysgol.

Defnyddiwch y wybodaeth yn y ffeil-o-ffaith a'r meini prawf llwydiant isod i'ch helpu.

Defnyddiwch …	… i sôn am …
Mae Anni yn … Mae hi'n … Mae … yn …	man geni byw rŵan/nawr mwynhau pen-blwydd gwaith
Mae gan … Mae ganddi hi …	teulu tudalen gweplyfr (*Facebook*)
Aeth hi … Aeth Anni …	addysg
Rydych chi'n gallu …	You Tube Trydar (*Twitter*)
Mae Anni wedi… Mae hi wedi …	prifysgol llyfrau barddoniaeth

Mae Anni Llyn yn defnyddio *Facebook* (Gweplyfr) a *Twitter* (Trydar)

(a) Ydych chi'n defnyddio Gweplyfr neu Trydar?
(b) Rhowch 2 reswm **yn Gymraeg** i esbonio pam.
(c) Beth arall tebyg i Gweplyfr a Trydar mae pobl ifanc yn ddefnyddio? Ysgrifennwch 2 frawddeg **yn Gymraeg**.

Darllenwch eich atebion i'ch partner. Ydych chi'n debyg neu'n anhebyg iddo fo/fe/ iddi hi?

(a) Correct or incorrect? Put a ✓ in the appropriate box.

		Cywir	Anghywir
(i)	Mae Anni Llŷn yn byw ger Pwllheli ar hyn o bryd.		
(ii)	Mae hi'n briod â Tudur Philips.		
(iii)	Mae pen-blwydd Anni yn y gaeaf.		
(iv)	Mae hi'n gweithio yn y brifysgol yng Nghaerdydd.		
(v)	Ysgrifennodd hi ddau lyfr barddoniaeth yn ystod 2016.		
(vi)	Mae Anni'n mwynhau gwylio You Tube.		

2 **Tasks with written response.**
Anni Llŷn is paying a visit to your school and the Headteacher has asked you to write a profile of her for the school magazine
Use the information in the fact file and the success criteria in the table below.

Use …	… to refer to …
Mae Anni yn … Mae hi'n … Mae … yn …	man geni byw rŵan/nawr mwynhau pen-blwydd gwaith
Mae gan … Mae ganddi hi …	teulu tudalen gweplyfr (*Facebook*)
Aeth hi … Aeth Anni …	addysg
Rydych chi'n gallu …	You Tube Trydar (*Twitter*)
Mae Anni wedi… Mae hi wedi …	prifysgol llyfrau barddoniaeth

Anni Llŷn uses *Facebook* (Gweplyfr) and *Twitter* (Trydar)

(a) Do you use Face book and Twitter?
(b) Give 2 reasons in Welsh to explain why.
(c) What else, similar to Face book and Twitter do young people use?
Write 2 sentences in Welsh.

Read your answers to your partner. Are you similar to him/her or not? In what way?

3 Ymateb i ddarnau darllen parhaus ... ysgrifennu personol

Mae Geraint Thomas yn enwog hefyd. Mae e'n seiclwr proffesiynol o Gaerdydd ac mae e'n aelod o *Team Sky*.

Darllenwch y cyfweliad â Geraint ac yna atebwch y cwestiynau sy'n dilyn.

Pryd ddechreuaist ti seiclo?
Dechreuais i seiclo pan oeddwn i'n ddeg oed yng Nghanolfan Hamdden Maindy yng Nghaerdydd. Roedd gen i lawer o ffrindiau yno ac roeddwn i wrth fy modd.

Beth oedd dy ras gyntaf?
Ras i seiclwyr o dan 12 oed oedd fy ras gyntaf. Roeddwn i'n gyffrous ond yn nerfus iawn hefyd.

Pa chwaraeon eraill wyt ti'n hoffi?
Fy hoff chwaraeon ydy rygbi.

Oedd gen ti arwr pan roeddet ti'n ifanc?
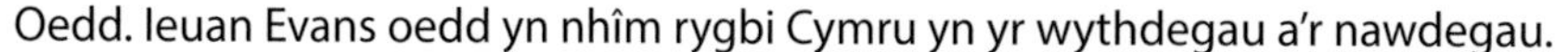
Oedd. Ieuan Evans oedd yn nhîm rygbi Cymru yn yr wythdegau a'r nawdegau.

Pa fath o fwyd wyt ti'n fwynhau?
Yn sicr, cinio dydd Sul ydy'r bwyd mwyaf blasus yn fy marn i.

Beth ydy uchafbwynt dy yrfa hyd yn hyn?
Mae'n anodd dewis. Roedd ennill dwy fedal Olympaidd yn wych. Ond roedd y fedal aur yng Ngemau'r Gymanwlad yn anhygoel hefyd gan fy mod i'n cynrychioli Cymru.

Sut wyt ti'n ymlacio ar ôl rasio?
Dw i'n hoff iawn o gerddoriaeth a hefyd dw i'n mwynhau gwylio ffilm.

Oes 'na unrhyw beth rwyt ti'n gasáu am seiclo?
Wel, yn rhyfedd iawn dydy seiclo pan mae hi'n bwrw glaw ac yn rhewi ddim yn grêt.

Disgrifia dy ddiwrnod arferol.
Dw i'n bwyta uwd i frecwast cyn dechrau hyfforddi tua 9 o'r gloch yn y bore. Dw i'n mynd ar y beic am 6 awr. Mae ymarfer yn bwysig iawn ond yna dw i'n cael cinio ac yn ymlacio.

Beth ydy dy uchelgais?
Dw i eisiau ennill cymaint o rasys â phosibl.

1. Sut roedd Geraint Thomas yn teimlo'r tro cyntaf roedd e mewn ras?
2. Oes diddordeb gyda fe mewn unrhyw chwaraeon eraill?
3. Beth ydy ei hoff fwyd?
4. Pam roedd y fedal yng Ngemau'r Gymanwlad yn bwysig iddo fe?
5. Pryd fydd o ddim yn mwynhau seiclo?

3 **Responding to longer reading passages ... personal writing**

Geraint Thomas is famous too. He is a professional cyclist from Cardiff and he is a member of *Team Sky*.

Read the interview with Geraint and then answer the questions that follow.

Pryd ddechreuaist ti seiclo?
Dechreuais i seiclo pan oeddwn i'n ddeg oed yng Nghanolfan Hamdden Maindy yng Nghaerdydd. Roedd gen i lawer o ffrindiau yno ac roeddwn i wrth fy modd.

Beth oedd dy ras gyntaf?
Ras i seiclwyr o dan 12 oed oedd fy ras gyntaf. Roeddwn i'n gyffrous ond yn nerfus iawn hefyd.

Pa chwaraeon eraill wyt ti'n hoffi?
Fy hoff chwaraeon ydy rygbi.

Oedd gen ti arwr pan roeddet ti'n ifanc?
Oedd. Ieuan Evans oedd yn nhîm rygbi Cymru yn yr wythdegau a'r nawdegau.

Pa fath o fwyd wyt ti'n fwynhau?
Yn sicr, cinio dydd Sul ydy'r bwyd mwyaf blasus yn fy marn i.

Beth ydy uchafbwynt dy yrfa hyd yn hyn?
Mae'n anodd dewis. Roedd ennill dwy fedal Olympaidd yn wych. Ond roedd y fedal aur yng Ngemau'r Gymanwlad yn anhygoel hefyd gan fy mod i'n cynrychioli Cymru.

Sut wyt ti'n ymlacio ar ôl rasio?
Dw i'n hoff iawn o gerddoriaeth a hefyd dw i'n mwynhau gwylio ffilm.

Oes 'na unrhyw beth rwyt ti'n gasáu am seiclo?
Wel, yn rhyfedd iawn dydy seiclo pan mae hi'n bwrw glaw ac yn rhewi ddim yn grêt.

Disgrifia dy ddiwrnod arferol.
Dw i'n bwyta uwd i frecwast cyn dechrau hyfforddi tua 9 o'r gloch yn y bore. Dw i'n mynd ar y beic am 6 awr. Mae ymarfer yn bwysig iawn ond yna dw i'n cael cinio ac yn ymlacio.

Beth ydy dy uchelgais?
Dw i eisiau ennill cymaint o rasys â phosibl.

1 Sut roedd Geraint Thomas yn teimlo'r tro cyntaf roedd e mewn ras?
2 Oes diddordeb gyda fe mewn unrhyw chwaraeon eraill?
3 Beth ydy ei hoff fwyd?
4 Pam roedd y fedal yng
5 Pryd fydd o ddim yn mwynhau seiclo?

Enw enwog iawn ym myd cerddoriaeth, rap a bîtbocsio'n arbennig, ydy Ed Holden neu Mr Phormiwla. Mae e'n cynnal gweithdai led-led Cymru ac yn rhedeg ei stiwdio hip-hop ei hun! Darllenwch y cyfweliad gyda Mr Phormiwla ac yna atebwch y cwestiynau sy'n dilyn.

Beth oedd dy ddiddordebau'n yr ysgol?
Creu cerddoriaeth, bîtbocsio, rapio a bod yn DJ.

Beth, yn union, ydy bîtbocsio?
Creu rhythmau a synau ag effeithiau lleisiol gyda'r geg, y trwyn a'r gwddw.

Oes angen talent arbennig i wneud o?
Na. Mae unrhyw un yn gallu dysgu ond mae pobl cerddorol, fel arfer, yn dysgu rhythmau'n fwy cyflym. Mae ymarfer yn bwysig dros ben os ydych chi eisiau bod yn dda.
Fel efo bob dim, wrth gwrs.

Pwy ydy dy hoff grŵp Cymraeg?
Mae ambell i ffefryn gen i fel McMabon, Tystion a Llwybr Llaethog.

Dyma lun gwych o Mr Phormiwla o gylchgrawn IAW unwaith eto.
Yn y cylchgrawn bob mis mae darnau darllen byr a pharhaus sy'n wych ar gyfer ymarfer yr holl sgiliau iaith yn ogystal â gweithlen iaith.
www.urdd.org

O'r holl bethau rwyt ti wedi eu gwneud, beth sy'n sefyll allan?
Rapio efo Krs One – y rapiwr enwog o Efrog Newydd. Roeddwn i'n hoffi gwrando arno pan roeddwn i'n fach a rwan dw i'n rapio efo fo ar drac Hiphopishiphop.
Hefyd, dw i wedi gweithio gyda CBAC/WJEC i greu cwrs TGAU Bîtbocsio.

O ble ddaeth yr enw Mr Phormiwla?
O gêm Xbox roeddwn i'n chwarae. Enw da i artist, yn fy marn i.

O ble wyt ti'n dod yn wreiddiol?
O Ynys Môn. Es i i Ysgol Thomas Jones yn Amlwch.

1. Pryd ddechreuodd diddordeb Mr Phormiwla mewn bîtbocsio?
2. Oes rhaid bod yn dda gyda cherddoriaeth i ddysgu bîtbocsio?
3. Sawl band Cymraeg mae o'n enwi?
4. Beth mae o wedi wneud gyda Krs One?
5. Sut cafodd o'r enw Mr Phormiwla?

A very famous name in the world of music, rap and beat boxing in particular, is Ed Holden or Mr Phormiwla. He holds work shops the length and breadth of Wales runs his own hip hop stiwdio! Read the interview with Mr Phormiwla and then answer the questions that follow.

Beth oedd dy ddiddordebau'n yr ysgol?
Creu cerddoriaeth, bîtbocsio, rapio a bod yn DJ.

Beth, yn union, ydy bîtbocsio?
Creu rhythmau a synau ag effeithiau lleisiol gyda'r geg, y trwyn a'r gwddw.

Oes angen talent arbennig i wneud o?
Na. Mae unrhyw un yn gallu dysgu ond mae pobl cerddorol, fel arfer, yn dysgu rhythmau'n fwy cyflym. Mae ymarfer yn bwysig dros ben os ydych chi eisiau bod yn dda.
Fel efo bob dim, wrth gwrs.

Pwy ydy dy hoff grŵp Cymraeg?
Mae ambell i ffefryn gen i fel McMabon, Tystion a Llwybr Llaethog.

Here is a great photograph of Mr Phormiwla out of the IAW magazine once again.
In the magazine every month there are short and long reading texts which are great for practising all the language skills as well as a 4-page worksheet.
www.urdd.org

O'r holl bethau rwyt ti wedi eu gwneud, beth sy'n sefyll allan?
Rapio efo Krs One – y rapiwr enwog o Efrog Newydd. Roeddwn i'n hoffi gwrando arno pan roeddwn i'n fach a rwan dw i'n rapio efo fo ar drac Hiphopishiphop.
Hefyd, dw i wedi gweithio gyda CBAC/WJEC i greu cwrs TGAU Bîtbocsio.

O ble ddaeth yr enw Mr Phormiwla?
O gêm Xbox roeddwn i'n chwarae. Enw da i artist, yn fy marn i.

O ble wyt ti'n dod yn wreiddiol?
O Ynys Môn. Es i i Ysgol Thomas Jones yn Amlwch.

1. Pryd ddechreuodd diddordeb Mr Phormiwla mewn bîtbocsio?
2. Oes rhaid bod yn dda gyda cerddoriaeth i ddysgu bîtbocsio?
3. Sawl band Cymraeg mae o'n enwi?
4. Beth mae o wedi wneud gyda Krs One?
5. Sut cafodd o'r enw Mr Phormiwla?

Darllenwch y cyfweliad gyda Geraint Thomas a'r cyfweliad gyda Mr Phormiwla eto.

Nodwch un peth sy'n debyg ac un peth sy'n wahanol rhwng y ddau.

	Geraint Thomas a Mr Phormiwla
Beth sy'n debyg?	
Beth sy'n wahanol	

Mae Geraint Thomas yn dweud "Yn sicr cinio dydd Sul ydy'r bwyd mwyaf blasus yn fy marn i."

Ydych chi'n cytuno gyda Geraint?

Rhowch 2 reswm dros eich ateb, yn **Gymraeg**.

```
S |----|K---|----|K---||----|K---|----|K---|
H |--TT|----|TT--|--TT||--TT|----|TT--|--TT|
B |B---|--B-|--B-|----||B---|--B-|--B-|-B--|
```

Patrymau Bîtbocsio

Mae Mr Phormiwla yn dweud

"Mae ymarfer yn bwysig dros ben os ydych chi eisiau bod yn dda".

Ydych chi'n cytuno gyda Mr Phormiwla

Rhowch 2 reswm dros eich ateb, **yn Gymraeg**.

Dyma ddau gwestiwn oedd yn y cyfweliad gyda Geraint Thomas:

Pa chwaraeon eraill wyt ti'n hoffi?
Fy hoff chwaraeon ydy rygbi.

Oedd gen ti arwr pan roeddet ti'n ifanc?
Oedd. Ieuan Evans oedd yn nhîm rygbi Cymru yn yr wythdegau a'r nawdegau.

(i) Gofynnwch 3 chwestiwn tebyg i'ch partner:
Pa chwaraeon wyt ti'n hoffi?
Oes gen ti arwr? Pam mae e/o/hi'n arwr i ti?

(ii) Defnyddiwch y 3ydd person i adrodd yn ôl i weddill y dosbarth,
e.e. Mae Josh yn hoffi rygbi.
Ei arwr ydy Ryan Jones achos roedd o'n chwaraewr gwych ac yn role *model* da i blant ifanc.

(i) Read the interview with Geraint thomas and the interview with Mr Phormiwla once again.
Note one thing which is similar and one thing which is different between the two of them. ac un peth sy'n wahanol rhwng y ddau.

	Geraint Thomas	a Mr Phormiwla
Beth sy'n debyg?		
Beth sy'n wahanol		

Geraint says

"Certainly, Sunday lunch is the tastiest food in my opinion."

Do you agree with Geraint?

Give 2 reasons for your answer, **in Welsh**.

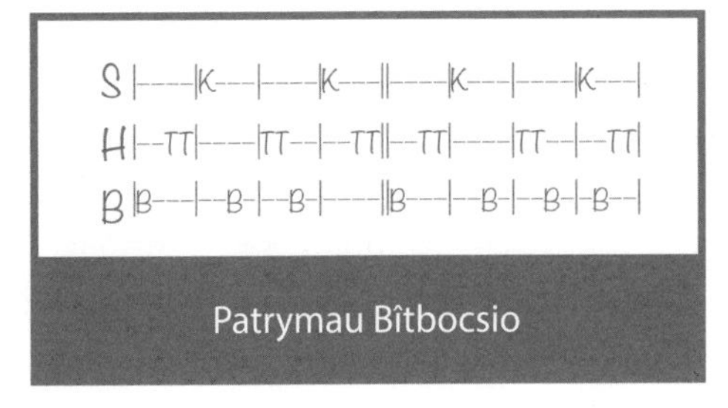

Patrymau Bîtbocsio

Mr Phormiwla says

"Practice is extremely important if you want to be good (at something)".

Do you agree with Mr Phormiwla?

Give 2 reasons for your answer, **in Welsh**.

<u>**Here are two questions which were in the interview with Geraint Thomas:**</u>

Pa chwaraeon eraill wyt ti'n hoffi?
Fy hoff chwaraeon ydy rygbi.

Oedd gen ti arwr pan roeddet ti'n ifanc?
Oedd. Ieuan Evans oedd yn nhîm rygbi Cymru yn yr wythdegau a'r nawdegau.

(i) Ask 3 similar questions to your partner:
Pa chwaraeon wyt ti'n hoffi?
Oes gen ti arwr? Pam mae e/o/hi'n arwr i ti?

(ii) Use the 3rd person to report back to the remainder of the class,
e.e. Mae Josh yn hoffi rygbi.
Ei arwr ydy Ryan Jones achos roedd o'n chwaraewr gwych ac yn role *model* da i blant ifanc.

4 **Ymateb i ddarnau darllen parhaus ... cerddi.**

Darllenwch y gerdd yn ofalus ac yna atebwch y cwestiynau sy'n dilyn.

Sbwriel

Mae 'na sbwriel ar y bysiau
Mae 'na sbwriel ar y stryd
Ai chi sy'n gollwng sbwriel
O hyd ac o hyd?

Hen bapurau siocled
O flaen drysau'r tai
Peidiwch, peidiwch, peidiwch dweud
'Nid arna i mae'r bai'.

Pwy biau'r tuniau?
Pwy biau'r papur tships?
Pwy ar iard yr ysgol
Sy'n taflu bagiau crisps?

Mae 'na sbwriel ar bysiau
Mae 'na sbwriel ar y stryd
Ai chi sy'n gollwng sbwriel
O hyd ac o hyd?

Zac Davies

gollwng – *to drop*
o hyd ac o hyd – *all the time*
drysau – *doors*
pwy biau? – *who owns?*
taflu – *to throw*

(i) Pa luniau fydd yn addas i'w rhoi ar boster sy'n tynnu sylw at broblemau sbwriel yn yr ysgol a'r ardal yn ôl y gerdd?

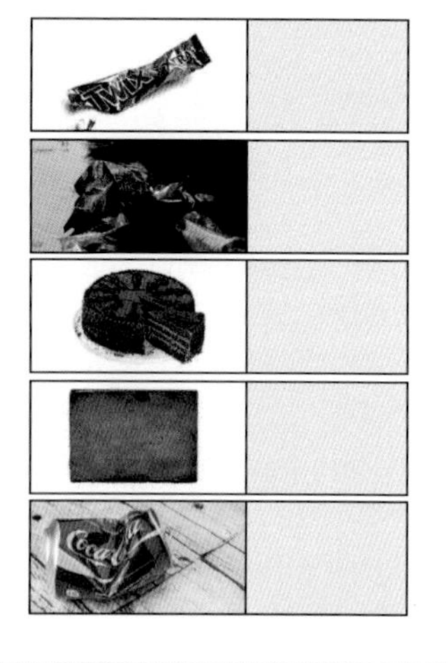

Mae'r gerdd ar dudalen 80 o'r gyfrol *Poeth!* Cerddi poeth ac oer www.ylolfa.com

(ii) Pa gwestiwn mae Zac Davies, y bardd, yn ei ofyn i ni?

(iii) Sawl gwaith mae'r gair sbwriel yn ymddangos yn y gerdd? Rhowch gylch o amgylch yr ateb cywir.

5	3	6

(iv) Pa fath o sbwriel sy ar iard yr ysgol?

(v) Ydy Zac Davies yn gwybod pwy sy'n taflu'r tuniau ac yn gollwng y papur tships? Rhowch ✓ o dan yr ateb cywir.

Ydy	Nag ydy

(vi) Ydy'r papurau siocled wedi bod o flaen drysau'r tai am amser hir? Rhowch ✓ o dan yr ateb cywir.

Ydyn	Nag ydyn

(vii) Ysgrifennwch gwestiwn eich hun a gofynnwch i'ch partner am ateb.

4 **Responding to longer reading passages ... poetry**

Read the poem carefully and then answer the questions that follow.

Sbwriel

Mae 'na sbwriel ar y bysiau
Mae 'na sbwriel ar y stryd
Ai chi sy'n gollwng sbwriel
O hyd ac o hyd?

Hen bapurau siocled
O flaen drysau'r tai
Peidiwch, peidiwch, peidiwch dweud
'Nid arna i mae'r bai'.

Pwy biau'r tuniau?
Pwy biau'r papur tships?
Pwy ar iard yr ysgol
Sy'n taflu bagiau crisps?

Mae 'na sbwriel ar bysiau
Mae 'na sbwriel ar y stryd
Ai chi sy'n gollwng sbwriel
O hyd ac o hyd?

Zac Davies

gollwng – *to drop*
o hyd ac o hyd – *all the time*
drysau – *doors*
pwy biau? – *who owns?*
taflu – *to throw*

(i) Which pictures are suitable to include in a poster drawing attention to problems with rubbish in school and on the street according to the poem?

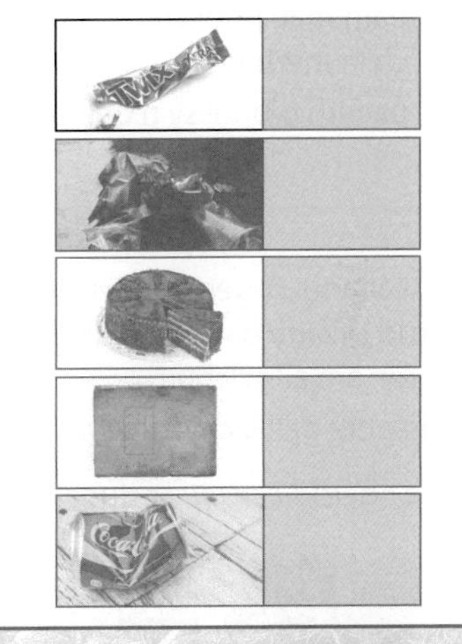

Mae'r gerdd ar dudalen 80 o'r gyfrol *Poeth!* Cerddi poeth ac oer www.ylolfa.com

(ii) Pa gwestiwn mae Zac Davies, y bardd, yn ei ofyn i ni?

(iii) Sawl gwaith mae'r gair sbwriel yn ymddangos yn y gerdd? Rhowch gylch o amgylch yr ateb cywir.

5	3	6

(iv) Pa fath o sbwriel sy ar iard yr ysgol?

(v) Ydy Zac Davies yn gwybod pwy sy'n taflu'r tuniau ac yn gollwng y papur tships? Rhowch ✓ o dan yr ateb cywir.

Ydy	Nag ydy

(vi) Ydy'r papurau siocled wedi bod o flaen drysau'r tai am amser hir? Rhowch ✓ o dan yr ateb cywir.

Ydyn	Nag ydyn

(vii) Ysgrifennwch gwestiwn eich hun a gofynnwch i'ch partner am ateb.

Yn y gerdd *Sbwriel*, mae Zac Davies yn sôn am y broblem gyda phobl yn taflu ac yn gollwng sbwriel yn yr ardal.

Mae sbwriel yn gallu bod yn broblem ymhob ardal. **Yn Gymraeg**, ysgrifennwch **10 brawddeg** sy'n disgrifio problem sbwriel yn eich ardal chi.

Dylech sôn am:

- y math o bethau sy'n cael eu taflu
- ble mae'r pethau hyn yn cael eu taflu
- pwy sy'n taflu sbwriel ac yn gollwng sbwriel
- pam mae pobl yn taflu sbwriel ydych chi'n meddwl
- pa fath o bobl sy'n gollwng ac yn taflu sbwriel

Defnyddiwch amrywiaeth o arddodiaid:

yn y; ar y; wrth y; o flaen y; tu ôl i'r.

Dewch o hyd i ystyr y geiriau canlynol a defnyddiwch nhw.

Mae pobl sy'n taflu sbwriel:
yn **dd**iog (diog)
yn **fl**êr (blêr)
yn **dd**ifater (difater)
yn anghyfrifol

Yn wahanol i'r gerdd *Sbwriel* mae'r gerdd *Lliwiau* gan Hedd ap Emlyn yn sôn am ailgylchu.

Mae pobl gall a **chyfrifol** yn ailgylchu.

Mae'r gerdd *Lliwiau* ar dudalen 96 o'r gyfrol *Sgram!*.

www.atebol.com

Glas, gwyrdd, gwyn a du ydy'r lliwiau pwysig yn nhŷ'r bardd. Mae'r lliwiau yma'n helpu'r bardd a'i deulu i ailgylchu.

glas	papur newydd, cylchgronau
gwyrdd	sbwriel yr ardd
gwyn	poteli plastig
du	poteli gwydr, tuniau

Pa liwiau sy'n bwysig yn tŷ chi? Beth sy'n cael ei ailgylchu ymhob lliw?

5 Tasg Ysgrifennu

Yn y gerdd *Sbwriel* mae Zac Davies yn gofyn:

'Ai chi sy'n taflu sbwriel
O hyd ac o hyd?'

Ysgrifennwch lythyr at y bardd yn dweud eich bod chi'n **ddieuog** o daflu sbwriel gan ddweud eich bod yn ailgylchu'n rheolaidd.

*Cofiwch
- osod y llythyr allan yn briodol
- defnyddio y gerdd, *Sbwriel*, y 10 brawddeg etc. i'ch helpu

Meini Prawf Llwyddiant

Dylech chi:

- gyfeirio at y broblem sbwriel yn eich ardal (beth, ble, pwy, pam)
- mynegi barn am bobol sy'n taflu/gollwng sbwriel
- dweud eich bod chi byth yn taflu/gollwng sbwriel
- sôn eich bod yn ailgylchu a pham
- esbonio sut (Lliwiau)
- dweud pa fath o bobl sy'n ailgylchu
- dweud pa mor bwysig ydy ailgylchu a pham

In the poem *Sbwriel*, Zac Davies mentions the problem with people throwing and dropping litter in the area.

Litter can be a problem in all areas / localities. **In Welsh, write 10 sentences** which describe the litter problem in your area.

Dylech sôn am:

- y math o bethau sy'n cael eu taflu
- ble mae'r pethau hyn yn cael eu taflu
- pwy sy'n taflu sbwriel ac yn gollwng sbwriel
- pam mae pobl yn taflu sbwriel ydych chi'n meddwl
- pa fath o bobl sy'n gollwng ac yn taflu sbwriel

Defnyddiwch amrywiaeth o arddodiaid:

yn y; ar y; wrth y; o flaen y; tu ôl i'r.

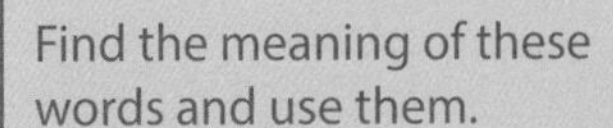

Find the meaning of these words and use them.

Mae pobl sy'n taflu sbwriel:
yn **dd**iog (diog)
yn **f**lêr (blêr)
yn **dd**ifater (difater)
yn anghyfrifol

The poem *Lliwiau* by Hedd ap Emlyn is totally different to *Sbwriel* because it mentions recycling .
Sensible and responsible people recycle.

The poem *Lliwiau* can be found on page 96 of the book *Sgram!*.

www.atebol.com

Blue, green, white and black are the important colours in the poet's house. These colours help the poet and his family to recycle.

glas	papur newydd, cylchgronau
gwyrdd	sbwriel yr ardd
gwyn	poteli plastig
du	poteli gwydr, tuniau

Which colours are important in your house? What is recycled in each colour?

5 **Writing Task**

In the poem *Sbwriel* Zac Davies asks:

'Ai chi sy'n taflu sbwriel
O hyd ac o hyd?'

Write a letter to the poet telling him that you are **not guilty** of throwing rubbish and explain that you recycle on a regular basis.

*Cofiwch
- set the letter ot appropriately
- use the poem, (*Sbwriel*), the 10 sentences and the colours etc. to help you.

Success Criteria

You should:

- refer to the litter problem in your area (what, where, who, why)
- express opinion about people sy'n who throw/drop litter
- explain that you never drop/throw litter
- mention that you recycle and why
- explain how (*Lliwiau*)
- say what kind of people recycle
- say how important recycling is and why

Atebion: Uned 1

Siart tali (tudalen 20)

1. Chwarae gemau ydy'r mwyaf defnyddiol.
2. *Barn bersonol.*
3. Tynnu lluniau sy lleiaf defnyddiol.
4. Mae cael help yn yr ysgol yr un mor ddefnyddiol â 'trydaru'.
5. Ydy. Mae 12 yn dweud tecstio a 11 yn dweud defnyddio 'app'.
6. *Barn bersonol.*
7. Ydy, mae tecstio'n fwy poblogaidd na mynd ar gweplyfr o 12 i 9.
8. Tecstio a chwarae gemau ydy'r ddau beth sy'n fwy defnyddiol na defnyddio 'app'.

Atebion: Tasgau ychwanegol Uned 1

A (ii) **Gary James (tudalen 44)**

in earnest – o ddifrif
can be – gallu bod
understand – deall
machine – peiriant
pointless – dibwynt
near – ger
open air – awyr agored
useful – yn ddefnyddiol
can't wait – methu aros

(iv) Gweithgareddau sy'n seiliedig ar y clip Noson Gyrfaoedd (tudalen 48)

Pwy sy'n dweud ...?	Sara	Kevin	Ben
Mae'r cyrsiau yn ddiddorol.		✓	
Dw i'n hoffi pobl a dw i'n hoffi trafod.			✓
Doeddwn i ddim eisiau aros yn yr ysgol neu'r coleg.	✓		
Doedd mynd i'r coleg ddim yn apelio ata i.			✓
Bydda i'n dysgu sgiliau newydd ac yn cael profiad gwaith.		✓	

GWEITHGAREDDAU *Pwy neu beth sy'n eich gwylltio chi?* (tudalen 56)

(1) Tasg wrth wylio/gwrando

Pwy neu beth sy'n gwylltio ...?	Ysmygu ✓	Merched ✓	Pobl fusneslyd ✓	Bwlio ✓
Person 1 (Twm)			✓	
Person 2 (Georgia)	✓			
Person 3 (Hannah)				✓
Person 4 (Alejandro)		✓		

(2) **Tasg wrth wylio/gwrando (tudalen 58)**

1	yn broblem	yn gas	eisiau gwybod popeth	ddim yn bwyta brecwast	yn cario clecs
Mae Twm (Person 1) yn dweud bod pobl fusneslyd ...			✓		

2	yn afiach	yn dwp	ddim yn iawn	yn wael	yn ddrwg i bobl
Mae Georgia (Person 2) yn dweud bod ysmygu ...	✓			✓	

3	ddim yn iawn	yn ddrwg i bobl	yn ofnadwy	yn wael	yn broblem
Mae Hannah (Person 3) yn dweud bod bwlio ...	✓		✓		

4	yn cario clecs	yn poeni am ffasiwn etc	ddim yn bwyta brecwast	yn dwp	yn wael
Mae Alejandro (Person 4) yn dweud bod ei chwaer, Jamila ...		✓	✓	✓	

Atebion: Uned 2

Gemau a gweithgareddau sy'n gwneud dysgu patrymau iaith yn hwyl. (tudalen 68)

Paru'r brawddegau Cymraeg yn 'Colofn A' gyda'r brawddegau Saesneg yn 'Colofn B'

Colofn A	Colofn B
Beth ydy dy farn di?	*What is your opinion?*
Pam wyt ti'n anghytuno gyda/efo ...?	*Why do you disagree with ...?*
Oes syniadau eraill gen ti/gyda ti?	*Have you any other ideas?*
Mae'n well gen i/gyda fi ...	*I prefer ...*
Baswn i'n dewis ...	*I'd choose ...*
Hoffwn i awgrymu ...	*I'd like to suggest ...*
Wyt ti'n credu bod ...?	*Do you believe that ...?*
Syniad gwych	*Great idea.*
Beth amdanat ti?	*What about you?*
Roeddwn i'n arfer ...	*I used to ...*
Efallai	*Perhaps.*
Fy hoff ... ydy ...	*My favourite ... is ...*
Beth yw'r ots?/Beth ydy'r ots?	*What does it matter?*
Yn fy marn i mae ... yn	*In my opinion ... is ...*
Faswn i ddim yn dweud bod ...	*I wouldn't say that ...*
Yn ôl ...	*According to ...*
Wyt ti'n cytuno gyda ...?	*Do you agree with ...?*
Oes rheswm gyda ti/gen ti?	*Do you have a reason?*
Mae ... yn meddwl bod ...	*... thinks that ...*
Roedd syniad da gyda .../gan ...	*... had a good idea*

Atebion: Uned 3

2 **Sgimio a sganio (tudalen 104)**

Pa air yn 'Colofn C' sy'n cyfieithu (*translate*) y geiriau yn 'Colofn B'?

cyflymaf – *fastest*
talaf – *tallest*
hiraf – *longest*
gorau – *best*

(i) **Clwb Mynydda Cymru (tudalen 108)**

(a) Faint o aelodau sy gan y clwb?
350

(b) Enwch 3 pheth sy gan aelodau'r clwb yn gyffredin?
Siarad Cymraeg
Mwynhau cerdded
Mwynhau dringo

(c) Sawl gwaith yr wythnos mae'r clwb yn cwrdd?
Dwywaith

(ch) Beth ydy'r enw Cymraeg am ddringo hawdd heb ddefnyddio rhaffau?
Sgrialu

(d) Beth mae'r clwb yn wneud yn Sir Benfro ac Ynys Môn?
Cerdded llwybrau'r arfordir

(dd) Rhowch gylch o amgylch yr ateb cywir. **(tudalen 110)**

1	I ble fydd taith y clwb yn mynd cyn y Nadolig?	Llanberis	Tyddewi	Y Fenni
2	Mae pob taith yn cychwyn ...	ar ôl cinio	yn y pnawn	yn y bore
3	Mae'r rhan fwyaf o aelodau'r clwb yn byw yn ...	Rhuthun	Caernarfon	Porthaethwy

(iii) **Stachiwm y Pricipality a Camp Nou (tudalen 112)**

(b) Rhowch gylch o amgylch yr ateb cywir.

1	Roedd y gêm rygbi gyntaf yn erbyn ...	Lloegr	De Affrica	Iwerddon
2	Capasiti'r stadiwm?	80,000	65, 000	74,500
3	Pryd oedd rownd derfynol Cynghrair y Pencampwyr?	3 Mehefin 2017	25 Mai 2017	5 Mehefin 2017

(c) Cwblhewch y brawddegau canlynol.

1 ***Caerdydd*** ydy Prifddinas Cymru.
2 Dyddiad y gêm rygbi gyntaf yn y Stadiwm oedd ***26 Mehefin 1999***.
3 ***Cymru*** ennillodd y gêm gyntaf.
4 Pan mae'r tywydd yn ddrwg, maen nhw'n gallu ***cau'r to***.
5 Y gêm bêl-droed fwyaf i gael ei chwarae yn y Stadiwm oedd ***rownd derfynol Cynghrair y Pencampwyr***.

(d) Cwblhewch y brawddegau canlynol. **(tudalen 116)**

Prifddinas Catalunya ydy **Barcelona**.
Blwyddyn adeiladu'r Camp Nou oedd **1957**.
Mae'n bosibl mwynhau hanes clwb pêl-droed Barcelona yn **amgueddfa'r clwb**.
Mae pob sedd yn y stadiwm yn llawn pan fydd **Barcelona yn chwarae Real Madrid**.
Nifer o bobl sy'n gallu gwylio gêm yn y stadiwm ydy **99,354**.

(iv) Huw Stephens (tudalen 120)

(i) Rhowch gylch o amgylch yr ateb cywir.

Cafodd Huw Stephens ei eni yn …	Gogledd Cymru	**De Cymru**	Canolbarth Cymru
Mae Huw wedi gweithio i sianel deledu yn …	**Iwerddon**	Yr Alban	Ffrainc
Mae Huw wedi ysgrifennu i bapur newydd …	The Sun	Daily Post	**The Guardian**

(ii) Ble, yng Nghaerdydd, oedd Huw Stephens yn gweithio?
Gorsaf Radio Ysbyty Rockwood Sound

(iii) Sawl iaith mae Huw yn gallu siarad?
Dwy

(iv) Ym mha ŵyl Gymreig y mae e/o wedi gweithio?
Eisteddfod Genedlaethol Cymru

(v) I ba gylchgrawn y mae e/o wedi ysgrifennu?
NME

Cyfieithu (tudalen 122)

Taith gerdded: Glyder Fawr.
Dyddiad: Dydd Sadwrn, 10 Ionawr.
Arweinydd: Chris Humphreys.

Roedd deg o bobl yn cerdded dydd Sadwrn. Roedd dau o Rhuthun, tri o Ddinbych, pedwar o Gasnewydd a fi fy hun (o Gaerdydd). Roedd hi'n oer iawn pan ddechreuon ni ddringo ac am ddeg o'r gloch dechreuodd hi fwrw eira. Cyrhaeddon ni'r copa amser cinio a mwynheuon ni ein brechdanau a choffi cyn mynd yn ôl i lawr y mynydd.

Ymarferion cyfieithu (tudalen 124 a 126)

(i)

7 Hydref

Annwyl Mr Jones

Fydd Sara ddim yn yr ysgol ddydd Iau. Mae ganddi hi apwyntiad ysbyty. Os oes problem, ffoniwch fi ar 07827 368900.

Diolch,
Elinor Jenkins

(ii)

NEGES BWYSIG

Roedd problem yn y maes parcio brynhawn dydd Gwener. Mae'r maes parcio wedi cau nawr. Mae parcio ar y stryd neu ger y sinema. Bydd hi'n bosibl parcio yn y llyfrgell ar ôl 9 o'r gloch ar 15 Mai.

Diolch.

(iii)

Hoffwn eich gwahodd i barti nos Sadwrn yn neuadd y pentref. Bydd yn dechrau am saith o'r gloch. Dewch i fwynhau bwyd da, cerddoriaeth rhyfeddol a llawer o hwyl hefyd.

Jenna

Prawf ddarllen (tudalen 128)

1 Annwyl	**2** Bennaeth
3 ni'n	**4** Gaerdydd
5 Chwefror	**6** weld
7 Cymru	**8** bobl
9 Byddwn ni'n cyrraedd	**10** Sul

Ymarfer prawf ddarllen (tudalen 130)

1 bobl	**2** Rydyn ni'n	**3** ddeg	**4** newydd	**5** Hydref
6 Theatr	**7** … gyda chi?	**8** ffoniwch	**9** gais	**10** Pob

Atebion: Tasgau ychwanegol Uned 3

1 Rhedeg i gadw'n ffit (tudalen 134)

Colofn A	Colofn B
ym mhob rhan …	*in every part*
trio ei lwc	*try his luck*
Ar y pryd	*At the time*
smocio	*to smoke*
ddim yn iach iawn	*not very healthy*
O dipyn i beth	*little by little*
Ymhen	*At the end of*
diodydd egni	*energy drinks*
does dim o'i le	*there's nothing wrong*
gwydriad	*glassful*

Atebwch y cwestiynau canlynol am Iwan Roberts

(i) Ym mha wledydd eraill mae Iwan wedi rhedeg?
Fietnam, California, Canada a Gwlad yr Iâ

(ii) Ble mae ei râs nesaf?
Seland Newydd

(iii) Beth oedd Iwan yn wneud yn ei amser hamdden cyn dechrau rhedeg?
Smocio, mynd am beint a gwylio teledu

(iv) Mewn faint o amser, ar ôl dechrau rhedeg, redodd Iwan farathon am y tro cyntaf?
Naw mis

(v) Beth mae o'n hoffi fwyta ac yfed erbyn hyn?
Mae Iwan yn yfed dŵr ac ychydig o win ac yn bwyta pasta ac ychydig o siocled.

(vi) Disgrifiwch batrwm ymarfer Iwan.
Mae Iwan yn rhedeg am awr bob dydd cyn mynd i'r gwaith a bob bore dydd Sul. Ar ddydd Llun, dydd Mercher a dydd Iau, bydd Iwan yn rhedeg deg milltir o amgylch Mynydd Caergybi. Ar ddydd Sadwrn, bydd Iwan yn cymryd rhan mewn râs. Ar ddydd Gwener, bydd Iwan yn ymlacio.

Cyfieithu ebost

At: Disgyblion Blwyddyn 11

Pwnc: Clwb rhedeg newydd

Neges: Ar ôl siarad gyda llawer o ffrindiau, rydw i wedi penderfynu dechrau clwb rhedeg newydd yn yr ysgol. Bydd y clwb yn cyfarfod y tu allan i'r brif fynedfa ar ôl yr ysgol bob dydd Mawrth a dydd Iau. Os oes gennych ddiddordeb, anfonwch ebost ata i os gwelwch yn dda.

2 Rhys Ifans (tudalen 136)

Y Dasg

Symudodd teulu Rhys Ifans i fyw yn **Rhuthun**.

Ydy Rhys yn unig blentyn? **Nac ydy**.

Mae Rhys wedi actio yn y gwledydd hyn: **Prydain; Unol Daleithiau; Gweriniaeth Tsiec; Almaen**.

Cyn actio yn *Twin Town*, roedd o wedi **actio ar lwyfannau theatrau yn y *West End* ac mewn cynyrchiadau Cymraeg ar S4C**.

Roedd Rhys wedi paratoi at ei ran yn Notting Hill drwy **beidio â glanhau ei ddannedd nag ymolchi am ddyddiau**.

Enwau dwy o gyn gariadon Rhys ydy (i) **Sienna Miller** (ii) **Anna Friel**

Sut mae o'n teimlo am yr iaith Gymraeg? **Mae'r Gymraeg yn bwysig iawn i Rhys**.

Ydy teulu Rhys yn siarad Cymraeg? **Ydy**.

Aeth Rhys i'r ysgol yn Rhuthun? **Naddo**.

Prawfddarllen (tudalen 138)

1 wrth fy modd	**2** actor gwych	**3** hoffi	**4** achos	**5** i weld
6 The Old Vic	**7** Teithion ni	**8** trên	**9** Roedd e/o	**10** gyfarfod

3 Bryn Williams (tudalen 142)

Cymraeg	Ffrangeg	Saesneg	Ieithoedd eraill
melys	brioche	Buck's Fizz	cappucino
wyau	croissant	Bloody Mary	americano
crempog	pain au chocolat	Jam	latte
hadau		Earl Grey	expresso

1 Faint o'r gloch mae amser brecwast yn gorffen?
11.00.

2 Sawl dewis llysieuol sy ar y fwydlen?
Pump.

3 Beth ydy'r peth mwyaf costus ar y fwydlen?
Brecwast llawn ac wy royale (£8.95).

4 Ydy Bryn Williams yn siarad Cymraeg?
Ydy.

5 Sut rydych chi'n gwybod bod y Gymraeg yn bwysig i Bryn?
Mae'r Gymraeg yn bwysig i Bryn. Mae nifer o staff y bwyty'n siarad Cymraeg ac mae'r bwydlenni a'r wefan yn ddwyieithog.

6 Ydy'r bwyty Porth Eirias ar lan y môr?
Ydy, ym Mae Colwyn.

7 Enwch 4 gair sy'n disgrifio'r bwyty a'r bwyd.
Bwyty: agored, anffurfiol. Bwyd: syml, tymhorol.

8 Oes dewis da o bysgod ar y fwydlen?
Oes.

Atebion: Uned 4

2 Sgimio a Sganio (tudalen 148)

Jinnat

i Mae Jinnat yn ddeg oed.
ii Mae hi'n byw yn Dhaka.
iii Mae hi'n mynd i'r ysgol (yn ymyl ei thŷ).
iv Ar ôl gadael yr ysgol mae hi eisiau bod yn feddyg.
v Mae hi'n bwyta'n dda yn yr ysgol.
vi Mam Jinnat ddwedodd ei bod hi'n hapus bod Jinnat yn saff yn yr ysgol.

C (iii) (tudalen 150)

The book was written	Cafodd y llyfr ei ysgrifennu.
The story was read	Cafodd y stori ei darllen.
The food was eaten	Cafodd y bwyd ei fwyta.
The game was played	Cafodd y gêm ei chwarae.
The house was built	Cafodd y tŷ ei adeiladu.
The car was bought	Cafodd y car ei brynu.
Welsh was spoken	Cafodd Cymraeg ei siarad.
The door was painted	Cafodd y drws ei beintio.

1 Tasgau gydag ymateb di-eiriau
(i) Alex Jones (tudalen 152)
(a) Rhowch gylch o amgylch yr ateb cywir.

Sawl brawd a chwaer sy gan Alex?	dau frawd	dwy chwaer	dim brawd na chwaer	**un chwaer**
Ble ddysgodd Alex siarad Cymraeg?	Yn y tŷ	**Yn yr ysgol**	Yn y coleg	Yn y brifysgol
Mae Alex yn enwog achos …	**mae hi'n cyflwyno sioe**	mae hi'n byw yn Aberystwyth	mae hi'n siarad Cymraeg a Saesneg	mae hi mewn ffilm

(b) Ydy pen-blwydd Alex yn yr haf? Nac ydy
(c) Ydy Alex yn unig blentyn? Nac ydy
(ch) Ydy Alex yn gallu siarad Cymraeg yn dda? Ydy

(ii) Tanni Grey-Thompson (tudalen 154)

(a) Pa un sy'n gywir?

Ble mae Tanni'n byw?	Caerdydd	Penarth	Stockton- on-Tees
✓			✓

(b) Pa un sy'n gywir?

	✓
Mae gan Tanni Grey-Thompson 30 medal aur	
Mae ganddi hi 11 medal aur	✓
Mae ganddi hi 16 medal aur	

(c) Pa un sy'n gywir?

	✓
Mae pen-blwydd Tanni yn yr haf	✓
Dysgodd Tanni siarad Cymraeg yn 2011	
Roedd hi'n mwynhau drama yn yr ysgol	

(iii) Mark J Williams (tudalen 156)

(a) Pa un sy'n gywir?

	✓
Potiodd Mark 27 pêl i wneud y brêc mwyaf posibl.	
Potiodd Mark 147 pêl i wneud y brêc mwyaf posibl.	
Potiodd Mark 36 pêl i wneud y brêc mwyaf posibl.	✓

(b) Pa un sy'n gywir?

	✓
Mae Mark Williams yn mwynhau gwylio pêl-droed.	✓
Mae Mark Williams yn mwynhau bocsio.	
Mae Mark Williams yn cefnogi tîm pêl-droed Cymru.	

(c) Rhowch gylch o amgylch yr ateb cywir.

Mark oedd y Cymro cyntaf i wneud brêc o 147 ...	yng Nglynebwy	yn Man U	yn y Crucible	yng Nghymru
Sawl munud gymrodd Mark i wneud y brêc o 147?	3 munud	9 munud	15 munud	21 munud

3 Ymateb i destunau parhaus er enghraifft … cerddi. Y Gwahoddiad (tudalen 164)

(i) Ticiwch y 3 llun gorau.

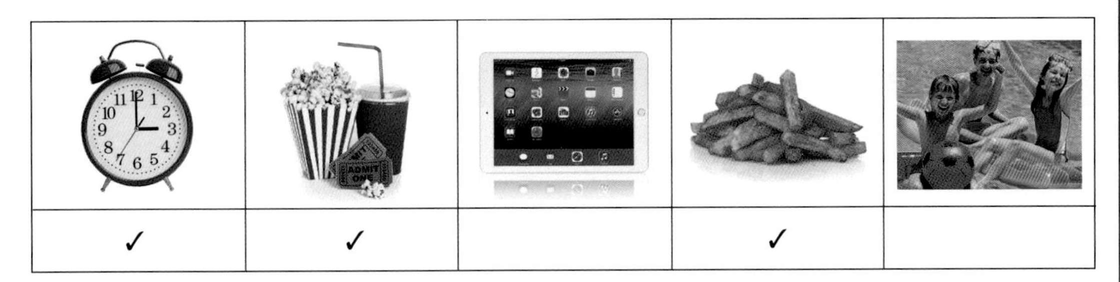

✓	✓		✓	

(ii) Rhowch gylch o amgylch yr ateb cywir.

(a)	**Beth mae Ceri'n ddweud am y sglodion?**	Bydd llawer o sglodion	Bydd sglodion gyda physgod	Bydd y sglodion yn flasus	Bydd pawb yn bwyta sglodion am dri o'r gloch
(b)	**Beth ydy ateb Lyn?**	Dydy hi ddim yn siŵr	Dydy hi ddim yn hoffi parti	Mae hi'n gyffrous iawn	Dydy hi ddim eisiau dod, diolch
(c)	**Pam mae Lyn yn edrych ymlaen?**	Mae hi'n hoffi dydd Sadwrn	Mae hi wrth ei bodd gyda pharti	Mae hi'n hoffi'r gwahoddiad	Mae hi'n mwynhau'r bwyd

(ch) Ydy Ceri'n cael ei phen-blwydd ar y penwythnos? Ydy
(d) Ydy Ceri'n cael y bwyd yn yn y sinema? Nac ydy
(dd) Ydy Ceri wedi anfon gwahoddiad i llawer o bobl? Ydy

4 Ymateb i destunau parhaus er enghraifft … ysgrifennu personol. (tudalen 168)

(i) **Jac Williams o'r band Ffracas**

(a) 4 aelod sy'n y band Ffracas.
(b) Ydy, mae'r band yn eitha *chilled* a *laid back*.
(c) Mae'r band yn gobeithio rhyddhau sengl ac EP neu albwm gyda I KA CHING.
(ch) Dydy'r band ddim yn swnio fel band ysgol.

Miriam Isaac (tudalen 170)

(d) Nag ydy, bob nos Fawrth a nos Wener.
(dd) (i) Mae hi ac Owain yn ffrindiau da (ii) maen nhw'n cael lot o hwyl
(e) Mae ganddi lais hyfryd. / Mae soul yn ei chanu. / Mae hi'n berson lyfli.
(f) Barn bersonol.

(ii) **Un peth sy'n debyg ac un peth sy'n wahanol rhwng Jac a Miriam**

Beth sy'n debyg?	Mae'r ddau'n mwynhau beth maen nhw'n wneud.
Beth sy'n wahanol	Mae Jac yn canu a chwarae gitâr ac mae Miriam yn cyflwyno ar y teledu.

Atebion: Tasgau ychwanegol Uned 4

1 Tasg gydag ymateb di-eiriau (tudalen 184)

(a) Cywir neu Anghywir

		Cywir	Anghywir
(i)	Mae Anni Llŷn yn byw ger Pwllheli ar hyn o bryd.		✓
(ii)	Mae hi'n briod â Tudur Philips.	✓	
(iii)	Mae pen-blwydd Anni yn y gaeaf.		✓
(iv)	Mae hi'n gweithio yn y brifysgol yng Nghaerdydd.		✓
(v)	Ysgrifennodd hi ddau lyfr barddoniaeth yn ystod 2016.	✓	
(vi)	Mae Anni'n mwynhau gwylio You Tube.		✓

3 Ymateb i ddarnau darllen parhaus ... ysgrifennu personol (tudalen 186)

Geraint Thomas

1 Roedd Geraint Thomas yn teimlo'n gyffrous ond yn nerfus iawn.
2 Oes, mae diddordeb ganddo fe mewn rygbi.
3 Cinio dydd Sul ydy ei hoff fwyd.
4 Achos roedd e'n cynrychioli Cymru.
5 Pan mae hi'n bwrw glaw ac yn rhewi.

Ed Holden / Mr Phormiwla (tudalen 188)

1 Dechreuodd diddordeb Mr Phormiwla mewn bîtbocsio pan roedd e'n yr ysgol.
2 Nag oes, ond mae pobl cerddorol, fel arfer, yn dysgu rhythmau'n fwy cyflym.
3 Mae o'n enwi 3 grŵp.
4 Rapio efo Krs One ar drac Hiphopishiphop.
5 Cafodd o'r enw Mr Phormiwla o gêm *Xbox* roedd o'n chwarae.

Un peth sy'n debyg ac un peth sy'n wahanol rhwng y ddau. (tudalen 190)

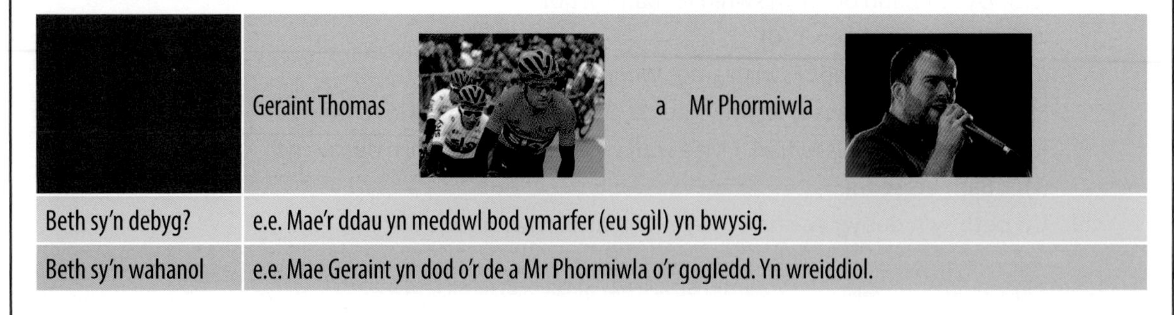

	Geraint Thomas a Mr Phormiwla
Beth sy'n debyg?	e.e. Mae'r ddau yn meddwl bod ymarfer (eu sgìl) yn bwysig.
Beth sy'n wahanol	e.e. Mae Geraint yn dod o'r de a Mr Phormiwla o'r gogledd. Yn wreiddiol.

4 Ymateb i ddarnau darllen parhaus ... cerddi. (tudalen 192)

(i)

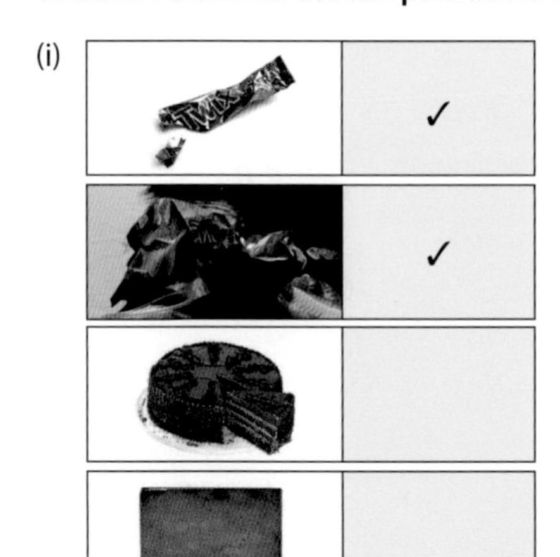

	✓
	✓
	✓

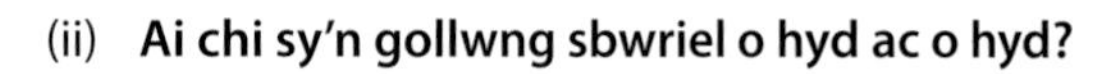

(ii) **Ai chi sy'n gollwng sbwriel o hyd ac o hyd?**

(iii)

5	3	**6**

(iv) **Bagiau crisps sy ar iard yr ysgol**

(v)

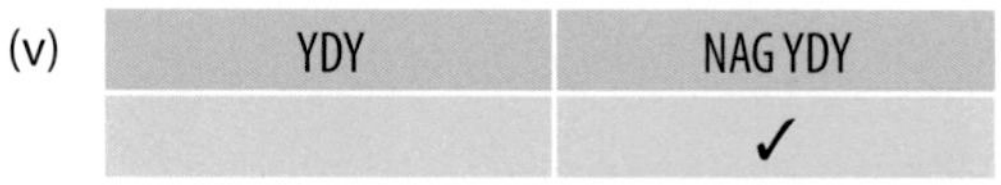

YDY	NAG YDY
	✓

(vi)

YDYN	NAG YDYN
✓